# L'HOMME NEURONAL

## DU MÊME AUTEUR

*Molécule et mémoire* (photographie de Shirley Carcassonne), D, Bedou, 1988.

*Matière à pensée* (en collaboration avec Alain Connes), O. Jacob, 1989.

*Fondements naturels de l'éthique* (sous la direction de), colloque international tenu à la Fondation pour la recherche médicale, O. Jacob, 1993.

*Raison et plaisir*, O. Jacob, 1994.

*Une même éthique pour tous ?* (dir.), Odile Jacob, 1997.

*Ce qui nous fait penser* (entretiens avec Paul Ricoeur), Odile Jacob, 1998.

*L'homme de vérité*, Odile Jacob, 2002.

JEAN-PIERRE CHANGEUX

# L'HOMME NEURONAL

HACHETTE
Littératures

Collection fondée par Georges Liébert
et dirigée par Joël Roman

ISBN : 978-2-01-278892-3

# Sommaire

# Préface

> « Les terreurs, ces ténèbres de l'esprit, il faut
> donc, pour les dissiper, non les rayons du soleil
> ni les traits lumineux du jour, mais l'étude
> rationnelle de la nature. »
>
> Lucrèce,
> *De Natura Rerum*,
> Livre II, 54-60.

*L'Homme neuronal* est né en 1979 d'un entretien avec Jacques-Alain Miller et ses collègues de la revue *Ornicar?*, devenue entre-temps *l'Âne*. Ce dialogue à bâtons rompus entre psychanalystes et neurobiologistes eut le mérite de démontrer, contre toute attente, que les protagonistes pouvaient se parler, même s'entendre. On oublie souvent que Freud était neurologue de métier [1] mais, depuis son *Esquisse d'une Psychologie scientifique* de 1895, les multiples avatars de la psychanalyse ont coupé celle-ci de ses bases proprement biologiques. Ce dialogue renoué avec les sciences « dures » est-il le signe d'une évolution des idées, d'un retour aux sources, voire, pourquoi pas, d'un nouveau départ?

Autre signe positif de cette rencontre : elle a permis de mesurer la distance qui reste à parcourir pour que ces échanges de vues deviennent constructifs et qu'une synthèse enfin émerge. Peut-être le moment est-il venu de réécrire l'*Esquisse*, de jeter les bases d'une biologie moderne de l'esprit [2]? Ce n'est certes pas la prétention de ce livre, dont le propos est plus limité : informer et, si possible, intéresser le lecteur aux sciences du système nerveux. Les connaissances dans ce domaine ont connu au cours des vingt dernières années une expansion qui ne

---

1. F. Sulloway, 1981.
2. Voir G. Edelman et V. Mountcastle, 1978.

se compare, par son importance, qu'à celle de la physique au début de ce siècle, ou à celle de la biologie moléculaire vers les années 50. La découverte de la synapse et de ses fonctions rappelle, par l'ampleur de ses conséquences, celle de l'atome ou de l'acide désoxyribonucléique. Un nouveau monde se dessine et le moment paraît opportun d'ouvrir ce champ du savoir à un public plus large que celui des spécialistes et, si possible, de lui faire partager l'enthousiasme qui anime les chercheurs en ce domaine. Depuis l'entretien d'*Ornicar?*, j'ai ressenti la nécessité de rassembler faits et documents récents qui témoignent de ce mouvement. Il était hors de question de présenter un tableau exhaustif des recherches contemporaines sur le système nerveux [3] : il a fallu choisir. On me reprochera sans doute certaine partialité dans ce choix. Je l'accepte. L'expérience de plusieurs années d'enseignement au Collège de France m'a convaincu qu'un échange fructueux ne peut s'établir avec son public que sur la base d'un petit nombre d'idées simples et fortes. Que ma partialité soit interprétée comme un souci de didactisme.

Les sciences de l'homme sont à la mode. On parle et on écrit beaucoup, que ce soit en psychologie, en linguistique ou en sociologie. L'impasse sur le cerveau est, à quelques exceptions près [4], totale. Ce n'est pas un hasard. L'enjeu paraît beaucoup trop important pour cela. Cette négligence délibérée est cependant de date relativement récente. Est-ce par prudence? Peut-être craint-on que les tentatives d'explication biologique du psychisme ou de l'activité mentale ne tombent dans les pièges d'un réductionnisme simpliste? Alors on préfère déraciner les sciences humaines de leur terreau biologique. Conséquence surprenante : des disciplines au départ « physicalistes », comme la psychanalyse, en sont venues à défendre, sur le plan pratique, le point de vue d'une autonomie quasi complète du psychisme, revenant à leur corps défendant au traditionnel clivage de l'âme et du corps.

Le développement des recherches sur le système nerveux s'est toujours heurté, au cours de l'histoire, à de farouches obstacles idéologiques, à des peurs viscérales, à droite comme à gauche. Toute recherche qui, directement ou indirectement, touche à l'immatérialité de l'âme met la foi en péril et est vouée au

---

3. Une bonne présentation de celles-ci se trouve dans E. KANDEL et J. SCHWARTZ, 1981.
4. E. MORIN et M. PIATELLI-PALMARINI, 1974.

bûcher. On craint aussi l'impact sur le social des découvertes de la biologie qui, usurpées par certains, peuvent devenir des armes oppressives. Dans ces conditions, il apparaît plus prudent de trancher les liens profonds qui unissent le social au cérébral. Plutôt que d'aborder le problème de front, on préfère, une fois de plus, occulter ce dangereux organe. Alors, décérébrons le social !

Enfin, les bonnes lectures du rayon « Sciences humaines » touchent en général la corde personnelle : ici l'engagement politique, là la vie sexuelle ou l'éducation des enfants. La recherche des mécanismes « internes » qui s'y trouvent engagés intéresse beaucoup moins. Elle ne débouche à brève échéance sur aucun code de bonne conduite, ne livre pas le secret du bonheur, ne permet pas de prévoir l'avenir [5].

Observées d'une autre planète, les conduites humaines paraîtraient bien surprenantes. L'homme est une des rares espèces animales qui tue ses semblables d'homicides collectifs ou les inventeurs d'atroces machines de guerre. Cette folle absurdité le poursuit à travers son histoire depuis l'invention de la hache en pierre taillée jusqu'à la mise au point des bombes thermo-nucléaires. Elle a résisté à toutes les religions et à toutes les philosophies, même les plus généreuses. Comme le souligne A. Koestler (1967), elle est bien inscrite « en dur » dans l'organisation du cerveau de l'homme. Mais l'homme a aussi décoré la Chapelle Sixtine, composé le *Sacre du Printemps*, découvert l'atome. « Quelle chimère est-ce donc que l'homme ? Quelle nouveauté, quel monstre, quel chaos, quel sujet de contradiction, quel prodige [6] ! » Qu'a-t-il donc dans la tête, cet *Homo* qui s'attribue sans vergogne l'épithète *sapiens ?*

Paris, le 22 novembre 1982.

---

5. A moins que la connaissance qui en résulte n'incite à une réflexion plus approfondie sur la nature de l'homme et sur le monde qui l'entoure...

6. B. PASCAL, Pensées 51 (434).

*Ce livre n'aurait jamais vu le jour sans l'initiative et la diligence d'Odile Jacob qui en a suivi la rédaction avec beaucoup de compétence et d'attention. Il a bénéficié des contacts scientifiques privilégiés – conférences et discussions – créés par le Neuroscience Research Program, dirigé d'abord par F.O. Schmitt à Boston puis récemment par G. Edelman et V. Mountcastle à New York. Sept années d'enseignement au Collège de France face à un public toujours critique et avide de savoir ont aidé à la recherche de la documentation, au choix des exemples et, bien entendu, à une réflexion de synthèse.*

*Enfin, que P. Benoît, C. Bertheleu, S. Carcassonne, H. Condamine, J. Costentin, H. Hécaen, A. Klarsfeld soient remerciés pour leur lecture critique du manuscrit et leurs commentaires constructifs, ainsi que J. Cartaud, M. Donskoff, M. Fardeau, J. Gaillard, C. Sotelo, A. Trautmann, S. Tsuji pour de précieux documents iconographiques. L'illustration doit beaucoup au soin et à la diligence de P. Lemoine pour les prises de vue et le tirage des clichés photographiques.*

# L'« organe de l'âme », de l'Égypte ancienne à la Belle Époque

> « Le système nerveux a été connu avec une lenteur qui ne s'explique que par les nombreuses difficultés qui se sont toujours opposées à ce genre de recherche. »
>
> F. J. GALL, 1825.

## L'homme pense avec son cerveau

En 1882, Edwin Smith, collectionneur américain, achète chez un brocanteur de Louxor un papyrus. Quelque cinquante ans plus tard, James Breasted, alors directeur des Antiquités orientales à l'Université de Chicago, le déchiffre [1]. Ce manuscrit médical contient, sur dix-sept colonnes, les fragments d'un traité de chirurgie où, pour la première fois dans l'Histoire, le cerveau apparaît sous un nom qui lui est propre. L'écriture hiéroglyphique du papyrus permet de le dater du XVIIe siècle avant notre ère, mais il s'agit vraisemblablement d'une copie d'un texte antérieur, de l'Ancien Empire, rédigé vers les années 3000. On y trouve une liste de quarante-huit cas de blessures à la tête et au cou, présentés de manière fort concise et systématique, comportant déjà pour chaque cas : titre, examen, diagnostic et traitement. La lecture du cas 6 nous informe que l'arrachement de la boîte crânienne découvre des « rides semblables à celles qui se forment sur le cuivre en fusion », première évocation fort suggestive des scissures et circonvolutions cérébrales. Le cas 8

1. J. BREASTED, 1930; C. ELSBERG, 1945.

est capital : le scribe note qu'« une blessure qui est dans le crâne » s'accompagne d'une « déviation des globes oculaires » et que le malade « marche en traînant le pied ». Cette observation doit le surprendre, car il répète quatre fois en l'espace de quelques lignes « *cette blessure qui est dans le crâne* », comme pour bien insister sur le paradoxe qu'un handicap moteur se manifeste alors au niveau des membres, à grande distance de la blessure. Plus loin, au cas 22, on lit : « Si tu examines un homme ayant la tempe enfoncée... lorsque tu l'appelles il ne répond pas, il a perdu l'usage de la parole. » Enfin, au cas 31, le chirurgien égyptien nous apprend qu'après une dislocation des vertèbres du cou « le malade est inconscient des deux bras et des deux jambes, que son phallus est en érection et qu'il urine et éjacule sans le savoir ».

Chacun de ces cas correspond à une description exacte des symptômes connus de nos jours pour accompagner des fractures du crâne ou des vertèbres cervicales. Le parti pris d'objectivité du chirurgien égyptien marque le style même de la rédaction : « Si tu observes » telle plaie, « tu trouves » tel symptôme. Et puis notre médecin répugne à faire appel à la magie et n'hésite pas à répéter sèchement à plusieurs reprises : « Cette maladie ne peut être soignée. » Avec nos connaissances et nos yeux d'hommes du XXe siècle, il faut se défendre de surinterpréter un texte aussi fragmentaire. Il n'en reste pas moins vrai que, malgré quelques erreurs, ce papyrus constitue le premier document connu où le rôle du cerveau dans la commande du mouvement de membres ou d'organes situés dans le corps à grande distance de lui est établi.

Les anciens Égyptiens avaient-ils compris les implications profondes de ces observations ? Il ne semble pas ; car, pour eux comme pour les Mésopotamiens ou les Hébreux, et même pour Homère, ce n'est pas le cerveau ou « encéphale », mais le *cœur*, source de vie, qui recèle intelligence et sentiments. « C'est là, en effet, écrit Lucrèce, que bondissent l'effroi et la peur, c'est là que la joie palpite doucement. » L'histoire des fonctions cérébrales débute avec un décalage qui persiste encore de nos jours entre l'interprétation objective des faits et les sensations subjectivement vécues.

Avec les présocratiques [2], du VIIe au Ve siècle avant notre ère,

---

2. Pour l'histoire des connaissances sur le cerveau de l'Antiquité à nos jours, voir J. Soury, 1899, E. Clarke et C. O'Malley, 1968, E. Clarke et K. Dewhurst, 1975, et surtout H. Hecaen et G. Lanteri-Laura, 1977, ainsi que A. Luria, 1978.

s'installe et se diversifie une réflexion philosophique d'une nature différente. Très ambitieuse, son propos est de « modéliser » tout à la fois l'Univers et l'Homme. Les idées d'esprit et de matière ne sont pas encore distinguées sans ambiguïté (mais n'est-ce pas là un mérite?). L'eau, l'air, le feu, la terre puis, avec Leucippe et Démocrite, les atomes constituent tour à tour l'étoffe du monde, de l'homme et même, semble-t-il, de sa pensée, puisque, pour Parménide, « la pensée et l'être sont une seule et même chose ».

Parmi eux, Démocrite se trouve proche de bien de nos préoccupations. Pour lui, sensation et pensée ont une base matérielle et dépendent d'une variété physique d'atomes « fins, polis et ronds », et toute sensation ou image résulte d'un changement de position de ces corpuscules dans l'espace. Ces atomes « psychiques », pour lui, étaient répandus dans le corps tout entier. Mais il écrit : « le cerveau surveille comme une sentinelle l'extrémité supérieure, citadelle du corps, confiée à sa garde protectrice », et, plus loin : « le cerveau, gardien de la pensée ou de l'intelligence », contient les principaux « liens de l'âme ». Il se démarque donc du poète de l'Iliade par abandon du cœur au profit du cerveau. Cependant, il appelle le cœur « la reine, la nourrice de la colère », et considère que « le foyer du désir se trouve dans le foie ». En dépit de ces précisions qui prêtent à sourire, Démocrite marque l'histoire des doctrines sur le cerveau par deux idées majeures. Il distingue plusieurs facultés intellectuelles et affectives et leur assigne des localisations distinctes dans le corps. L'une d'elles, la pensée, siège désormais dans le cerveau. Enfin, ses « atomes psychiques » constituent le substrat matériel des échanges que le cerveau établit avec les organes du corps et le monde extérieur, et préfigurent à l'évidence la notion d'activité nerveuse.

Hippocrate et ses collègues du siècle de Périclès consolident et enrichissent la thèse de Démocrite par l'observation clinique. Comme le savant neurologue du papyrus d'Edwin Smith, ils étudient les plaies du crâne et montrent qu'elles entraînent des déficits moteurs, mais découvrent que ceux-ci se situent, comme on le sait, par exemple à gauche lorsque la partie droite du cerveau est touchée, donc dans la partie du corps opposée à celle où se trouve la plaie du crâne. Ils découvrent aussi que « si l'encéphale est irrité, l'intelligence se dérange, le cerveau est pris de spasmes et convulse le corps tout entier; parfois le patient ne parle pas, il étouffe. Cette affection se nomme

[épilepsie]... D'autres fois, l'intelligence se trouble et
va et vient, pensant et croyant autre chose que la
réalité et portant le caractère de la maladie dans des sourires
moqueurs et des visions étranges ». La médecine hippocratique
distingue déjà maladies neurologiques et maladies mentales et
leur attribue à juste titre une origine cérébrale. Mais elle nous
surprend lorsqu'on y trouve écrit : « Le cerveau est semblable à
une glande... blanc, friable comme celle-ci. »

Platon poursuit et développe dans le *Timée*, avec sa théorie
des trois parties de l'âme, les thèses présocratiques. Il sépare la
partie intellectuelle des parties irascible et concupiscible, et
place la première dans la tête. Il attribue à celle-là la vertu
d'immortalité et l'unit aux deux autres, mortelles, par l'intermédiaire de la moelle épinière. Avec Platon et les hippocratistes se
trouve désormais formulée de manière explicite la thèse « cé-
phalocentriste » suivant laquelle la pensée siège dans le cerveau
de l'homme.

Ce point de vue, aussi évident soit-il pour nous aujourd'hui, va
faire l'objet d'une longue et vive polémique. Aristote, sur ce
point, égarera les esprits pendant des siècles. Celui qui, dit-on,
n'avait jamais observé un cerveau humain adulte, réactualise
Homère et les Hébreux en affirmant que le cœur est le siège des
sensations, des passions et de l'intelligence. Le cerveau, pour lui,
« composé d'eau et de terre », ne joue que le rôle de réfrigérateur
de l'organisme. Il abaisse la température du sang chargé de
nourriture et entraîne le sommeil. Pourquoi une idée aussi
saugrenue ? Aristote, comme Platon, ignore l'existence des nerfs,
mais a observé les vaisseaux sanguins ainsi que leur convergence
vers le cœur. N'est-ce pas là le moyen de mettre en relation la
périphérie du corps avec l'organe de commande centrale ?
Aristote constate aussi, ce qui est vrai, que le cerveau mis à nu
est insensible à la stimulation mécanique, alors que le cœur, lui,
l'est. Enfin, il n'existe rien qui ressemble au cerveau (des
vertébrés) chez les animaux sans vertèbres : vers, insectes ou
crustacés. Aristote juge ces observations suffisantes pour abandonner la doctrine platonicienne.

L'erreur d'Aristote ne l'empêche toutefois pas de développer
une réflexion sur l'« âme », qu'il fait entrer définitivement dans
les sciences de la nature. Reprenant la thèse d'Épicure, il écrit :
« L'âme ne pense jamais sans images. » Ces images, qui ont pour
origine des organes des sens, constituent des « représentations,
des copies » des objets qui les produisent. Et, grâce à ces images,

l'intelligence peut aussi « calculer et disposer l'avenir par rapport au présent comme si elle voyait les choses ». Voilà formulées les préoccupations très actuelles d'une certaine psychologie cognitive (chapitre v).

La médecine grecque reste en général fidèle aux thèses hippocratiques et échappe à la thèse « cardiocentriste ». Alexandrie prend le relais d'Athènes. La pensée des Atomistes présocratiques y est connue par le truchement d'Épicure. Avec Hérophile et Érasistrate, au IIIᵉ siècle avant notre ère, la connaissance sur le cerveau progresse de manière décisive. Abandonnant l'analogie avec l'animal chère à Aristote, ceux-ci inaugurent la dissection du corps humain. Toucher un cadavre passait alors pour une chose « abjecte ». Aussi dissèquent-ils des criminels que « les rois – écrit Celse – retiraient des prisons pour les leur livrer, et les examiner pendant qu'ils respiraient encore ». Hérophile aurait ainsi disséqué des milliers de corps. Cette expérience heureusement exceptionnelle les conduit à distinguer le cervelet du cerveau et de la moelle épinière. Ils montrent que le cerveau contient des cavités ou ventricules, que sa surface ou écorce se plisse en circonvolutions et que les nerfs se distinguent des vaisseaux sanguins et ont pour origine non le cœur, comme le pensait Aristote, mais le cerveau ou la moelle épinière. Ils distinguent aussi nerfs du « mouvement » et nerfs « sentiment », c'est-à-dire nerfs moteurs et nerfs sensoriels. Ils constatent enfin que, chez l'homme « qui surpasse de beaucoup tous les autres animaux par son intelligence, les circonvolutions du cerveau sont beaucoup plus riches que chez ceux-ci ». Il faudra attendre le XVIIᵉ siècle en Europe pour dépasser ce niveau de connaissance anatomique du cerveau humain.

Les données de l'anatomie, à elles seules, ne suffisent pourtant pas pour rejeter la thèse d'Aristote. Galien, près de cinq cents ans après l'École d'Alexandrie, y réussit en introduisant une nouvelle méthode. Il ne se contente pas de décrire les organes nerveux. Il expérimente et donne à la physiologie cérébrale ses lettres de noblesse. Il s'intéresse particulièrement aux cavités, ou ventricules, qu'il dissocie de la « substance » du cerveau, laquelle « ressemble à celle des nerfs ». Poursuivant l'œuvre d'Hérophile et d'Érasistrate, il distingue trois cavités, une antérieure, divisée en deux, une moyenne et une postérieure. Il constate que si l'on coupe la substance du cerveau en quelque point que ce soit, l'animal ne perd ni le sentiment, ni le mouvement ; pour ce faire la section doit pénétrer jusqu'à l'un des ventricules du cerveau. La lésion du ventricule postérieur affecte le plus gravement l'animal. Galien démontre que le cerveau joue bien le rôle central dans la commande du corps et dans l'activité mentale, et que celle-ci a pour origine la substance cérébrale elle-même. Les expériences de Galien portent un coup fatal à la thèse cardiocentriste. Cependant, amalgamée à une œuvre considérable de philosophe et de naturaliste, véhiculée par la scholastique médiévale, l'opinion erronée d'Aristote survivra jusqu'à notre XVIIIe siècle. Cette incertitude se retrouve chez Shakespeare lorsqu'il fait dire, dans *Le Marchand de Venise* : « Dis-moi où siège l'amour, dans le cœur ou dans la tête ? » Et puis, les « peines de cœur d'une chatte anglaise » n'ont bien entendu rien à voir avec un malaise cardiaque !

### L'âme et le corps

Pour Platon, comme pour Galien, l'âme rationnelle siège dans le cerveau. Mais cela ne nous apprend rien sur la nature de l'âme ni sur ses relations avec le corps. La diversité de sens du mot « âme » n'a d'ailleurs d'équivalente que son imprécision. D'une culture à l'autre, comme d'un auteur à l'autre, son contenu varie. Principe de vie, l'âme peut aussi se trouver réduite au principe de la pensée abstraite, c'est-à-dire aux fonctions supérieures du cerveau. Les progrès de la biologie, d'abord cellulaire, puis moléculaire, lui feront perdre son premier sens. De Galien jusqu'au XVIIIe siècle, les discussions portant sur le second sens du mot auront pour intérêt principal de tenter d'établir les premières corrélations entre l'organisation du cerveau et certaines de ses fonctions.

Galien, physiologiste, développe la notion d'un « pneuma psychique » que les ventricules produisent et stockent. Selon lui, « organe de l'âme », le pneuma circule dans les nerfs et met ainsi en relation cerveau, organes des sens et organes moteurs. Ce pneuma deviendra à l'âge classique « les esprits animaux », puis, au XVIIIe siècle, le « fluide nerveux ». Beaucoup plus observateur que philosophe, Galien hésite cependant à aller plus loin que Démocrite ; le pneuma, « organe » de l'âme, serait-il aussi la substance de l'âme ou bien l'âme elle-même ? Il ne semble pas se décider. Toutefois, averti de la pensée de Moïse, il refusera clairement de confondre, comme celui-ci, folie et possession du démon, et conseillera à ce propos une leçon à méditer : « N'allez pas consulter les dieux pour découvrir par la divination l'âme dirigeante, mais instruisez-vous auprès d'un anatomiste. »

Galien, poussant plus avant la démarche analytique d'Hérophile et d'Érasistrate, poursuit la « décomposition » de l'âme en plusieurs fonctions. Il la subdivise en facultés : motrice, sensible (qui inclut les cinq sens) et raisonnable. L'âme raisonnable est elle-même un complexe de fonctions qu'il nomme imagination, raison et mémoire. Toutefois, manquant de données précises, Galien ne leur assigne pas de localisations distinctes dans le cerveau. Sans apporter d'observations nouvelles, les Pères de l'Église primitive, en particulier Némésius, évêque d'Émèse, et Saint-Augustin, aux IVe et Ve siècles de notre ère, prennent, eux, position sur ce point. Ils logent ces trois facultés respectivement dans les ventricules antérieur (imagination), moyen (raison) et postérieur (mémoire). Simpliste, ce schéma présente néanmoins l'intérêt majeur d'assigner à des régions discrètes du cerveau des fonctions spécialisées. Il constitue le premier modèle de localisation cérébrale, et de nombreux dessins et gravures l'illustrent pendant plus d'un millénaire, jusqu'au XVIIe siècle (figure 1).

La scholastique médiévale a oublié Hérophile et Érasistrate dont les textes originaux ont d'ailleurs disparu. Avec la Renaissance, les dissections d'animaux et surtout de cadavres reprennent. Léonard de Vinci, entre 1504 et 1507, à l'Hôpital Santa Maria Nuova de Florence, prend pour la première fois un moulage en cire des ventricules cérébraux et donne un dessin précis des circonvolutions cérébrales. En Italie, Vésale (figure 2), Varole, en France, Fresnel produisent des descriptions de plus en plus poussées de la morphologie cérébrale dont on reconnaît la complexité. Progressivement, les ventricules, trop simples, sont abandonnés comme sièges des fonctions psychiques au profit des parties solides de la « substance » même du cerveau. Le schéma de Némésius se trouve remplacé par de splendides planches anatomiques. Mais la signification fonctionnelle des structures rapportées reste imprécise.

Chercheurs et philosophes se trouvent dans une situation délicate. Le climat politique est tel qu'ils hésitent à s'opposer ouvertement à la doctrine officielle sur l'immatérialité de l'âme, sous peine de se voir condamnés. Dans les textes de cette époque, il est malaisé de faire la part de l'authentique pensée de l'auteur et de ce qu'il doit écrire pour survivre, voire même de sa flagornerie vis-à-vis du pouvoir établi. Ainsi comprend-on mieux le curieux syncrétisme que professe Descartes. Selon lui, réminiscence d'Aristote, le flux de sang envoyé par le cœur vers le cerveau sert à produire les esprits animaux. Ceux-ci, évocation de Némésius, « s'écoulent » dans les ventricules et, de là, passent

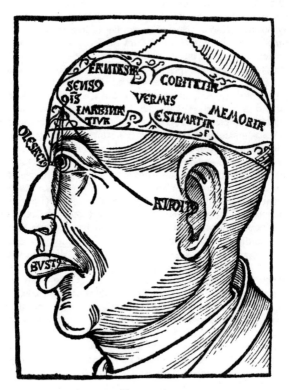

FIGURE 1

*Fig. 1 – Cette gravure du début du XVIᵉ siècle représente un des premiers modèles de subdivision de l'âme en facultés élémentaires et de localisation de ces facultés en des régions distinctes de l'encéphale. Cependant, ces premiers « phrénologues » (qui furent aussi Pères de l'Église !) attribuent de manière erronée les « fonctions de l'âme » aux parties creuses du cerveau ou ventricules. On lit dans le premier ventricule, Fantasia, Senso communis, Imaginativa; dans le second, séparé du premier par le Vermis, Cogitativa, Estimativa; dans le troisième, Memoria (d'après G. Rusconibus, 1520).*

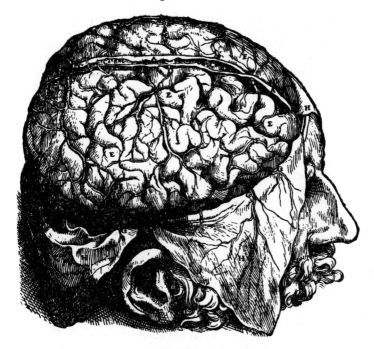

FIGURE 2

*Fig.2 – Avec la Renaissance s'effectue le retour à l'observation anatomique abandonnée depuis l'École d'Alexandrie. Dans le* De humani corporis fabrica *(1543), Vésale présente des illustrations qui reproduisent avec fidélité la forme du cerveau, les circonvolutions cérébrales et les vaisseaux sanguins qui les irriguent (d'après Vésale, 1543).*

par des orifices dans les nerfs pour agir sur le corps. C'est à ce niveau que Descartes se montre à la fois original et radical. Pour lui, le corps est une machine. Il le compare à un orgue où les esprits animaux agissent comme « l'air entre des porte-vent dans quelques tuyaux ». Mais l'homme se distingue des animaux par une âme que Descartes ne confond d'aucune manière avec les esprits animaux. Dualiste, il rejette la thèse tripartite de Platon, il croit l'âme unique, immatérielle et immortelle.

Comment concilier des doctrines aussi opposées, voire contradictoires? Esprit rationnel plus qu'anatomiste, Descartes s'en
tire avec la glande pinéale qui a pour vertu primordiale d'être
unique, car « les autres parties de notre cerveau sont doubles et
nous n'avons qu'une seule pensée d'une même chose en même
temps ». A son niveau, l'âme unique se joint au corps. Là, elle
règle la circulation des esprits animaux. Réciproquement, ceux-
ci agissent sur elle « lorsque certaines parties du corps se
meuvent ou sont excitées par les objets sensibles ». Ce rôle
incongru de la glande pinéale surprend à juste titre théologiens
et anatomistes. Il ne résiste pas à la critique d'un philosophe
averti comme Spinoza.

De l'édifice cartésien, la postérité retiendra une partie essentielle : sa conception du corps de l'homme « comme étant une
*machine* tellement bâtie et composée d'os, de nerfs, de muscles,
de veines, de sang et de peau ». L'application qu'il en fait à
l'analyse du déclenchement des mouvements, par signaux
visuels ou auditifs, le conduit à des schémas très proches de
ceux acceptés aujourd'hui pour l'arc réflexe.

Willis (figure 3) n'atteint pas le même niveau de réflexion que
Descartes. Il observe. Aidé par l'architecte de Saint-Paul,
Christopher Wren, qu'il prend comme dessinateur, il réunit les
meilleures images du cerveau données jusqu'alors. Il montre que
l'écorce cérébrale plissée recouvre des centres « sous-corticaux »,
comme les corps striés, ou des noyaux du thalamus, le corps
calleux qui unit les deux hémisphères... Il distingue une
*substance* corticale *grise ou cendrée*, qui d'après lui engendre les
esprits animaux, d'une *substance* médullaire *blanche* d'où ces
esprits sont distribués au reste de l'organisme auquel ils
communiquent sensibilité et mouvement. Il parle même de la
vertu « explosive » des esprits animaux. Nous sommes très près
des conceptions actuelles sur les rôles respectifs des substances
grise et blanche dans la production et dans la conduction de
l'influx nerveux. Toutefois, comme Descartes et peut-être pour
s'attirer les grâces du puissant évêque de Canterbury, il accepte
encore l'idée d'une âme raisonnable, propre à l'homme et
immatérielle, qu'il place au-delà de la pointe de son scalpel.
Alors que Descartes l'unissait au corps par la glande pinéale,
Willis fait jouer ce rôle aux corps striés. Les auteurs contemporains varient d'ailleurs beaucoup sur ce point : chaque structure nouvellement découverte devient un trait d'union potentiel
de l'âme au corps. La tentative d'un Descartes ou d'un Willis

d'insérer l'âme en un point précis du cerveau est, sans aucun doute, localisationniste. Elle bute toutefois sur le postulat d'unicité et d'indivisibilité de l'âme et se situe donc par là en retrait par rapport à la réflexion d'un Galien ou d'un Némésius.

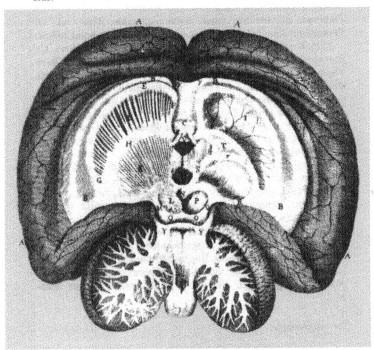

**FIGURE 3**

*Fig. 3 –Au xviiᵉ siècle, l'Anglais Willis met un point final à la doctrine ventriculaire et attribue, avec raison, la primauté au cortex cérébral. On le voit sur cette figure rejeté à droite et à gauche après section du cerveau entre les deux hémisphères. Le coup de bistouri a tranché le corps calleux (B, en blanc sur la figure), faisceau de nerfs qui relie les deux hémisphères, et dégagé des centres logés en dessous du cortex (comme le thalamus, K.). Willis distingue aussi la substance grise, superficielle, de la substance blanche, interne. Cette distinction est particulièrement nette sur la section du cervelet (Z) située dans la partie inférieure de la figure (d'après Willis, 1672).*

Un autre mouvement de pensée se dessine avec Gassendi qui, dès le début du XVIIe siècle, réhabilite les atomistes grecs et Lucrèce. S'il tente encore la conciliation avec la doctrine officielle de l'Église (dont il fait d'ailleurs partie), il professe au Collège de France que les animaux, qui font preuve de mémoire, de raison et d'autres caractères psychologiques communs avec l'homme, doivent eux aussi avoir une âme. Pour lui, au demeurant, l'âme ne s'associe pas au corps en un point précis. La polémique fait alors rage autour de l' « âme des bêtes ». Ce partage n'humanise certes pas les animaux, mais animalise bien l'homme. Il constitue *de facto*, qu'on le veuille ou non, une dévaluation historique de l'âme. Son disciple, Guillaume Lamy, écrira : « J'ai pris indifféremment les mots d'âme et d'esprits (animaux), ce qui ne doit point faire de confusion ; car c'est la même chose. » Un siècle plus tard, le dualisme de Descartes est dépassé par ceux qu'il a inspirés. Vaucanson, devenu maître en l'art des automates, conseillé par le chirurgien Le Cat, construit un canard qui bat des ailes, mange des graines et les digère. Il conçoit même un « homme artificiel ». Enfin La Mettrie écrit, au prix du bannissement, que l'on peut retirer l'âme du système cartésien sans grand dommage, que l'homme lui-même entre dans la catégorie des animaux-machines. Pour Cabanis, « le cerveau sécrète la pensée comme le foie la bile ». La thèse de l'immatérialité de l'âme disparaît progressivement des ouvrages consacrés aux sciences du cerveau. Il aura fallu presque trois millénaires pour retrouver la pensée des atomistes grecs dans sa simplicité originelle et pour que celle-ci s'exprime enfin en toute liberté.

## La phrénologie

Le bouillonnement d'idées créé par le mouvement encyclopédiste engendre deux théories, publiées au cours des premières années du XIXe siècle, qui révolutionnent la pensée biologique : le transformisme, avec Lamarck, la phrénologie, avec Gall. Dans l'un et l'autre cas, le parti pris théorique est fondamentalement juste, la mise en application critiquable.

Gall [3], médecin et anatomiste de métier, a beaucoup disséqué. Il connaît bien l'organisation cérébrale, mais il innove peu en ce

---

3. Une analyse approfondie de l'œuvre de Gall et de ses successeurs se trouve dans H. Hecaen et G. Lanteri-Laura, 1977 et R. Young, 1970 ; voir aussi H. Hecaen et J. Dubois, 1969 et H. Hecaen, 1978.

domaine. Cette expérience lui donne toutefois l'occasion de s'assurer que le cortex cérébral se situe bien au niveau le plus élevé de l'encéphale, et que son développement caractérise les mammifères et l'homme. Il note aussi, point sur lequel nous reviendrons, l'uniformité anatomique du cortex. Déplié, soit spontanément chez les hydrocéphales, soit expérimentalement avec un jet d'eau de faible pression, le cortex paraît former un manteau continu, quelle que soit sa plicature. Il compose la substance du cerveau et des ganglions qui se trouvent en contact direct avec les organes. Constatant l'identité des substances cendrée et blanche au niveau central et périphérique, il achève une « laïcisation » du cerveau déjà bien avancée avec La Mettrie et Cabanis.

Gall se singularise néanmoins de ses contemporains par sa démarche théorique et par sa méthode. Son propos est d'analyser les fonctions du cerveau et de les y localiser sans faire appel à la démarche introspective. Il faut abandonner la philosophie spéculative et s'attaquer aux facultés mentales en naturaliste et en physiologiste. Gall se dégage donc des grandes subdivisions innées de l'âme rationnelle, avancées par Platon ou Galien, et bien entendu du dualisme de Descartes. Il se démarque aussi de la thèse « sensualiste » de Locke et Condillac, suivant laquelle toute faculté ou tout instinct dérive de simples sensations. Selon lui, il existe chez l'homme un nombre élevé de « facultés morales et intellectuelles » qu'il estime innées, essentielles et irréductibles. Gall établit cette liste de manière empirique en puisant dans les substantifs et adjectifs du langage usuel, dans les biographies d'hommes illustres et dans les descriptions de déviations mentales ou monomanies qui, selon lui, correspondent à l'exagération de l'une de ces facultés. Cette liste, qu'il juge provisoire, comporte vingt-sept entrées, dont sept sont propres à l'homme. On rencontre parmi ces vingt-sept facultés : instinct de propagation (ou sexuel), amour de la progéniture (ou comportement maternel), goût pour les rixes et les combats (ou agressivité), mémoire verbale, sens des mots, sens des localités et des rapports dans l'espace, ... dont les recherches récentes ont bien montré l'individualité. Par contre, orgueil et amour de l'autorité, amour de la gloire, esprit métaphysique, talent poétique ou dévotion laissent perplexe. Liste en main, Gall assigne à chacune de ces facultés une *localisation cérébrale* particulière. Chaque catégorie de comportement a son propre « organe » qui se trouve confiné en un endroit précis de la partie fonctionnellement la plus élevée du cerveau : le *cortex cérébral*...

Comment en établir la carte? Le cerveau lui-même est difficile d'accès. Gall postule que le crâne reproduit fidèlement la surface du cortex. Il suffit alors de palper le crâne pour établir une corrélation entre certaines proéminences de celui-ci et des facultés particulièrement développées chez certains individus. C'est la *crânioscopie*. Gall collectionne des crânes de criminels ou de malades mentaux, des bustes d'hommes célèbres. A partir de leur examen approfondi, il établit une carte des emplacements osseux correspondant aux penchants et facultés particulièrement exacerbés chez l'un ou l'autre de ses sujets. Chance ou intuition profonde, Gall situe mémoire des mots et sens du langage dans les régions frontales proches de leur localisation reconnue actuellement. Mais, pour le reste, la topographie proposée par Gall est on ne peut plus fantaisiste (figure 4).

Il était légitime que, sur la base d'observations aussi légères, le « modèle » de Gall fasse l'objet de critiques sérieuses. Elles se firent d'autant plus violentes que la phrénologie devint rapidement le symbole du matérialisme. Gall fut interdit d'enseignement à Vienne, pourchassé par l'Église et, une fois émigré à Paris, détesté par Napoléon Iᵉʳ. Il écrivit au sujet de l'Empereur que si celui-ci avait voulu « détruire le penchant au matérialisme comme il l'entendait... il aurait dû employer trois cent mille baïonnettes et autant de canons pour rendre les fonctions de l'âme absolument indépendantes de l'organisme ».

Dans son principe, la phrénologie poursuit et développe la démarche de Némésius et des Pères de l'Église, dont le modèle ventriculaire est tout aussi localisationniste que celui de Gall. Les phrénologues ne se privèrent d'ailleurs pas de le mentionner pour se faire écouter. Elle s'en distingue néanmoins par une promotion du cortex vis-à-vis des ventricules, rendue nécessaire

---

*Fig. 4. – Représentation fantaisiste du « modèle » de Gall. Dans sa « Phrénologie », Gall assigne à 27 facultés mentales une localisation précise sur le cortex cérébral. La doctrine phénologique donnera lieu à de violentes polémiques où il est souvent difficile de faire la part de controverses proprement scientifiques et la part de querelles idéologiques : Gall est jugé matérialiste et de gauche. Aussi fondamentale dans l'histoire des idées que la théorie de l'Évolution, la formulation initiale de la Phrénologie, et surtout sa mise en application dans le détail, laisse toutefois à désirer. Manquant de données, Gall se réfère à la forme du crâne plutôt qu'à la structure des circonvolutions cérébrales. Ses 27 facultés (sur cette figure, il y en a 35!) surprennent, souvent, par leur naïveté (d'après F. Broussais, 1836).*

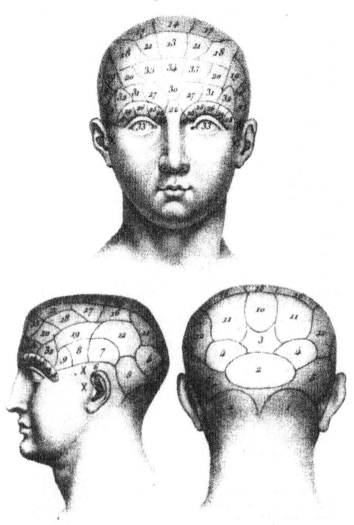

**FIGURE 4**

par le développement de l'anatomie, et surtout par le morcelle-
ment beaucoup plus important de l'âme en facultés concrètes.
Certaines se retrouvent chez l'animal et peuvent donc faire
l'objet d'une expérience. C'est bien là une des vertus essentielles
du modèle de Gall, comme d'ailleurs de toute théorie biologique
qui se veut utile.

Flourens, personnage officiel, qui deviendra membre de
l'Académie française et grand officier de la Légion d'honneur,
et dont les options dualistes plaisent, va soumettre Gall à rude
épreuve. Habile expérimentateur, il ne procède pas seulement
par piqûres ou sections de l'encéphale, comme Galien. Il
effectue l'*ablation* d'aires ou de centres anatomiquement définis, puis observe le comportement de l'animal ainsi opéré. Il
montre que l'ablation du cervelet entraîne un déficit de coordination des mouvements ; de même, en accord avec Galien, il
observe que des lésions discrètes de la région du bulbe (où se
trouve le ventricule postérieur) agissent sur la régulation de
fonctions nécessaires à la vie, comme la respiration. Ces
résultats vont, en fait, dans le sens de la thèse localisationniste,
et sa méthode des ablations deviendra une méthode de choix
pour établir la carte des localisations corticales. Cependant, ses
expériences et surtout ses interprétations sur le rôle du cortex se
situent à l'opposé de cette ligne. Selon Flourens, « on peut
retrancher une partie importante des lobes cérébraux sans que
leurs fonctions soient perdues... A mesure que ce retranchement
s'opère, toutes les fonctions s'affaiblissent et s'éteignent graduel-
lement... Les lobes cérébraux concourent donc par tout leur
ensemble à l'exercice plein et entier de leurs fonctions ». Pour
lui, le cortex cérébral fonctionne comme un tout indivis ; il est le
siège de la faculté « essentiellement une... de percevoir, de juger,
de vouloir ». Avec Flourens, le cortex reste le dernier refuge de
l'âme ou, si l'on préfère, de l'esprit. Sans hésiter, il mêle
métaphysique et politique à l'interprétation de ses expériences.
Mais il va trop loin, et bon nombre de ses résultats sur le cortex
sont aujourd'hui contestés.

En effet, sa méthode des ablations est parfois aveugle.
Croyant n'enlever que le cortex, il détruit en même temps des
structures sous-corticales. Gall a beau jeu de le critiquer à son
tour. De surcroît, Flourens emploie principalement dans ses
expériences oiseaux ou vertébrés inférieurs chez lesquels, on le
sait désormais, le cortex est moins différencié et possède des
fonctions moins critiques que chez les mammifères, et surtout

chez l'homme. Enfin, l'analyse du comportement des animaux opérés est trop rudimentaire pour lui permettre de considérer sérieusement l'une ou l'autre des facultés décrites par Gall. Comme c'est souvent le cas, le débat idéologique se trouve au cœur d'une controverse engendrée par une expérimentation défaillante.

En marge de ce débat, les recherches anatomiques sur le cortex cérébral deviennent de plus en plus précises. De cette époque datent les descriptions fidèles, quasi photographiques, par Leuret et Gratiolet (1839-1857), des circonvolutions et scissures du cortex cérébral, qui vont devenir les points de repère indispensables à toute cartographie corticale. Délimités par les scissures de Sylvius et de Rolando, les lobes frontal, temporal, pariétal, occipital et insulaire reçoivent leur nom (figure 5).

Les premières preuves irréfutables en faveur du modèle de Gall ne seront apportées ni par la crânioscopie, ni par l'expérimentation animale. Bouillaud, élève et continuateur de Gall, travaille sur l'homme et s'intéresse particulièrement à une faculté déjà bien mise en valeur par Gall : le langage. Enfin, il tire parti des « expériences naturelles » que constituent les traumatismes crâniens accidentels ou les lésions cérébrales spontanées, et les met en relation avec des perturbations du langage. Bouillaud inaugure l'anatomo-pathologie du langage, qui deviendra la neuropsychologie. Il établit l'existence de cas de paralysie sélective de la langue et des organes phonateurs sans atteinte des membres, ainsi que des cas de paralysie des membres sans perte du langage articulé. Il localise le centre de cette fonction, en accord avec la phrénologie de Gall, dans le lobe antérieur du cortex. Enfin, il écrit : « La perte de la parole dépend tantôt de celle de la mémoire des mots, tantôt de celle des mouvements musculaires dont la mémoire se compose. » Ces observations essentiellement cliniques, publiées en 1825 dans le climat de controverse idéologique créé par Flourens, ne s'imposent pas, malgré leur rigueur, dans l'esprit du public scientifique contemporain.

Broca atteindra cet objectif bien plus tard, le 18 avril 1861, et en sera crédité. Ce jour-là, il présente devant la Société d'Anthropologie de Paris le cas de Leborgne, dont il a fait la veille l'autopsie. Le malade avait été admis, vingt et un ans plus tôt, à l'hospice de Bicêtre, peu après avoir perdu l'usage de la parole. Il s'exprimait par gestes, semblait avoir toute son

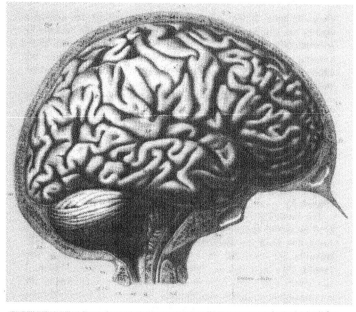

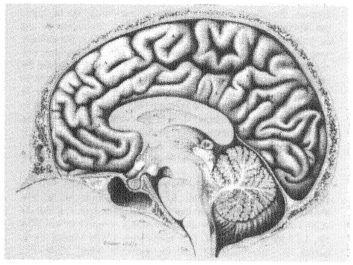

FIGURE 5

intelligence, mais ne savait prononcer qu'une seule syllabe *tan, tan,* qui lui valut ce surnom. L'examen *post mortem* de son cerveau révèle une lésion dont le foyer principal se situe à la partie moyenne du lobe frontal de l'hémisphère *gauche.* Si Broca convainc, c'est que le fait anatomique qu'il présente, ainsi que ceux qui suivront, ne peut plus être contesté. La lésion du lobe frontal gauche a été la cause de la perte de parole, de l'aphasie. La querelle de la phrénologie et les critiques qu'elle a soulevées sont déjà loin. Enfin, Broca rappelle que les phrénologistes, avec la crânioscopie, ont par trop négligé l'examen anatomique du patient. Il faut pour cela, écrit-il, « indiquer exactement le nom et le rang des circonvolutions malades ». Broca, par la corrélation rigoureuse qu'il établit entre faits d'anatomie et faits de comportement, apporte la première démonstration de la localisation corticale discrète d'une faculté bien définie, postulat fondamental de l' « organologie » de Gall. La lésion qu'il observe est unilatérale, mais suffit pour entraîner l'aphasie. Il montre du même coup l'existence d'une asymétrie entre les deux hémisphères, que Gall n'avait pas soupçonnée. Mais il rejoint en quelque sorte la préoccupation de Descartes d'articuler l'âme avec le corps en un point unique et impair du cerveau qui respecte l'intégrité du « moi ».

1900 est ainsi la « Belle Époque » des localisations cérébrales. Les progrès de l'anatomie clinique amorcés par Bouillaud puis Broca se conjuguent à ceux des expérimentateurs. Brodmann, en 1909, rassemble les données disponibles sur les singes supérieurs et l'homme. Il divise le cortex en cinquante-deux aires; chacune possède un numéro, mais surtout une fonction. L'aire 4, circonvolution frontale ascendante, intervient dans la motricité; l'aire 17, occipitale, dans la vision; les aires 41 et 42, temporales, dans l'audition; les aires 44 et 45 correspondent à la circonvolution de Broca. De larges espaces, encore mal identifiés, ou aires d'*association,* unissent ces aires primaires ou aires de *projection motrice* et *sensorielle,* et semblent concernés par des fonctions

*Fig. 5. — A l'époque romantique, les anatomistes inspirés par les théories de Gall examinent et reproduisent, avec un luxe de détail et de précision rarement égalé, les circonvolutions du cortex cérébral. Ici, une splendide planche extraite de l'ouvrage de Leuret et Gratiolet (1839-1857). On distingue sur la figure du bas la section du corps calleux (cc), les ventricules, le tronc cérébral qui se poursuit par le bulbe et la moelle épinière.*

plus intégrées. La carte de Brodmann, encore utilisée de nos jours, réactualise la tentative de Gall. Cette « nouvelle phréno-logie » – débarrassée d'une nomenclature de facultés bien naïve que remplacent des assignations fonctionnelles précises – se fonde désormais non plus sur une approximative crânioscopie, mais sur des critères anatomiques et fonctionnels incontestables (figure 6).

Les unitaristes ne s'avouent pas vaincus. Bien au contraire, Bergson clame du haut de sa chaire que « l'hypothèse d'une équivalence entre l'état psychologique et l'état cérébral impli-que une véritable absurdité ». Plus fécond et nuancé est le point de vue qu'exprime un neurologue comme Head, qui reprend d'ailleurs les thèses énoncées quelque 50 ans plus tôt par l'Anglais Jackson, restées dans l'oubli. Il se fonde sur l'obser-vation que la lésion localisée d'un secteur cérébral particulier ne conduit jamais à la perte complète de la fonction. La localisation d'une lésion ne peut s'identifier à celle d'une fonction. Pour Jackson et pour Head, plus un processus est complexe et volontaire, plus il met en branle de multiples territoires céré-braux. Une lésion corticale va désorganiser une séquence ordonnée de processus physiologiques, plutôt que détruire un des « centres » corticaux. Ceux-ci doivent être remplacés par des « foyers préférentiels d'intégration ». Il ne s'agit pas de rejeter la démarche localisationniste, mais d'en souligner les difficultés lorsqu'on l'applique de manière trop limitée au seul cortex cérébral. Pour entreprendre une analyse objective du fonction-

*Fig. 6. – Carte des aires du cortex telle qu'elle fut publiée en 1908 par Brodmann (haut = cerveau de l'homme; bas = cerveau du cercopithè-que). La nomenclature et la numérotation des aires sont toujours en usage aujourd'hui. La distinction entre aires se définit sur la base de différences d'anatomie fine reconnues au microscope sur tranches minces de cortex, ainsi que sur la base d'expériences de lésions et de stimulations électriques qui permettent d'assigner une spécialisation fonctionnelle à chaque aire. La comparaison entre la carte du singe et celle de l'homme fait apparaître un grand nombre d'aires communes, comme les aires primaires « de projection » des organes des sens [vision : aire occipitale 17 (plus importante chez le cercopithèque que chez l'homme]; audition : aires temporales 41, 42, 22; sensibilité corporelle : aires pariétales 1, 2, 3] ou l'aire motrice 4. Chez l'homme, la surface occupée par les aires dites « d'association » en particulier les aires frontales (8, 9, 10, 11, 44-47) s'accroît de manière spectaculaire (d'après Brodmann, 1908).*

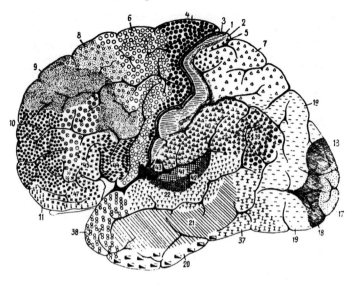

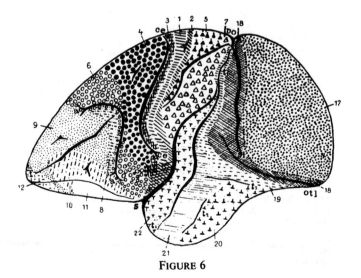

**FIGURE 6**

nement cérébral, il faut, nous le verrons, tenir compte d'importants relais, voire de « foyers d'intégration » qui ne sont pas
corticaux. La critique des unitaristes incite à une meilleure
définition de la localisation et met en relief une complexité
d'organisation qui pouvait être sous-estimée.

## Le neurone

De l'Antiquité à Broca, la démonstration des premières
localisations corticales ne requiert que peu d'instruments spécialisés : ceux nécessaires pour ouvrir le crâne et mettre à nu le
cerveau. L'œil suffit pour observer, mais le soin avec lequel on
regarde et surtout interprète évolue. Le déchiffrage de l'organisation intime de la « substance nerveuse », par contre, va
dépendre directement du développement d'instruments d'optique : les microscopes, qui d'abord emploient la lumière naturelle, puis, très récemment (1950), les faisceaux d'électrons [4].

Au XVIIe siècle, en particulier avec Willis, on sait déjà que le
cerveau est composé de substance « cendrée » ou grise et de
substance blanche. Mais de quoi celles-ci sont-elles faites? De
ces « cellules » que Hook (1665) puis Van Leeuwenhoek découvrent dans les tissus végétaux ou dans le sang? La structure fine
du cerveau se révèle-t-elle analogue à celle du foie ou du cœur?
Si c'était le cas, le cerveau serait bien, comme le veut Cabanis,
un « organe » comme les autres.

Pour répondre à ces questions, les microscopistes auront à
surmonter une difficulté supplémentaire propre au tissu nerveux. Il est mou et ne se laisse pas facilement débiter en
tranches fines observables au microscope. Pendant longtemps,
on se contente de le déchirer, de le dilacérer entre deux aiguilles
puis, au début du XIXe siècle, on apprend à le durcir, tout en
préservant sa structure, par *fixation* avec le « vinaigre de bois »,
l'alcool, le formol, l'acide chromique ou l'acide osmique. Puis on
l'imprègne, on l'enrobe dans des supports de plus en plus durs,
paraffine puis matière plastique. Désormais, on le sectionne : de
quelques dizaines de micromètres (le millionième de mètre),

---

4. Voir, pour l'analyse historique et les références, H. van der Loos
(1967), E. Clarke et C. O'Malley (1968), M. Brazier (1978).

l'épaisseur des coupes se réduit à quelques nanomètres (le milliardième de mètre), ce qui les rend transparentes d'abord à la lumière puis aux électrons. Enfin, les colorants que, dès le XIX^e siècle, l'industrie chimique offre au microscopiste, mettent en valeur l'architecture interne de la cellule et en révèlent la diversité.

1685. Malpighi observe pour la première fois la surface du cerveau avec un appareil grossissant. Au préalable, il l'a fait bouillir puis, après avoir retiré les méninges, inondé d'encre pour augmenter le contraste; il voit des « petits corps transparents et blancs » qu'il qualifie de « petites glandes ». Analogie de forme ou résurgence des écrits hippocratiques? Elles seront encore observées pendant quelques décennies, puis s'évanouiront avec l'emploi de nouvelles méthodes. Les images sont reproductibles mais artificielles : aberrations dues à une optique très primitive ou résultats d'une préparation particulièrement brutale du tissu

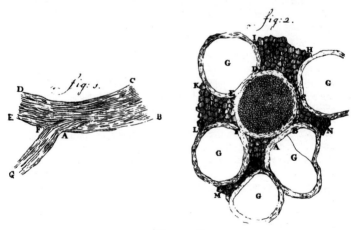

FIGURE 7

*Fig. 7. – Un des premiers dessins où figurent les fibres nerveuses. Il s'agit de la section d'un nerf vue au microscope optique par Van Leeuwenhoek (1719). La figure 1 est une coupe longitudinale qui révèle l'organisation des fibres en faisceau dans le nerf. La coupe transversale de la figure 2 montre les tuniques des paquets de fibres nerveuses et les fibres nerveuses elles-mêmes représentées seulement au centre de la figure. Van Leeuwenhoek croyait, à tort, que ces fibres étaient creuses (d'après Van Leeuwenhoek, 1719).*

nerveux? L'histoire de la microscopie du système nerveux débute par un artéfact. Ce ne sera pas le dernier.

On doit au Hollandais van Leeuwenhoek la première description fidèle d'une organisation microscopique propre au système nerveux. « J'ai souvent eu le grand plaisir, écrit-il en 1718, d'observer la texture des nerfs, qui sont composés de très petits *vaisseaux* d'une finesse incroyable et qui, courant côte à côte, constituent un nerf. » Le mot vaisseaux surprend ; il les croit réellement creux. Illusion d'optique ? Van Leeuwenhoek emploie effectivement un instrument peu perfectionné, doté d'une seule lentille. Parti pris théorique, réminiscence d'Aristote qui confond nerfs et vaisseaux sanguins, ou bien accord avec l'idée que l'on se fait alors des esprits animaux imaginés gazeux ou fluides ? Aucune *fibre nerveuse* ne contient de canal, mais certaines d'entre elles s'entourent d'une « membrane enveloppante » ou gaine de myéline. Ce sont les « nervencylinder » (ils deviendront « axicylinder », puis *axones*) qui composent la substance blanche et les nerfs (figure 7).

Pendant près d'un siècle, l'anatomie microscopique fera peu de progrès significatifs jusqu'à ce que Dutrochet (1824) décrive et dessine, à partir des ganglions d'escargot et de limace, des « corpuscules globuleux » ; pour lui, ce sont « les éléments qui produisent l'énergie nerveuse que les fibres nerveuses sont destinées à conduire ». Il les nomme avec raison « petites cellules ». La cellule nerveuse apparaît ainsi pour la première fois dans la littérature scientifique et se trouve caractérisée par son corps cellulaire ou *soma*. Quelques années plus tard, Valentin note que certaines de ces « sphères » s'ornent, dans le cervelet, d'une ou plusieurs « queues » protoplasmiques qui seront reconnues, par la suite, multiples et ramifiées comme les branches d'un arbre, ce qui leur vaudra le nom de *dendrites*.

Les relations entre fibres nerveuses ou axones et les corps cellulaires suscitent alors une vive discussion. Axone et corps cellulaire ne font-ils qu'un ? Ou leurs fibres nerveuses forment-elles un réseau indépendant ? Désormais, on emploie le microscope achromatique et on colore les coupes. Il faudra néanmoins plusieurs dizaines d'années pour que, progressivement, les microscopistes recomposent le puzzle et assemblent le corps cellulaire avec dendrites et axones, que souvent l'on confond. Deiters, dans une publication posthume datant de 1865, propose enfin l'image que nous avons aujourd'hui de la cellule nerveuse et qui, déjà pour lui, en constitue le schéma général (figure 8). La cellule nerveuse, comme toute cellule, possède un corps cellulaire avec noyau et cytoplasme, mais se caractérise de plus par deux types d'expansions distinctes : l'axone, toujours unique, et les dendrites, en général multiples et ramifiées. La « substance nerveuse » est donc bien composée de cellules, comme n'importe quel tissu. Toutefois ces cellules dont les corps se trouvent dans la substance grise possèdent des prolongements ramifiés et longs, uniques en leur genre. Enfin, elles se trouvent emballées dans une « glu » ou *neuro-glie*.

Comment les cellules nerveuses, telles que les décrit Deiters, s'unissent-elles pour constituer le tissu nerveux? La réponse objective à cette question se heurte à une difficulté technique majeure : les cellules nerveuses ne s'assemblent pas par leur soma, facile à voir au microscope, mais par leurs prolongements axoniques ou dendritiques, et les dimensions de leurs ultimes ramifications se trouvent à la limite du pouvoir de résolution du microscope optique. Il s'ensuivra donc un débat, ou plutôt une polémique, qui, inaugurée vers les années 1870, ne sera définitivement close qu'avec l'introduction, après 1950, de la microscopie électronique.

En voici l'enjeu : pour les uns, les *réticularistes*, les cellules nerveuses forment entre elles un réseau *continu* comme les canaux de la Camargue vus d'avion; pour les autres, les *neuronistes*, les cellules nerveuses, comme les arbres d'une forêt ou les tesselles d'une mosaïque, sont des unités indépendantes en relation de *contiguïté* les unes avec les autres. Au moment où, avec Broca, les localisationnistes l'emportent sur les unitaristes, un débat fort similaire réapparaît, mais à un niveau d'organisation différent.

Gerlach, chef de file des réticularistes, travaille sur le cortex cérébral de l'homme. La méthode de coloration au chlorure d'or, qu'il vient de développer, fait apparaître deux réseaux distincts de fibres (1872) : un plexus fin d'origine dendritique semble relier entre eux les somas; l'autre, plus grossier, paraît d'origine axonale. Ce ne sont que des artéfacts. Le plexus dendritique est le premier remis en question par Golgi, qui enseigne l'histologie à l'Université de Pavie. Golgi vient de mettre au point une méthode de coloration, la « reazione nera », qui porte désormais son nom. Celle-ci imprègne en noir une cellule nerveuse parmi un grand nombre et la colore jusque dans ses plus fines ramifications axonales et dendritiques. Voici comment Ramon y

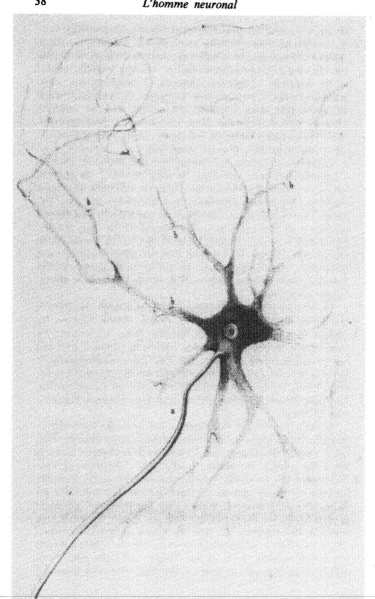

FIGURE 8

Cajal, concurrent direct de Golgi, en décrit la découverte :
« Un morceau de tissu nerveux traînait depuis quelques jours, durcissant dans du liquide de Müller pur ou mélangé d'acide osmique. Distraction d'histologiste ou curiosité de savant, le voilà immergé dans du nitrate d'argent. Des aiguilles rutilantes, aux reflets chatoyants d'or, attirent bientôt l'attention. On le sectionne, on déshydrate ses coupes, on les éclaircit, on les regarde. Spectacle inattendu ! Sur un fond jaune d'une translucidité parfaite, apparaissent, clairsemés, des filaments noirs, lisses et minces, ou épineux et épais, des corps noirs, triangulaires, étoilés, fusiformes ! On dirait des dessins à l'encre de Chine sur un papier transparent du Japon. L'œil est déconcerté. Ici tout est simple, clair, sans confusion. Il n'y a plus à interpréter, il n'y a qu'à voir et constater... » (voir figure 15).

Première constatation de Golgi : le plexus dendritique que décrit Gerlach ne s'observe pas avec la « reazione nera ». Mais là, l'œil averti de Golgi s'arrête. Il croit confirmer l'existence d'un réseau axonal continu. Mais d'où lui vient cet attachement à la thèse réticulariste ? Il nous apporte lui-même la réponse dans sa Conférence Nobel de 1906 : « Je n'ai jamais trouvé de cause qui, même maintenant, me conduise à abandonner l'idée (de la continuité) sur laquelle j'ai toujours insisté... je ne peux abandonner l'idée d'une action *unitaire* du système nerveux sans me sentir mal à l'aise... » On s'y attendait : avec le réticularisme transparaissent les thèses unitaristes, voire spiritualistes, que Flourens avait défendues avec tant d'acharnement.

Golgi, spécialiste du cortex, ignore les recherches effectuées au niveau du système nerveux périphérique, là où l'axone moteur rencontre la fibre musculaire. Kühne, dès 1869, affirme que lorsque le nerf arrive au niveau de la fibre, il se termine et « ne pénètre jamais à l'intérieur du cylindre contractile ». La « plaque terminale » ou « plaque motrice » constitue une couche intermédiaire qui sépare le cylindraxe du muscle. A ce niveau, il n'y aurait donc pas

*Fig. 8. — Après la découverte des fibres nerveuses dans les nerfs et dans la substance blanche et celle des corps cellulaires dans la substance grise, il a fallu plusieurs décennies pour que les microscopistes assemblent correctement ceux-ci et celles-là. Ici, une des premières images complètes et correctes du neurone – pris dans les cornes antérieures de la moelle épinière – publiée dans un ouvrage posthume de Deiters (1865). On distingue, au centre, le corps cellulaire (ou soma) avec son noyau, les dendrites (b) multiples et ramifiées qui convergent vers le corps cellulaire et l'axone unique (a) qui en part (d'après Deiters, 1865).*

continuité entre l'axone et sa cible. L'argument n'est pas irréfutable; et puis, il y a toujours cette retenue à accepter que ce qui est vrai pour la périphérie l'est aussi pour le centre (figure 9).

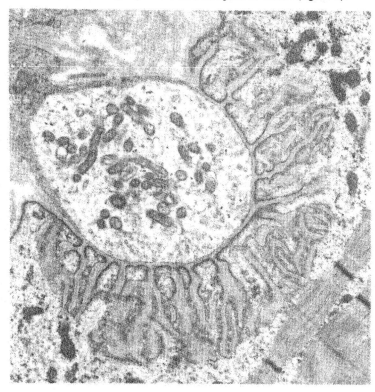

### FIGURE 9

*Fig. 9. – Coupe transversale d'une synapse entre un nerf moteur et un muscle squelettique prélevée chez l'homme et observée au microscope électronique avec un agrandissement final de 20 000 fois. Au centre, la terminaison nerveuse (circulaire) remplie de vésicules et de mitochondries (boudins noirs); à droite, la fibre musculaire qui contient les faisceaux de fibrilles contractiles avec en place des stries sombres. Un espace – la fente synaptique – sépare la membrane, très fine, de la fibre nerveuse de celle, plus épaisse et élégamment plissée, de la fibre musculaire. Comme le proposait Cajal le réseau nerveux est discontinu (cliché original Michel Fardeau).*

Deux Suisses, His et Forel, à quelques mois de distance (1887), vont porter les premiers coups sérieux à la théorie réticulariste. Dans l'un et l'autre cas, l'argumentation ne se fonde pas simplement sur l'observation du cerveau adulte. His, embryologiste, a fait un séjour de post-doctorant chez Claude Bernard. Il découvre qu'aux stades précoces du développement, le système nerveux est composé de cellules indépendantes, juxtaposées, dépourvues de neurites. Puis ceux-ci apparaissent et croissent à partir des corps cellulaires qui, avec leurs prolongements, constituent toujours des unités indépendantes. Il n'y a jamais genèse d'un plexus qui ne soit autre que des terminaisons axonales issues de corps cellulaires.

Forel est psychiatre. A cette époque, les psychiatres s'intéressent et conbribuent efficacement aux recherches anatomiques. Même Freud (1882) publie des travaux d'anatomie qu'il croit venir à l'appui de la thèse réticulariste. Forel, lui, expérimente sur la dégénérescence des arborisations axonales et dendritiques qui accompagne la section des axones. Il montre que, dans certains cas bien définis, des figures de régression remontent jusqu'au corps cellulaire et aux dendrites, mais restent limitées à l'unité endommagée, ne se propagent pas dans l'ensemble du tissu comme l'impliquerait l'hypothèse réticulariste.

Enfin, l'Espagnol Ramon y Cajal s'attaque farouchement à Golgi dont il emploie la méthode en accumulant un nombre formidable d'observations sur la morphologie de la cellule nerveuse et de ses processus, ainsi que sur leur dégénération et régénération. Première estocade en 1888 : il travaille sur le cervelet dont certaines cellules possèdent un axone qui forme une « corbeille » autour du soma d'une autre catégorie de cellules, géantes, les cellules de Purkinje. Il montre que cette « corbeille » est bien anatomiquement indépendante de la cellule-cible, et certes pas en continuité avec celle-ci. La mise à mort aura lieu en 1933 avec une imposante revue, « *Neuronismo o reticularismo? las pruebas objetivas de la unidad anatomica de las celulas nerviosas* », rendue nécessaire par la coriacité des réticularistes.

Quant au terme *neurone,* il ne nous vient ni de Cajal, ni de His ou Held, mais de Waldeyer (1890), au sujet duquel Cajal écrivit qu'il avait, pour tout travail, fait « publier dans un journal quotidien un résumé de sa recherche et inventer le terme " neurone " ». Vrai ou faux, Waldeyer avait le sens du mot, car c'est aussi à lui que l'on doit le terme « chromosome »...

La microscopie électronique confirmera de manière spectaculaire la théorie du neurone. Elle permet d'obtenir des grossissements au moins 1 000 fois plus importants que la microscopie optique. Son pouvoir de résolution atteint désormais le nanomètre. A l'endroit précis où s'établit le contact d'une terminaison nerveuse avec sa cible, les membranes cellulaires ne se fusionnent pas, mais sont séparées par une fente, un espace de plusieurs dizaines de nanomètres de largeur, et se trouvent donc juxtaposées [5]. Les neurones sont donc en contiguïté et non pas en continuité les uns avec les autres. Leur point d'articulation recevra le nom de *synapse,* qui ne sera pas donné par un anatomiste, mais par le physiologiste anglais Sherrington (1897).

## Courant électrique et « substances médicamenteuses »

L'idée que le cerveau contrôle les mouvements du corps ou qu'il apprécie l'information reçue du monde extérieur par les organes des sens implique *a priori* qu'il communique avec la périphérie. Quel système de signalisation met-il en œuvre? Avec les atomes psychiques de Démocrite, puis le pneuma de Galien, apparaît puis se précise la notion d'un « agent subtil » qui voyage le long des nerfs. A l'âge classique, les esprits animaux sont le plus souvent considérés comme liquides ou même gazeux. Descartes les compare à l'air circulant dans l'« orgue » du corps; pour Newton, par contre, il s'agit d'un « éther intangible ». Au début du XVIIIe siècle, on mentionne déjà à ce propos l'électricité, qui vient d'être découverte.

La « substantification » des esprits animaux n'aura lieu qu'après la mise en place du concept d'excitabilité du tissu nerveux ou musculaire, c'est-à-dire une fois établie la possibilité de déclencher artificiellement, par intervention extérieure, une réponse dans l'un ou l'autre de ces tissus. Il est remarquable de noter que cette notion apparaît sous forme théorique (1654, 1677) avec Glisson, professeur de physique à Cambridge, en réaction au mécanisme matérialiste de Descartes. Glisson, en effet, croit mettre en évidence des « forces vitales » en reconnaissant la variété et les différences de mouvements – l'« irritabilité » – de « fibres » qui, selon lui, composent tout tissu ou

---

5. G. Palade et S. Palay, 1954, J. Robertson, 1956.

organe. Il souligne aussi qu'en présence de nerfs une autre propriété se manifeste : la « sensibilité ». L'analyse expérimentale de l'une ou l'autre de ces propriétés ne se développera qu'un siècle plus tard, avec le Suisse Von Haller. Celui-ci emploie diverses catégories de stimuli : mécaniques (scalpel, air) ou chimiques (alcool, potasse caustique, vitriol), qu'il applique à une grande variété de tissus : peau, vaisseaux sanguins, méninges, glandes... Il montre que, contrairement à l'opinion de Glisson, seuls les muscles se contractent, mais, en accord avec celui-ci, la propriété de « sensibilité » se trouve alors directement liée à la présence de nerfs.

On ne sait toujours pas quel est l'agent, quelle est l'« énergie » qui, des nerfs sensibilités, va provoquer la contraction des muscles. Pour beaucoup, il s'agit encore de « forces vitales » qui échappent et sans doute échapperont toujours à l'entendement. Dans ces conditions, on conçoit que la publication en 1791 de l'ouvrage de Galvani, *De viribus electricitatis in motu musculari commentarius,* entraîne une révolution des esprits qui n'a d'équivalente que celle qui se développe au même moment sur la scène politique. Dès 1780, Galvani a déjà observé que la décharge d'électricité statique des bouteilles de Leyde provoque la contraction du muscle. Depuis l'Antiquité, on connaît aussi de bizarres créatures, les poissons-torpilles, qui envoient des décharges électriques à ceux qui les touchent. Néanmoins, la surprise de Luigi Galvani et de sa femme Lucia est grande lorsque, le 20 septembre 1786, alors qu'ils essaient de montrer l'effet de l'électricité atmosphérique sur la contraction des pattes de grenouille, ils observent qu'en suspendant leur préparation sur une barrière de fer avec un crochet de cuivre planté dans la moelle épinière les pattes de la grenouille se contractent *spontanément.* Cependant, le temps est clair et ne tourne aucunement à l'orage. Galvani en conclut que la grenouille produit elle-même une « *électricité animale* » qui circule le long des nerfs, constitue le stimulus des fibres musculaires irritables et en provoque la contraction; enfin, que « le plus important organe qui la sécrète est le cerveau ». En d'autres termes, Galvani propose d'identifier les esprits animaux à l'électricité [6] (figure 10).

6. Les références sur l'histoire de l'activité électrique du cerveau se trouvent dans M. BRAZIER (1977) et dans J. ECCLES (1964).

FIGURE 10

*Fig. 10. – Intérieur d'un Cabinet » où, à la fin du XVIIIᵉ siècle, Galvani et ses collaborateurs effectuent leurs expériences sur l'électricité animale. Le matériel de laboratoire est encore très simple! On reconnaît suspendu au plafond et parcourant la pièce, de gauche à droite, le fil métallique sur lequel Galvani et sa femme accrochent un jour une préparation de pattes de grenouille et, réalisant de manière imprévue une pile électrique rudimentaire, déclenchent la contraction des pattes (d'après Galvani, 1791).*

Cette conclusion fait immédiatement l'objet de vives critiques de la part de son compatriote Volta, professeur à l'Université de Pavie. Celui-ci montre que Galvani n'a pas prouvé l'existence de l'électricité animale; il a seulement mis en évidence un effet de l'« électricité métallique » produite par le contact crochet de cuivre-barre de fer sur la contraction du muscle de grenouille. Volta a raison. Quelques années plus tard, il développera d'ailleurs sur ce principe une pile qui porte désormais son nom. Galvani, sous la plume de son neveu Aldini, répond rapidement à l'objection de Volta par une expérience où aucun métal n'intervient. Il dégage la moelle épinière du corps de la grenouille et, retournant une des pattes postérieures dont il dénude les muscles, la met en contact avec la moelle. La formation de ce circuit entraîne la contraction de la patte restée libre, ce qui ne peut avoir lieu que s'il y a production d'électricité animale par la grenouille elle-même.

La controverse entre électricité « métallique » et « animale » ne cessera qu'avec le développement d'un appareil de mesure adéquat. Avec le galvanomètre, dont le nom dérive d'ailleurs de celui de Galvani, Matteucci (1838) enregistre pour la première fois la production de courant électrique par le muscle, qu'il appelle « courant propre ». Le muscle non seulement répond au stimulus électrique mais, en accord avec les idées de Galvani, engendre une électricité qui se mesure de la même manière que celle de Volta. L'électrophysiologie est née.

A ce stade du développement de la connaissance, l'emploi d'instruments et surtout l'introduction de méthodes empruntés les uns et les autres à la physique vont avoir un impact considérable. Il s'agit bien de « réduire » les phénomènes biologiques d'irritabilité et de sensibilité à des mécanismes physiques. Du Bois Reymond, issu d'une famille de huguenots français, inaugure à Berlin une école de pensée matérialiste, la « physiologie mécanique », devenue aujourd'hui « biophysique », qui, en quelques dizaines d'années, va faire définitivement perdre aux esprits animaux leurs propriétés « vitales ». Il montre que le signal qui se propage le long du nerf, puis du muscle, et en entraîne la contraction, est une onde de « négativité », qui devient courant ou « potentiel d'action » (1848). Puis, Von Helmholtz applique au nerf les méthodes balistiques qu'il a employées pour mesurer la vitesse d'une balle sortant d'un canon de fusil. Le potentiel d'action ne se propage pas aussi vite que le courant électrique dans un fil de cuivre. Sa vitesse, inférieure à celle du son, se situe, avec le nerf qu'il emploie, entre 25 et 40 mètres par seconde. Elle est néanmoins suffisamment grande pour rendre compte de la rapidité des mouvements de l'esprit humain, et donc de les rendre mesurables.

Les pionniers de l'électricité animale travaillent avec des grenouilles coupées en morceaux. La préparation la plus typique se compose des pattes postérieures de la grenouille réunies à la moelle épinière lombaire. Les résultats obtenus avec une préparation aussi simple sont-ils valables lorsqu'il s'agit des centres nerveux, du cortex cérébral en particulier? Magendie, Flourens, Matteucci lui-même s'efforcent de stimuler le cortex par l'électricité ou par diverses substances chimiques « irritantes ». Ils n'obtiennent aucune réponse. Aristote aurait-il raison?

Volant au secours des thèses spiritualistes de Flourens, bien en place en cette première moitié du XIXᵉ siècle, ces résultats paraissent incontestables. Fritsch et Hitzig, médecins berlinois de 32 ans, auront, en 1870, l'audace de les contester. Averti des observations cliniques sur l'aphasie publiées par Bouillaud quelque 35 ans plus tôt, l'un d'eux note accidentellement chez l'homme que le passage d'un courant galvanique dans la partie postérieure du crâne, et même dans la région temporale, entraîne des mouvements des yeux. Tous deux ont confiance dans l'observation et entreprennent de la répéter de manière systématique chez l'animal. Fritsch et Hitzig choisissent alors le chien, beaucoup plus proche de l'homme, dans l'échelle zoologique, que le pigeon de Flourens. Dépourvus de moyens financiers, ils installent leur salle d'opération dans l'appartement des Hitzig. L'ouverture et la fermeture d'une pile galvanique, dont l'intensité suffit pour provoquer une sensation perceptible sur le bout de la langue, produit le stimulus. Appliqué par des électrodes en des points précis de la surface du cortex, celui-ci provoque des contractions musculaires qui se manifestent dans la partie opposée du corps. Quand le stimulus est fort, ces contractions saisissent toute la moitié du corps; lorsqu'il est faible, elles sont limitées à quelques muscles. Une aire très particulière du cortex se trouve engagée dans la motricité : elle est localisée sur la « convexité du cerveau, dans sa partie antérieure ». La portée des expériences de Fritsch et Hitzig dépasse celle, déjà essentielle, de la mise en évidence des aires motrices. Elles créent un lien désormais indissociable entre Galvani et Broca, entre électricité et fonction cérébrale.

L'objection que Volta adresse à Galvani s'applique évidemment à une interprétation trop avancée des expériences de Fritsch et Hitzig. Démontrer que certaines aires du cortex cérébral sont sensibles au stimulus électrique ne signifie pas que le cortex cérébral lui-même produise de l'électricité. Jeune assistant de physiologie à la Royal Infirmary de Liverpool, Caton (1875) montre qu'il en est cependant bien ainsi. Plaçant une électrode à la surface de la substance grise du cerveau d'un lapin, il *enregistre* avec son galvanomètre des courants faibles dont la direction varie spontanément. Lorsqu'il impressionne la rétine avec une lumière brillante, une variation plus importante et négative du courant électrique s'observe dans la région occipitale du cortex. Du même coup, Caton découvre l'électro-encéphalographie et les potentiels évoqués. Les cellules que l'on sait désormais composer le cortex cérébral engendrent donc, elles aussi, des courants d'action semblables à ceux que Du Bois Reymond recueille sur les nerfs périphériques. Gall avait « laïcisé » le cerveau en montrant qu'il était composé des mêmes substances grise et blanche que le système nerveux périphérique ; Caton et ses successeurs achèvent de le faire en associant activité cérébrale et phénomènes électriques.

Les « courants d'action » de Du Bois Reymond suffisent-ils cependant à rendre compte de l'ensemble des processus de signalisation qui circulent dans le système nerveux, tant au centre qu'à la périphérie ? Si les « neuronistes » ont raison, que se passe-t-il aux extrémités des nerfs, par exemple au contact entre axone moteur et muscle ? Déjà Du Bois Reymond envisageait « qu'il devait se produire *soit* une sécrétion stimulante sous la forme peut-être d'une couche fine d'ammoniaque ou d'acide lactique ou de quelque autre substance à la surface du tissu contractile, de telle sorte qu'une excitation violente du muscle ait lieu, *soit* une influence électrique ». L'hypothèse d'un mécanisme chimique propre à la traversée du contact nerf-muscle est donc déjà suggérée. Elle ne prendra corps qu'avec l'entrée en scène d'une discipline fort ancienne qui s'intéresse aux poisons, drogues et médicaments : la pharmacologie.

L'analyse expérimentale du mode d'action des « substances toxiques et médicamenteuses » ne débute en fait qu'avec Claude Bernard (1857), lorsque, par une série d'expériences fort ingénieuses, celui-ci tente de comprendre l'effet du curare, principe actif du poison de flèches des Indiens sud-américains. Cette substance paralyse les proies lorsqu'elle pénètre dans la circulation sanguine. Mais où agit-elle ? Sur les nerfs, les muscles, à leur point de contact ? Claude Bernard montre d'abord que le curare ne bloque pas la contraction du muscle déclenchée par galvanisation. Il n'agit pas non plus sur les nerfs sensoriels, mais seulement sur l'action des nerfs moteurs à leur extrémité périphérique. Toutefois, Claude Bernard se trompe lorsqu'il conclut que le curare entraîne « la mort naturelle du nerf moteur ». Vulpian, auditeur assidu de ses cours au Collège de France, le remarque et donne la réponse correcte : le curare « interrompt la communication entre les fibres nerveuses et les fibres musculaires » (1866). Cette communication fait-elle intervenir une substance chimique semblable au curare ?

Elliott (1904) apporte la solution, non pas avec la jonction entre nerf moteur et muscle volontaire, mais avec l'innervation

« sympathique » de la vessie du chat. Quelques années auparavant, on a purifié et cristallisé, à partir de la médullo-surrénale, une substance très active, l'adrénaline. Injectée dans la circulation, l'adrénaline ne bloque pas l'effet de la stimulation du nerf, comme le fait le curare sur le muscle volontaire; au contraire, elle agit *de la même manière* que le nerf et provoque le relâchement de la vessie. Par contre, l'effet du nerf comme celui de l'adrénaline sont bloqués par des poisons extraits de l'ergot de seigle. Elliott en déduit que « l'adrénaline (en réalité la noradrénaline) pourrait être le stimulant chimique libéré à chaque occasion quand l'influx nerveux arrive à la périphérie ». Plusieurs dizaines d'années après, l'acétylcholine sera identifiée comme la substance naturelle libérée par les nerfs moteurs volontaires et dont l'action est bloquée par le curare. Acétylcholine et adrénaline sont les premiers d'une longue liste de composés chimiques naturels produits par les cellules nerveuses, les *« neurotransmetteurs »,* qui assurent le transfert du signal nerveux d'une face à l'autre de la fente synaptique. Au niveau de la discontinuité anatomique existant entre la cellule nerveuse et ses cibles, la chimie prend le relais de l'électricité.

L'extension au cerveau des mécanismes reconnus à la périphérie va demander encore de longs délais qui ne sont sans doute pas étrangers aux options spiritualistes, conscientes ou non, des scientifiques eux-mêmes. La participation d'agents chimiques, les neurotransmetteurs, à la traversée de la synapse par le signal nerveux, est proposée dès 1904 par Elliott. En 1949, nombre de physiologistes contestent encore qu'elle puisse exister dans le système nerveux central. La chimie à la périphérie, l'électricité plus fluide et impalpable pour le refuge de l'âme! Cependant, dès les années 40, pharmacologistes et biochimistes [7] découvrent que l'acétylcholine se trouve dans diverses régions de l'encéphale, en particulier dans le cortex cérébral. Les neurones centraux répondent aussi à l'acétylcholine. Puis, en 1954, Vogt montre que le noradrénaline que vient d'isoler Von Euler, proche voisine de l'adrénaline avec laquelle travaillait Elliott, est également présente dans l'hypothalamus. Falk, Hillarp et leurs collègues du Karolinska Institutet de Stockholm [8] font apparaître en lumière fluorescente jaune ou

---

7. F. McIntosch, 1941; W. Feldberg, 1948.

8. B. Falk et coll. 1962; A. Dahlström et K. Fuxe, 1964. Dahlström et coll. 1964; U. Ungerstedt, 1971.

verte, sur des coupes histologiques d'encéphale et par groupes discrets et bien localisés, des neurones qui contiennent la noradrénaline ou des neurotransmetteurs qui s'y apparentent. La participation de ces neurones à des fonctions cérébrales importantes ne fait pas de doute. Le « pneuma » de Galien se décompose désormais en ion, sodium, potassium ou calcium, acétylcholine, noradrénaline ou quelque autre neurotransmetteur. Ils sont produits en des points discrets et *localisés* du cerveau et circulent le long de voies bien définies. Les « esprits animaux » s'identifient à des mouvements d'atomes et de molécules. Les sciences du système nerveux sont devenues moléculaires (figure 11).

## Le bon sens de l'histoire

Ce rapide regard sur le passé, empreint du parti pris qu'impose l'état actuel de la recherche sur le cerveau, suffit cependant pour mettre en relief les lignes de recherche et attitudes théoriques qui, de manière répétée et systématique, ont eu un impact positif sur le développement des connaissances. S'impose au premier chef la démarche analytique, qui consiste à « décomposer » substrat anatomique ou fonction en éléments simples. Au fil de l'histoire, des doctrines localisationnistes et divisionnistes ont conduit et conduisent encore aux découvertes les plus radicales et possèdent sans aucun doute une valeur de progrès. Par essence, la méthode analytique simplifie. Elle mène parfois au simplisme. Glisson, spiritualiste, valorise l'excitabilité et la sensibilité face au mécanisme cartésien. Au début de ce siècle, et aujourd'hui encore, certains arguments globalistes mettent en garde contre les interprétations trop rudimentaires qui se fonderaient par exemple uniquement sur la cartographie corticale de Brodmann, et masqueraient la multiplicité des centres cérébraux corticaux ou non corticaux et la complexité de leurs relations. Les thèses globalistes, malgré leur saveur spiritualiste, ne doivent donc pas être rejetées sans examen. Si on ne peut les retenir comme « explicatives », elles limitent parfois utilement la portée des conclusions de l'expérimentation analytique et, par là, suscitent de nouveaux problèmes.

Une autre ligne progressiste consiste à relier faits d'anatomie et faits de comportement, à rechercher le substrat matériel

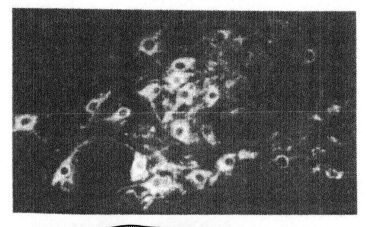

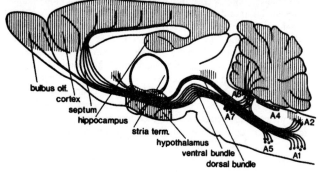

bulbus olf.
cortex
septum
hippocampus
stria term.
hypothalamus
ventral bundle
dorsal bundle

A7   A4   A2
A5   A1

FIGURE 11

*Fig. 11. – Avec la découverte des neurotransmetteurs s'ouvre un nouveau chapitre de l'histoire du cerveau. Les neurones ne s'identifient plus seulement par leur forme ou leur activité électrique, mais par les substances chimiques qu'ils synthétisent et sécrètent par leurs terminaisons nerveuses au niveau des synapses. Ici, après exposition d'une section de tronc cérébral de rat à des vapeurs de formol, les neurones du locus coeruleus acquièrent une vive fluorescence verte caractéristique de la présence de noradrénaline (d'après Dahlström et Fuxe, 1964). Sur la figure du bas : « carte chimique » des neurones à noradrénaline ; les corps cellulaires sont indiqués par la lettre A, les faisceaux d'axones sont représentés en noir et les aires où se distribuent les terminaisons nerveuses en hachuré. Le locus coeruleus comprend A 6 (d'après Ungerstedt, 1971).*

d'une fonction, d'abord indépendamment de l'activité nerveuse, puis par son truchement. Du chirurgien égyptien à Hérophile et Érasistrate, de Galien à Némésius, de Gall à Broca, cette méthode a toujours été riche de découvertes et continue de porter ses fruits sur le terrain le plus avancé de la neurobiologie contemporaine.

Enfin, les tentatives physicalistes, qui consistent à rechercher les bases physicochimiques des fonctions cérébrales, s'avèrent en règle générale fécondes. Le pneuma, d'abord esprits animaux, puis fluide nerveux, devient électricité animale, puis potentiel d'action, enfin transfert d'ions chargés électriquement. La mise en évidence de l'intervention des neurotransmetteurs à la synapse en est un autre exemple.

Confrontées aux cogitations des spiritualistes, ces démarches ne séduisent ni ne réconfortent. Mais notre propos n'est pas là ; il est de comprendre comment fonctionne notre cerveau.

## Le cerveau en pièces détachées

« Des individualités en nombre immense, les
neurones, complètement indépendants, simplement au contact les uns avec les autres, constituent le système nerveux. »

S. Ramon y Cajal,
*Histologie du Système Nerveux*, 1909.

Dès la plus haute Antiquité, les prêtres grecs et égyptiens font
construire en secret des « Dieux articulés » dont ils se servent
pour impressionner les foules. Dans un contexte différent,
Vaucanson expose en 1738 son « canard digéreur » qui, mû par
des leviers et des cames, bat des ailes, avale des graines et les
rend après leur traversée du corps. De nos jours, des robots
laquent avec soin et précision les carrosseries de voitures, et des
ordinateurs géants règlent le voyage de véhicules spatiaux aux
confins du système solaire. L'homme invente des machines qui
le remplacent et, de ce fait, lui ressemblent dans ses gestes ou
même ses actes. Tout naturellement, il se compare à la machine
qu'il construit. Pour Descartes, seul le corps est une machine,
mais, pour La Mettrie, « l'âme n'est qu'un vain terme dont on
n'a point d'idée. Concluons donc hardiment, écrit-il, que
l'homme est une machine ».

La cybernétique, avec Wiener, reprend cette thèse. L'homme
n'a plus un cerveau comparable à la mécanique d'un automate
ou d'une horloge, mais *ressemble à* et *fonctionne comme* un
ordinateur. S'agit-il seulement d'une image, d'une métaphore ?
Si La Mettrie écrit que la machine du corps « monte elle-même
ses ressorts », peut-on imaginer que l'analogie doive être poussée
jusqu'à identifier nos organes ou cellules à des lames d'acier, des

tubes de caoutchouc, ou bien même à des transistors ou des circuits intégrés ? Que le lecteur se rassure : il n'est pas question ici d'identifier le cerveau à une horloge, de prendre la cellule nerveuse pour une roue à pignon, ni même de rechercher à tout prix une ressemblance entre l'organisation des réseaux de neurones et les circuits d'un ordinateur ou de toute autre mécanique « artificielle ». Notre propos est, au contraire, d'explorer l'objet « système nerveux » avec tous les moyens dont on dispose : d'en identifier les composants anatomiques, d'en définir les relations mutuelles, d'en décrire enfin l'organisation. Ce démontage de la machine cérébrale s'arrêtera, dans une première étape, au niveau de la cellule. Au-delà se perd le caractère proprement original du système nerveux de s'organiser en réseau de communication par l'intermédiaire des « fils » axonaux et dendritiques. Le neurone se situe, aujourd'hui, au point de convergence de deux lignes de recherche : celle du chimiste ou du biologiste moléculaire, qui le considèrent comme un système de macromolécules en interaction, et celle du neurobiologiste et de l'embryologiste qui, au contraire, l'envisagent comme unité de base à partir de laquelle l'organe se construit. Le niveau d'organisation choisi pour le « clivage » de la machine nerveuse en pièces détachées sera donc celui du neurone et de ses synapses.

## Macroscopie du cerveau

Dans sa *Leçon d'Anatomie,* Rembrandt fait apparaître sur la toile les hémisphères cérébraux du cadavre que dissèque le docteur Joan Deyman. La calotte crânienne enlevée (l'assistant-chirurgien la tient dans sa main, à gauche du tableau), le spectateur découvre des masses grisâtres et circonvolutionnées, richement irriguées de vaisseaux sanguins. Sorti du crâne, cet ensemble de tissus ou « encéphale » se subdivise en trois grandes parties : en avant, les hémisphères cérébraux, en arrière le cervelet, enfin le tronc cérébral qui relie deux parties à la moelle épinière.

Depuis la Renaissance, observer l'encéphale, c'est d'abord en reproduire la forme par le dessin ou la photographie, et en nommer les parties. Une autre méthode repose sur la mesure. Un paramètre facile à mesurer est le poids frais. Le plus souvent, les anthropologues ne disposent que du crâne, qui se conserve beaucoup mieux que les parties molles. Comme l'encéphale adhère très étroitement à la paroi du crâne par les méninges, le volume interne de celui-ci, exprimé en centimètres cubes, peut être pris comme une mesure du poids de l'encéphale exprimé en grammes (la capacité crânienne ne lui est que de 6 % supérieure). Déposé sur une balance, l'encéphale humain pèse 1 330 g. Cette valeur est une moyenne, car elle fluctue de manière importante d'un individu à l'autre. On cite souvent Anatole France et Gall lui-même pour les valeurs les plus faibles (1 000-1 100 g), Cromwell et Lord Byron pour les plus élevées (2 000-2 230 g). Broca s'intéressa longuement à ces mesures de poids encéphaliques. Il écrivit même que le poids encéphalique moyen de cinquante et un travailleurs non qualifiés était de 1 365 g, alors que celui de vingt-quatre travailleurs qualifiés atteignait 1 420 g. Eugène Schreider, un siècle plus tard, reprit ces observations et se trouva dans l'impossibilité de les confirmer [1]. En réalité, la valeur *absolue* du poids encéphalique n'est pas significative en soi. Personne ne doutera que les proportions du corps se conservent lorsque la taille des individus change; on s'attend donc que les dimensions de l'encéphale varient avec celles du corps. Il semble d'ailleurs que Broca n'ait pas tenu compte de ce problème dans l'interprétation de ses résultats. En effet, les travailleurs les moins qualifiés, sans doute d'extraction modeste et sous-alimentés pendant leur enfance, étaient en moyenne moins grands que les autres.

A quel paramètre corporel faut-il donc ramener la mesure du poids de l'encéphale? Chez les espèces animales sauvages, le poids du corps change peu avec les conditions écologiques et sert le plus souvent de référence. Chez l'homme, le poids du corps fluctue énormément. La taille varie moins avec l'environnement social et est le plus souvent retenue dans les études statistiques. Dans ces conditions, le poids encéphalique « normalisé » continue toujours à varier. Le champ de cette variation est beaucoup plus large dans les populations humaines que parmi les populations d'espèces animales sauvages. Une différence significative semble aussi exister entre les sexes. Selon Spann et Dustmann (1965), les hommes adultes ont *en moyenne* 8,3 g d'encéphale par centimètre de stature, alors que les femmes n'en ont que 8,0 g, soit un léger bonus en faveur des hommes de 45 g *en moyenne* pour une taille de 1,65 m. Ce dimorphisme sexuel, qui

---

1. Voir S. GOULD, 1981.

se retrouve dans les mesures de capacité crânienne, existe aussi chez les primates anthropoïdes [2]. Il est plus marqué chez le gorille. L'homme se situe, à cet égard, entre le chimpanzé et l'orang-outan.

Plusieurs espèces animales vivantes dépassent, et de très loin, l'homme par le poids absolu de leur encéphale. Par exemple, le rorqual bleu (sorte de baleine) et l'éléphant d'Afrique ont des poids encéphaliques respectifs de 6 000 et 5 700 g. Comparé au poids du corps, celui de ces encéphales ne représente cependant qu'un dix-millième pour le premier, et un six-centième pour le second. Le poids de l'encéphale humain, par contre, est environ le quarantième de celui du corps. Mais, dans ce match, l'homme se fait battre par les petits mammifères, le ouistiti ou le furet, chez lesquels le poids de l'encéphale atteint le douzième du poids du corps.

Avec quel paramètre doit-on donc comparer le poids de l'encéphale pour que leur corrélation s'accorde avec les séries évolutives de l'anatomie comparée, pour que l'homme se distingue à la fois de l'éléphant et du ouistiti et qu'apparaisse enfin sa « supériorité », pour autant qu'elle existe? Plusieurs tentatives ont eu lieu depuis la fin du XIXᵉ siècle. La plus satisfaisante se fonde sur une analogie [3].

Prenons au hasard quelques sujets adultes d'espèces de tailles différentes, et classons-les par ordre de poids croissant : musaraigne, ouistiti, chimpanzé, homme, gorille. Cette série se compare naturellement à la croissance du jeune à l'adulte chez une même espèce, comme si le gorille naissait musaraigne et, en grandissant, devenait ouistiti, puis chimpanzé. On peut alors analyser la distribution de poids d'espèces adultes selon les méthodes employées pour décrire quantitativement les phénomènes de croissance. Une cellule se divise en deux, puis chacune en deux, ce qui donne quatre, puis huit, puis seize cellules : il s'agit d'une loi exponentielle. Comme chacun sait, une fonction exponentielle se transforme en droite dans un système de coordonnées logarithmiques. Portons donc, dans un système de coordonnées logarithmiques, les valeurs du poids de l'encéphale (E) en ordonnées, en fonction de celles du poids du corps (P) en abscisses (figure 12). Dans un premier temps, on effectuera cette étude avec des espèces du même groupe zoologique, par

2. P. TOBIAS, 1975.
3. Voir G. VON BONIN, 1937.

exemple celui des Inseçtivores auquel appartiennent, à une extrémité, la musaraigne, et, à l'autre, le hérisson. On obtient une droite, mais sa pente $\alpha$ n'est pas égale à 1 : le poids

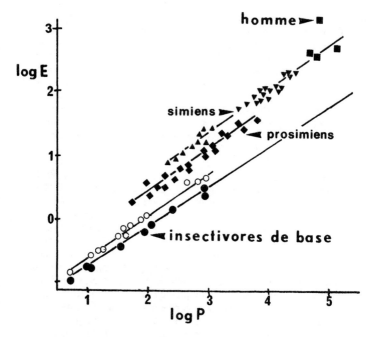

FIGURE 12

*Fig. 12. – Variation du poids de l'encéphale (E) avec le poids du corps (P) chez les insectivores et les primates. Chaque point correspond à une espèce différente. Les données portées en coordonnées doublement logarithmiques s'alignent suivant une série de droites parallèles qui correspondent chacune à un groupe zoologique homogène sur le plan des performances cérébrales. Les données sont normalisées aux valeurs obtenues avec une série d'insectivores primitifs (points noirs) dits « de base » ; immédiatement au-dessus se placent les insectivores évolués (points blancs), puis les singes les plus primitifs ou prosimiens (losanges noirs) comme les lémuriens, tarsiers et galago, enfin, les simiens évolués (triangles noirs) ; en haut de l'échelle les hominoïdes (carrés noirs), l'orang-outan, le chimpanzé, le gorille, et enfin, légèrement au-dessus de la droite, l'homme moderne (d'après Bauchot et Stéphan, 1969 et Stephan, 1972).*

d'encéphale n'augmente pas linéairement avec celui du corps mais, toutes proportions gardées, diminue dans la zone des poids élevés. La valeur de $\alpha$ est 0,63. Il se trouve très proche de 2/3, qui est le rapport existant dans cette représentation entre surface et volume. Le poids de l'encéphale se trouve donc plus directement indexé sur la *surface* du corps que sur son poids ou son volume. Cela ne choque pas. On admettra volontiers que, si le poids de l'encéphale est en relation avec sa fonction, il suive l'accroissement de la surface du corps, par laquelle l'organisme interagit avec son environnement, plutôt que de suivre le poids des os ou le volume du sang.

Ce qui est vrai pour les Insectivores l'est-il pour d'autres groupes zoologiques, pour les Primates par exemple? L'analyse effectuée par Bauchot et Stéphan (1969) montre qu'effectivement, pour chaque groupe, les données se rangent le long de droites de pente 0,63, mais que, d'un groupe à l'autre, les droites ne se superposent pas. On obtient grossièrement un ensemble de droites parallèles. Celle des Simiens (qui inclut les Hominidés) se situe au-dessus de celle des Prosimiens (lémur et galago), elle-même disposée au-dessus de celle des Insectivores de base. Cela paraît encore raisonnable. Le long d'une même droite, l'organisation ne change pas, seules changent les dimensions : les performances comportementales d'une musaraigne ne diffèrent pas de façon majeure de celles d'un hérisson. D'une droite à l'autre, par contre, on effectue un « saut évolutif » qui fait passer, par exemple, d'un groupe d'animaux de type musaraigne-hérisson à autre, de type lémur-galago, d'un Insectivore à un Primate. D'une parallèle à l'autre, il y a changement *qualitatif* de l'organisation et aussi des performances.

La distance entre droites parallèles nous informe donc sur les transitions évolutives de la relation cerveau-corps, sur l' « encéphalisation » qui se manifeste des poissons aux reptiles, des reptiles aux mammifères, des insectivores aux singes et à l'homme. Bauchot et Stéphan ont défini, à partir de ces données, un « indice d'encéphalisation » qui, éliminant le facteur poids absolu, sert à caractériser ces changements qualitatifs. Chaque ligne parallèle peut être définie par un point caractéristique : celui qui correspond à l'animal du groupe ramené au poids-unité. En d'autres termes, on considère le « chimpanzé théorique » de même poids corporel que la musaraigne, pris lui-même égal à 1. Les Insectivores, groupe très homogène, vont servir de référence. Pour simplifier, considérons arbitrairement le rapport du poids encéphalique au poids corporel égal à 1. Dans ces conditions, notre « chimpanzé théorique » de poids unitaire aura un cerveau pesant 11,3 fois plus que celui de l'insectivore de même poids. *Homo sapiens,* sur ces bases, apparaît avec un indice moyen de 28,7. Cela veut dire qu'à poids du corps égal, l'homme a un poids encéphalique 28,7 fois plus important que celui de l'insectivore de base. Ou bien que s'il existait une musaraigne géante qui atteigne la taille et le poids d'un homme, son encéphale ne pèserait que 46 g environ...

Suivant cette échelle, l'homme dépasse le reste des vertébrés. Le chimpanzé le serre de près : il n'y a qu'un facteur 2,5 de différence avec lui. Plus dangereux sont les phoques, qui atteignent des coefficients supérieurs à 15, et les dauphins et autres cétacés à dents, avec des coefficients supérieurs à 20! Mais on connaît les performances, à bien des égards exceptionnelles, de ces mammifères marins. On s'accordera cependant sur le fait que les mesures de poids encéphalique restent très globales. Elles négligent, de toute évidence, d'importantes différences d'organisation.

## L'expansion du néocortex

Hérophile et Érasistrate, puis Gall, soulignaient avec insistance que « les hémisphères cérébraux établissent la différence la plus essentielle entre l'homme et les diverses espèces d'animaux ». L'encéphale des Poissons ressemble à bien des égards au modèle de Némésius (figure 1). Beaucoup moins compact que le cerveau des vertébrés supérieurs, il prolonge la moelle épinière vers l'avant et se développe autour de cavités : les deux ventricules antérieurs et les ventricules moyen et postérieur (figure 13). Mais les *hémisphères* ne représentent, à ce stade de l'évolution, qu'une fraction mineure de l'encéphale : la paroi dorsale des deux ventricules antérieurs. Dans leur plancher se logent des amas de substance grise, les *ganglions de la base* qui interviennent dans le contrôle du mouvement. A partir de la paroi du ventricule moyen se différencient le thalamus, qui représente un relais essentiel de toutes les voies qui vont et viennent des hémisphères, ainsi que l'*hypothalamus,* dont on verra l'importance dans la commande des comportements « fondamentaux » de l'organisme ainsi que dans la régulation de sécrétions hormonales, en particulier celles de l'hypophyse.

Enfin, le *cervelet,* organe d'équilibration, s'attache à la paroi dorsale du ventricule postérieur; c'est dans la partie antérieure de cette paroi que se trouvent les neurones aminergiques dont nous avons déjà mentionné la découverte par un groupe suédois (figure 11).

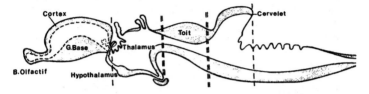

FIGURE 13

*Figure 13. – Plan d'ensemble de l'encéphale commun à tous les vertébrés, l'homme inclus. L'encéphale se compose d'une série de vésicules et d'étranglements successifs: 1) Le cerveau antérieur comprend trois vésicules: les deux hémisphères cérébraux (on n'en voit qu'un seul sur ce schéma de profil) avec en avant le bulbe olfactif et ventralement les ganglions de la base, puis en arrière, une troisième vésicule dont les parois donnent en particulier l'hypothalamus et le thalamus; 2) le cerveau moyen épaissi dorsalement en « toit » optique; 3) le cerveau postérieur qui, sur sa face dorsale, donne le cervelet et sur ses faces ventrale et latérales, en arrière, le bulbe rachidien (modifié d'après Romer, 1955).*

Ce plan d'ensemble de l'encéphale, évidemment très schématique, se conserve au cours de l'évolution, des Poissons à l'Homme. Seuls changent le développement relatif, la complexité et les relations mutuelles de chacune de ses parties. La comparaison attentive des encéphales d'espèces actuellement vivantes de poissons, amphibiens, reptiles, puis mammifères, illustre ces changements et permet d'en tracer l'histoire évolutive. Chez les poissons, l'odorat très développé joue un rôle primordial dans la recherche de la nourriture : les hémisphères cérébraux, très minces, se spécialisent dans l'olfaction. Ce centre olfactif se retrouve chez les amphibiens et les reptiles, mais n'occupe plus que la moitié ventrale des hémisphères. Il persiste, encore plus réduit, chez les mammifères et chez l'homme où il se présente comme un lobe en forme de poire caché à la face inférieure du cerveau. Chez les amphibiens en partie terrestres, puis chez les reptiles, les sens, en particulier la vision, se développent, et un autre type de cortex apparaît dans la région dorsale des hémisphères. Il sert à « associer » modalités sensorielles et fonctions motrices, mais il n'est pas voué, lui non plus, à un futur développement : internalisé, il se retrouve chez l'homme sous la forme des circonvolutions de l'hippocampe. Une troisième expérience – fructueuse, quant à elle – a lieu chez les reptiles évolués : en avant des deux cortex précédents se différencie, en s'épaississant, un « nouveau cortex » ou *néocortex*. Celui-ci capitalise fonctions de « projection » des organes des sens et fonctions « d'association », et cela de manière fulgurante. Chez l'homme, on ne voit pratiquement plus que lui (figure 14).

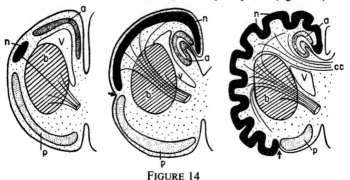

FIGURE 14

*Fig. 14. – Diagramme illustrant l'expansion du néocortex des reptiles (gauche) à l'homme (droite) en passant par un mammifère primitif marsupial (centre). La partie la plus primitive du cortex (p) spécialisée dans l'olfaction régresse de même qu'un territoire un peu moins ancien (a) qui s'internalise pour donner, chez les mammifères, la circonvolution de l'hippocampe. Par contre, le néocortex (n, en noir) insignifiant (ou absent) chez les reptiles envahit les hémisphères chez les mammifères et plus spécialement chez les primates et l'homme. Ganglion de la base (b), ventricule (v), corps calleux (cc) (d'après Romer, 1955).*

Bauchot et Stéphan ont exprimé de manière quantitative cette évolution différentielle du néocortex. Ils affectent à chaque région définie du cerveau un « indice de progression » défini dans les mêmes termes que l'« indice d'encéphalisation » employé pour la masse globale de l'encéphale. Dans le cas du néocortex, si l'on prend cet indice égal à 1 chez les Insectivores, celui des singes supérieurs varie de 8 à 25, celui du chimpanzé vaut 58, enfin celui de l'homme atteint 156. Les indices relatifs aux ganglions de la base, eux, ne passent chez l'homme que de 1 à 16,5; quant au bulbe olfactif, son indice ne fait que diminuer : pris égal à 1 chez les Insectivores, il n'est que de 0,07 chez le chimpanzé et de 0,023 chez l'homme.

Ce développement spectaculaire et différentiel du néocortex correspond principalement à un accroissement de sa surface, ce qui pose d'ailleurs un sérieux problème de géométrie. Si le cerveau de l'homme occupait le volume d'un cube, le néocortex aurait une surface de 7 dm². Or l'écorce cérébrale supposée complètement développée a une surface moyenne de 22 dm². L'empaquetage dans le volume restreint du crâne s'accompagne donc de plicatures de sa surface, dont les 2/3 se trouvent enfouis dans la profondeur de sillons ou scissures. Presque nul chez les mammifères primitifs, le nombre de circonvolutions du néocortex s'accroît chez les primates pour atteindre un maximum chez l'homme.

Des poissons à l'homme, l'encéphale représente, toutes proportions gardées, une fraction de plus en plus importante du poids du corps. Chez les mammifères, le néocortex prend cette place au niveau de l'encéphale. Le cerveau de l'homme moderne se situe au stade le plus avancé de cette « corticalisation » de l'encéphale.

## Micro-circuits

Depuis Willis et Gall, on sait que le néocortex des mammifères (pour simplifier, nous l'appellerons « cortex ») se compose, comme le reste du système nerveux, de substance grise et de substance blanche. Toutefois, il se distingue d'autres centres nerveux par la disposition relative de ces substances. Dès la fin du XVIIIᵉ siècle, l'observation à l'œil nu de tranches de cortex révèle « un trait blanc linéaire qui suit tous les contours des circonvolutions et qui donne à cette portion de la substance corticale l'apparence d'un ruban rayé ». Baillarger (1840), « aliéniste » à l'asile de Charenton, s'intéresse à cette organisation fine dans le but – fort légitime dans son principe – de découvrir une base anatomique aux maladies mentales. Il place entre deux plaques de verre des tranches fines de cortex prélevées sur trente patients morts en diverses circonstances, et les examine par transparence, toujours à l'œil nu. Il ne note aucune différence significative entre malades mentaux et individus normaux mais, à cette occasion, il fait plusieurs remarques importantes. D'abord, dans le cortex cérébral, à la différence de ce qui existe dans d'autres centres nerveux, moelle ou « ganglions », la substance grise est « extérieure » par rapport à la substance blanche. Ensuite, le cortex présente, dans son épaisseur et sur toute son étendue, une disposition stratifiée en six couches superposées.

Baillarger ne possède pas les moyens techniques de révéler les détails d'organisation responsables du « feuilletage » cortical. Il faut, pour ce faire, employer le microscope et atteindre le niveau cellulaire. Il faut aussi avoir compris le schéma de base de la cellule nerveuse et assemblé correctement le soma à l'axone et les dendrites au soma (chapitre I). La découverte des détails de l'organisation cellulaire du cortex suit donc avec un certain retard les recherches faites sur le système nerveux périphérique. Elle sera encore l'œuvre de psychiatres [4] (figure 15).

L'examen au microscope optique d'une coupe fine de cortex, par exemple après coloration de Golgi, révèle un type principal de neurone qui, numériquement, domine tous les autres. Il s'agit des cellules pyramidales qui doivent leur nom à la forme de leur soma, dont la pointe se dirige vers la surface externe du cortex et dont la base atteint 25-80 µm de diamètre. Sur une section de cortex colorée par la méthode de Golgi, celles-ci ressemblent à une forêt de sapins accrochés au flanc d'une montagne. La forme de l'arborisation dendritique accentue la ressemblance avec un conifère. Une dendrite « apicale » prolonge la pointe du soma et traverse verticalement le cortex dans son épaisseur avant de s'épanouir en bouquet terminal dans sa couche

---

4. T. Meynert, 1867, 1874 ; W. Lewis et H. Clarke, 1878.

---

*Fig. 15. – Les principales catégories cellulaires du cortex cérébral rassemblées sur une même figure. Les neurones sont colorés en noir par une méthode inventée par Golgi qui imprègne totalement corps cellulaire, dendrites et axone. Les cellules « pyramidales » (A, B, F, G) se reconnaissent par leur corps cellulaire conique, leur dendrite apicale qui part verticalement vers la surface du cortex, et leurs dendrites basilaires en forme de racines ; leur axone (a) s'enfonce en profondeur et sort, finalement, du cortex. Les autres cellules dites « étoilées » restent à l'intérieur du cortex (C, D, E, H – M). Elles portent des noms suggestifs de la diversité de forme de leurs arborisations comme H, « à double bouquet dendritique dont le cylindre axe (ou axone) s'épanouit en une arborisation extrêmement touffue », ou L, « à cylindraxe court et ramifié en longues branches horizontales ». Il s'agit ici de cortex temporal de chat de 24 jours. Des catégories semblables de cellules se retrouvent chez l'homme (d'après Cajal, 1909).*

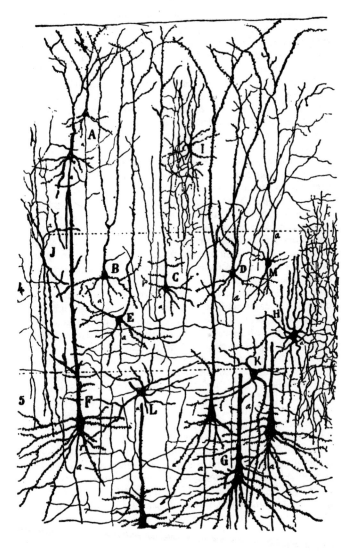

FIGURE 15

superficielle; plusieurs dendrites « basilaires » partent de la base du soma comme autant de branches basses. Une multitude d'appendices microscopiques, d'environ 2 µm de long, appelés *épines,* recouvrent toutes les dendrites. On en compte, chez l'homme, au moins 20 000 en moyenne par cellule pyramidale. Mais, dans le cas de certaines cellules pyramidales géantes comme celles de Meynert, ce nombre atteindrait chez le macaque 36 000 [5]. Enfin, l'axone de la cellule pyramidale part en direction opposée à celle de la dendrite apicale, s'enfonce en profondeur et donne, de place en place, des branches collatérales, avant de sortir du cortex pour se mêler à la substance blanche. Ces axones constituent la seule sortie ou *efférence* du cortex cérébral : les cellules pyramidales canalisent tous les ordres issus du cortex cérébral, et jouent de ce fait un rôle capital (figure 15).

Le classement des autres types de neurones, regroupés artificiellement sous l'appellation générale de *cellules étoilées,* fait encore l'objet de controverses. Un point cependant est clair : toutes ont leur arborisation axonale interne au cortex, ce sont donc des « inter » - neurones qui participent à ce que l'on appelle l'organisation « intrinsèque » du cortex. Elles contribuent à l'assemblage des cellules pyramidales entre elles ainsi qu'à leur mise en relation avec les fibres nerveuses qui *entrent* dans le cortex. Ces inter-neurones étoilés ont, en général, un corps cellulaire de forme ovoïde ou sphérique plus petit que le soma des cellules pyramidales. A l'exception de certaines cellules étoilées du cortex visuel, elles ne portent pas d'épines. Leurs arborisations axonales et dendritiques présentent au moins six formes caractéristiques [6] qui portent des noms fort suggestifs : « en corbeille », « à double bouquet protoplasmique », « neurogliforme », « fusiforme », « à axone court » ou « ascendant »... (figure 15).

Cellules pyramidales et étoilées ne se répartissent pas d'une manière uniforme à travers l'épaisseur du cortex. Dès 1867, Meynert (figure 16) montrait que la disposition stratifiée du cortex observée à l'œil nu par Baillarger correspond à l'aménagement des diverses catégories de neurones en couches superposées. On les numérote en général de I à VI, de la surface vers la profondeur. La couche I ne contient pas de cellules pyramidales. Celles-ci, par contre, abondent dans les couches II et III

---

5. S. Palay, 1978.
6. E. Jones, 1975, 1981, S. Ramon y Cajal, 1909.

et dans les couches V et VI, et leur taille est en général plus grande en profondeur (V et VI) qu'en surface (II et III). Enfin, prises en sandwich, les cellules étoilées s'accumulent au niveau de la couche IV.

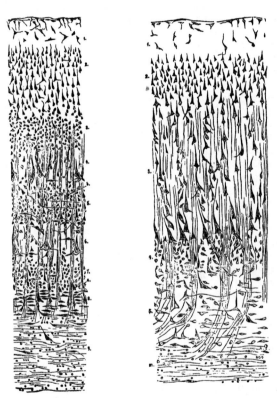

FIGURE 16

*Fig. 16. – Dans sa « Psychiatrie » publiée en 1884, Meynert montre que l'architecture cellulaire du cortex varie d'apparence d'une aire à l'autre. A gauche, section à travers un cortex sensoriel (aire visuelle) où les cellules étoilées s'accumulent dans trois couches denses, d'où le nom de cortex « granulaire » ; à droite, cortex moteur avec cellules pyramidales de grande taille (d'après Meynert, 1884).*

Le trait le plus frappant de l'architecture cellulaire du cortex des mammifères, et en particulier de l'homme, est sa grande unité morphologique. Des échantillons prélevés au niveau des aires frontales, pariétales, occipitales révèlent cellules pyramidales et cellules étoilées de forme et de disposition très semblables. Sur toute son étendue, le cortex cérébral paraît composé des mêmes éléments cellulaires, des mêmes « catégories » de cellules.

Le terme « *catégorie* », par l'importance qu'il revêt dans l'interprétation de l'organisation du cortex comme de celle du système nerveux en général, mérite quelque attention [7]. On regroupera sous ce terme des neurones qui, dans un même centre, présentent la même forme du soma et des arborisations axonales et dendritiques. A ces critères morphologiques se sont récemment ajoutés des critères biochimiques tels que, par exemple, le type de neurotransmetteur synthétisé [8] ou la réactivité de composants cellulaires vis-à-vis d'anticorps monospécifiques [9]. Une catégorie de neurones se définira donc par la forme de la cellule, telle qu'elle apparaît par exemple après coloration de Golgi, ainsi que par le répertoire des molécules – essentiellement les protéines, mais aussi les lipides et les polysaccharides – qu'elle synthétise. Appartiendront donc à une même catégorie les neurones qui possèdent à la fois la même forme et la même composition chimique. Celle-ci se définira donc en principe par son répertoire, sa « carte » de gènes « ouverts », c'est-à-dire susceptibles d'être exprimés sous forme de protéines (voir chapitre VI).

Bien que leur taille ainsi que le détail de leur arborisation varient, on considère que les cellules pyramidales du cortex font partie d'une même catégorie. Il est toutefois possible que les études biochimiques en cours conduisent à subdiviser celle-ci. Même si c'est le cas, le nombre de *catégories* de cellules pyramidales ou de cellules étoilées restera toujours faible : dizaines, voire centaines, à rapporter aux milliards (chez l'homme) de neurones présents dans le cortex. Le cortex cérébral se compose donc d'un petit nombre d'éléments cellulaires répétés un très grand nombre de fois.

Un autre fait remarquable est que ces mêmes catégories se

7. J.-P. Changeux, 1980 et 1983.
8. N. Brécha et coll. 1979, 1981.
9. B. Zipser et R. Mac Kay, 1981.

retrouvent à tous les stades de l'évolution, des mammifères primitifs à l'homme. Contrairement aux espoirs des premiers cytologistes comme Ramon y Cajal, il n'existe aucune catégorie cellulaire propre au cortex de l'homme. Celui-ci est construit avec les mêmes pièces détachées que le cerveau du rat ou celui du singe.

Il faut toutefois noter, à ce stade, qu'en dépit de sa grande uniformité d'organisation des différences s'observent d'une aire à l'autre du cortex cérébral. L'œil exercé de Meynert [10] et des premiers histologistes du cerveau [11] les avait déjà remarquées (figure 16). Ainsi, l'épaisseur du cortex n'est pas la même en tous points, la densité des cellules et la répartition des diverses catégories de neurones à travers les six couches paraissent varier d'une aire à l'autre. Par exemple, l'aire primaire de projection visuelle (aire 17) est extrêmement mince et paraît riche en cellules étoilées, d'où son nom de cortex granulaire; à l'opposé, l'air motrice (aire 4) se distingue par sa grande épaisseur, la taille élevée des cellules pyramidales et l'apparente abondance de celles-ci au détriment des cellules étoilées, d'où son nom de cortex « agranulaire ». Cette variabilité, sur laquelle d'ailleurs se fonde, en partie, la cartographie de Brodmann, résulte-t-elle de différences majeures dans le nombre et la distribution des neurones corticaux?

Les récentes données quantitatives de Rockel, Hiorns et Powell (1980) montrent qu'il n'en est rien. Dans un premier temps, ceux-ci se dégagent de ces variations d'épaisseur du cortex, ainsi que des densités locales de neurones par unité de volume, et choisissent de compter le nombre total de neurones à travers toute l'épaisseur du cortex, à l'intérieur d'une « carotte » ou colonne prismatique d'épaisseur et de largeur *constantes* (25 × 30 μm). Résultat remarquable, d'abord noté chez le macaque, on trouve le *même* nombre de neurones par carotte : exactement 110 ± 10, et cela, quelle que soit l'aire, granulaire ou non, à l'exception toutefois de l'aire visuelle qui en contient 2,5 fois plus. Le nombre total de neurones comptés à travers l'épaisseur du cortex apparaît donc comme très uniforme sur toute son étendue.

Une autre observation essentielle de ces chercheurs est que, si

10. T. MEYNERT, 1867, 1874; W. LEWIS et H. CARKE, 1878.
11. K. BRODMANN, 1909; C. von ECONOMO, 1929.

les mêmes numérations sont effectuées sur le cortex d'autres mammifères – souris, rat, chat, et enfin l'homme –, les nombres obtenus sont identiques (à l'exception encore de l'aire visuelle qui, chez les primates et chez l'homme, compte 2,5 fois plus de neurones). Non seulement les catégories de cellules pyramidales et étoilées sont les mêmes de la souris à l'homme, mais le nombre total de ces cellules par échantillon de surface constante ne varie pas au cours de l'évolution des mammifères. Les données de la microscopie quantitative du cortex s'accordent avec celles de l'anatomie comparée : l'évolution du cortex, chez les mammifères, porte avant tout sur sa surface.

Il va de soi que cet accroissement de surface s'accompagne *ispo facto* d'une augmentation du nombre *total* de neurones. Celui-ci peut désormais être estimé facilement. Les résultats de Powell donnent environ 146 000 neurones par millimètre carré de surface corticale, quelle que soit l'espèce de mammifère considérée. Le cortex cérébral humain occupe pour les deux hémisphères environ 22 dm², il contient donc *au moins* 30 milliards de neurones (ce qui est plus que les 10 ou 20 milliards proposés jusqu'alors). La surface du cortex du chimpanzé est de 4,9 dm², celle du gorille de 5,4 dm²; les nombres totaux de leurs neurones corticaux seront donc de 7,1 et 7,8 milliards respectivement. Quant au rat, avec ses 4-5 cm² de surface corticale, il n'aura que 65 millions de neurones dans le cortex. Comme les mêmes catégories cellulaires se retrouvent dans le cortex, des mammifères primitifs à l'homme, il s'ensuit un accroissement considérable du nombre de neurones au sein d'une même catégorie.

Cette tendance évolutive n'est pas la seule à se manifester dans l'histoire des espèces. Chez les invertébrés, au contraire, le système nerveux se présente, comme chez la limace de mer ou l'Aplysie, avec un petit nombre de cellules et une grande diversité de types cellulaires (voir figure 26). Il y a augmentation du nombre de catégories sans augmentation du nombre de cellules. Exception notable parmi les invertébrés : les céphalopodes, pieuvres et calmars, chez lesquels s'observe la même tendance évolutive que chez les mammifères, mais au niveau de centres non homologues du cortex : le nombre de cellules par catégorie s'y accroît plus rapidement que le nombre de catégories. Comme nous le verrons, c'est une manière simple d'accroître la complexité à peu de frais.

## Câblage

La microscopie électronique donne accès à des détails de structure dont les dimensions se situent, si l'on prend le millième de millimètre ou micromètre pour référence, entre quelques millièmes de micromètre (les dimensions d'une grosse molécule) et quelques dizaines de micromètres (les dimensions d'un corps cellulaire). Elle permet de confirmer la thèse de la *discontinuité* des réseaux de neurones (chapitre 1). On constate[12] que les neurones se juxtaposent au niveau de *synapses* bien individualisées. Les synapses corticales, en général de petites dimensions (quelques micromètres), résultent de l'assemblage d'une terminaison nerveuse marquée par d'abondantes vésicules à un « pied » que sépare évidemment une fente de quelques nanomètres (millièmes de micromètre) d'épaisseur. Les épines, dont nous avons mentionné l'abondance à la surface des dendrites des cellules pyramidales après coloration de Golgi, correspondent à ce pied qui seul retient la coloration et, dans ce cas précis, se trouve étiré en pointe (figure 17).

On aurait pu croire que l'accroissement de résolution dû au microscope électronique ferait découvrir un monde nouveau à l'intérieur du cortex cérébral. S'il confirme l'articulation synaptique du réseau cortical, il déçoit les amateurs d'images : l'uniformité des figures synaptiques est encore plus grande que celle des catégories cellulaires. On a quelque mal à distinguer deux types de synapses : quand l'épaisseur de la membrane postsynaptique est plus grande que celle de la membrane présynaptique, il s'agit d'une synapse « asymétrique » (figure 17); quand les deux épaisseurs sont du même ordre, on parle de synapse « symétrique ». En d'autres termes, l'assemblage des pièces de la machine cérébrale ne se fait qu'avec un très petit nombre – deux sortes principales – d'« écrous ».

Autre difficulté maintenant pour les anatomistes : une section du cortex prise au hasard contient une quantité énorme de synapses, de l'ordre de six cents millions par millimètre cube. Il y aurait de $10^{14}$ à $10^{15}$ synapses dans le cortex cérébral de l'homme. Si l'on en comptait mille par seconde, il se passerait entre 3 000 et 30 000 *ans* avant de les dénombrer toutes, travail

---

12. E. Gray, 1959; J. Sloper et coll., 1979; M. Colonnier, 1981.

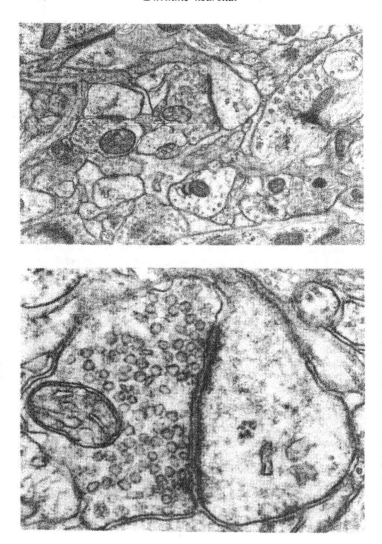

FIGURE 17

« surhumain » s'il en est ! Plus difficile encore : ces synapses se forment à partir de terminaisons axonales et dendritiques, de corps cellulaires enchevêtrés, à première vue, de manière inextricable – une « jungle » où, en un point donné, s'entremêleraient des branches de centaines, voire de milliers d'arbres différents (figure 17, haut). Grâce aux grossissements du microscope électronique, on distingue très bien les feuilles et les dernières branches, mais, comme celles-ci se ressemblent, il devient très difficile d'identifier les troncs auxquels elles appartiennent.

Comment déchiffrer une telle complexité ? D'abord, question de méthode, il faut essayer de mettre en évidence des règles simples d'organisation, même si celles-ci ne permettent de décrire que les grandes lignes du tableau. Ensuite, des procédés de traçage doivent être imaginés pour retrouver son chemin dans ce labyrinthe. Les anatomistes s'en tirent, par exemple, en suivant de proche en proche un même processus nerveux sur des coupes successives d'un même bloc de tissu, ou bien encore ils combinent la microscopie électronique – qui permet d'identifier une synapse à coup sûr – avec des méthodes de coloration à l'échelle cellulaire, qui conduisent à une définition non ambiguë de la catégorie de neurone. Les résultats sont encore très fragmentaires, mais quelques règles néanmoins se précisent.

Une première règle concerne les catégories de neurones disponibles pour construire les réseaux corticaux. Alors que la coloration de Golgi marque un neurone sur plusieurs centaines ou plusieurs millions, la microscopie électronique révèle *toutes* les structures cellulaires présentes dans une section du cortex (figure 17). Poursuivant leur analyse quantitative de l'organisation cellulaire du cortex, Powell et ses collaborateurs emploient le microscope électronique [13] pour distinguer sur coupe cellules

---

13. J. SLOPER et coll., 1979.

*Fig. 17. – Tranche ultrafine de cortex cérébral de souris observée au microscope électronique. Haut : vue à faible grossissement (agrandissement de 36 000 × environ) de l'entrelacs extrêmement compact de terminaisons nerveuses (identifiables facilement par la présence de vésicules) et de dendrites emballées par des cellules gliales. Bas : détail d'une synapse « asymétrique » (agrandissement de 100 000 × environ) : à gauche, la terminaison nerveuse avec une mitochondrie et de multiples vésicules : à droite, une épine dendritique ; entre les deux, la fente synaptique soulignée par l'épaississement post-synaptique (cliché original Constantino Sotelo).*

pyramidales, grandes cellules étoilées (les cellules en corbeille) et petites cellules étoilées (toutes les autres), et compter *toutes* les cellules de *chacune de ces catégories* sur une même « carotte » de cortex. Bien que les données disponibles aujourd'hui soient limitées à deux échantillons de cortex, l'un dans l'aire motrice et l'autre dans l'aire somatosensorielle, Powell arrive à la conclusion que le pourcentage de cellules pyramidales et de cellules étoilées est *le même* dans ces deux aires fonctionnellement très distinctes du cortex, bien que leur distribution varie évidemment d'une strate à l'autre du cortex. Les réseaux de neurones corticaux paraissent donc construits non seulement à partir du même catalogue de pièces de « Meccano », mais du *même nombre de celles-ci*, quelle que soit l'aire du cortex.

Les autres règles se rapportent au « branchement » des lignes d'entrée et de sortie du cortex. Depuis Caton et ses successeurs, on sait que les organes des sens se projettent au niveau d'aires corticales spécialisées (chapitre I) qui, comme l'exprime Pavlov, participent à « l'analyse » de ces signaux. Les voies sensorielles constituent donc une entrée importante du cortex. Toutefois pratiquement aucune fibre nerveuse issue d'un organe des sens n'entre directement dans celui-ci. Quelle que soit la modalité sensorielle considérée, les axones sensoriels s'arrêtent en chemin, au niveau de centres sous-corticaux dont les principaux sont les noyaux du *thalamus*. A ce niveau, d'autres neurones prennent le relais et l'accès au cortex se trouve en quelque sorte « réservé » à leurs axones. Mais cette canalisation des entrées par le thalamus n'est pas limitée aux voies sensorielles. Toutes les aires corticales, qu'elles soient motrices ou d'association, reçoivent des fibres provenant d'un noyau thalamique qui leur est propre. Une remarquable uniformité d'organisation existe donc là encore : au niveau des entrées (figure 18).

Les axones issus du thalamus ne constituent cependant pas la seule entrée du cortex. Une autre entrée importante est constituée par des fibres provenant du *cortex* lui-même. Chaque aire corticale reçoit un contingent important d'axones issus d'aires du même hémisphère ou de l'hémisphère opposé. Ces fibres associent plusieurs aires entre elles, d'où leur nom de fibres d'association. Les fibres issues du thalamus, comme celles issues du cortex, pénètrent dans ce dernier par sa face profonde et s'y enfoncent verticalement du bas vers le haut, en remontant vers sa surface. Les fibres d'origine corticale s'arrêtent en général à

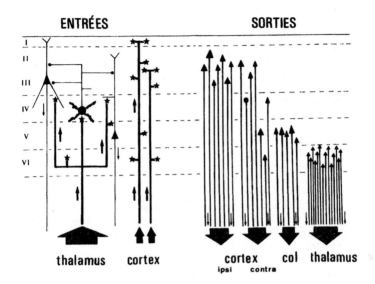

## FIGURE 18

*Fig. 18. — Représentation délibérément très simplifiée des principales voies d'entrée et de sortie du cortex cérébral. La réalité est beaucoup plus complexe et encore incomplètement connue. On sait aussi qu'une variabilité de détail se rencontre d'une aire du cortex à l'autre. Dans le cas le plus connu d'un cortex sensoriel (comme le cortex visuel), les fibres issues de l'organe sensoriel (œil) sont prises en relais au niveau du thalamus par des neurones dont l'axone pénètre directement dans le cortex et se ramifie « en boule » (ici schématisée par une fourche) principalement au niveau de la couche IV. Là, elles établissent des contacts synaptiques (étoiles) avec les dendrites des cellules pyramidales (orientées verticalement), mais aussi avec les cellules étoilées (souvent orientées horizontalement). Une autre entrée importante est constituée par les axones de cellules pyramidales issues d'autres aires du cortex situées sur le même ou sur l'autre hémisphère. Seuls les axones des cellules pyramidales sortent du cortex. Leur point d'impact se trouve en relation avec leur point d'origine. Les cellules dont le corps cellulaire se trouve dans la couche VI envoient leur axone vers le thalamus, celles de la couche V vers d'autres centres sous-corticaux (dans le cas du cortex visuel, le colliculus, col), celles des couches II, III et IV vers d'autres aires du cortex du même côté (ipsi) ou du côté opposé (contra) (adapté de White, 1981 et de Creutzfeldt, 1978).*

des niveaux variés dans l'épaisseur du cortex; par contre, les fibres d'origine thalamique s'arrêtent toutes au niveau de couches bien définies, essentiellement la couche III et surtout la couche IV. La couche IV constitue donc la « porte d'entrée principale » du cortex (figure 18).

Suivons maintenant une fibre thalamique lorsqu'elle atteint la couche IV et essayons de définir les circuits « internes » avec lesquels elle entre en contact. Là, elle s'épanouit en une arborisation « en boule » dont les branches ultimes établissent des synapses avec les dendrites et les corps cellulaires qui s'y trouvent. Un point d'impact important est constitué par les fameuses épines dendritiques des cellules pyramidales. Du fait de la disposition essentiellement « verticale » de ces cellules, les impulsions vont donc se propager verticalement à travers l'épaisseur du cortex. Les neurones étoilés dont les arborisations axonales et dendritiques sont elles aussi disposées verticalement reçoivent un fort contingent de fibres thalamiques et participent au même trafic. Enfin, les fibres thalamiques contactent certaines cellules étoilées dont les axones se déploient dans un plan « horizontal ». Celles-ci vont alors exercer une influence *latérale*. Il y a donc propagation à la fois verticale et horizontale de signaux (figure 18).

Le résultat des « calculs » effectués par ces microcircuits intra-corticaux se trouve finalement collecté par des cellules pyramidales dont les axones, nous l'avons dit, constituent la seule voie de sortie du cortex. Toutefois, avant de sortir, ces axones envoient des branches « collatérales » qui vont former des boucles de ré-entrée dans le cortex. Les calculs s'enchaînent...

Finalement, des signaux sortent du cortex. Mais où vont-ils? (figure 18). D'une manière plus générale, quelle est la destinée des axones des cellules pyramidales [14]? La réponse précise à cette question n'a été obtenue que récemment, à l'aide d'une méthode de marquage fort ingénieuse. Celle-ci se fonde sur l'emploi d'une enzyme, la peroxydase du raifort, qui se détecte très facilement sur coupe par une réaction colorée. Comme le fil d'Ariane, la peroxydase permet à l'anatomiste, partant de l'extrémité de l'axone, de remonter jusqu'au corps du neurone. En effet, si l'on injecte l'enzyme au niveau de la cible du

---

14. C. Gilbert et T. Wiesel, 1981; E. Jones, 1981.

neurone, là où l'axone s'arborise, on constate que celle-ci est « avalée » par les terminaisons nerveuses et qu'elle est transportée, le long de l'axone, à contre-courant jusqu'au soma. Celui-ci alors se colore et s'identifie facilement. On arrive ainsi à relier le corps du neurone au point d'impact de son axone, sur des distances de plusieurs centimètres. Les principales « portes de sortie » du cortex, évidemment toutes issues des cellules pyramidales, ont ainsi pu être identifiées.

Première porte de sortie du cortex, le cortex lui-même : une fraction importante des axones qui en sortent y retournent, du même côté ou du côté opposé ; ils constituent ces entrées d' « association » dont nous avons déjà parlé. Le reste des axones pyramidaux se terminent en dehors du cortex, au niveau des centres situés au-dessous de celui-ci, dits sous-corticaux. Là encore, tout se passe comme si les signaux issus du cortex n'arrivaient pas à en sortir.

Le second point d'impact des sorties pyramidales est en effet constitué par les noyaux du thalamus. Or, nous l'avons dit, les principales entrées du cortex sont composées par les axones issus précisément de neurones du thalamus. Les fibres qui sortent du cortex entrent donc en contact avec les neurones qui envoient leurs axones vers le cortex. Des circuits « en boucle », avec ré-entrée corticale, se forment encore à ce niveau !

La troisième et dernière sortie du cortex éloigne définitivement les axones pyramidaux du cortex et des noyaux thalamiques. Ces axones vont participer à des analyses et/ou déclencher des commandes motrices qui vont se manifester par une action sur l'environnement, par un comportement. Ces centres, qui ne font pas partie du thalamus, diffèrent d'une aire à l'autre du cortex. Il n'est pas question ici d'en dresser la liste. Citons seulement, à titre d'exemple, pour l'aire visuelle, le colliculus supérieur (figure 18). Certains axones vont encore plus loin. Ceux de certaines cellules pyramidales du cortex moteur quittent le cerveau, empruntent la moelle épinière et se terminent directement au niveau des neurones moteurs qui commandent les contractions musculaires.

Les axones qui sortent du cortex peuvent donc suivre trois directions principales : d'abord le cortex, puis le thalamus, enfin les autres centres qui ne sont ni corticaux ni thalamiques. Cette subdivision s'observe pour toutes les aires du cortex. On peut alors se demander s'il existe une relation entre la localisation du soma des cellules pyramidales dans l'épaisseur du cortex et la destinée de leur axone. La méthode de traçage à la peroxydase permet de répondre avec précision à cette question (figure 18). Les cellules pyramidales qui envoient leur axone vers le thalamus sont toutes localisées dans la couche la plus profonde du cortex, la couche VI (ou dans la partie inférieure de la couche V), et cela, quel que soit le noyau thalamique concerné. Les somas des cellules pyramidales dont l'axone se termine dans les centres sous-corticaux non thalamiques – par exemple le colliculus (aire visuelle) ou bien la moelle épinière (aire motrice) – se

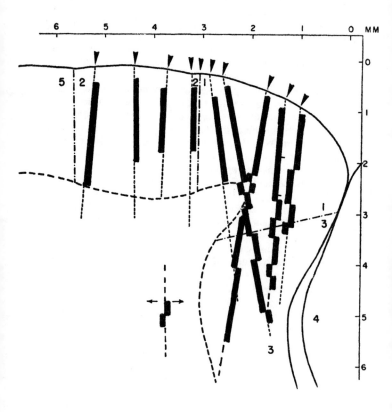

FIGURE 19

trouvent dans la couche V. Les axones qui entrent à nouveau dans le cortex viennent de cellules pyramidales présentes dans les couches les plus superficielles du cortex, les couches II et III (mais aussi, pour quelques-unes, dans la couche V). La distribution des sorties du cortex suit donc une règle générale, indépendante de la signification fonctionnelle de l'aire considérée (figure 18).

En résumé, la connectivité corticale est soumise à un nombre important de règles d'organisation communes à l'ensemble du cortex; dans leurs grandes lignes, les mêmes plans de câblage se retrouvent, quelle que soit la spécialisation fonctionnelle de l'aire. Les réseaux sont construits à partir du même nombre de catégories cellulaires et du même nombre de cellules de chaque catégorie, les entrées et les sorties s'effectuent à des niveaux semblables et les schémas des microcircuits internes se ressemblent. Dans ces conditions, la fonction d'une aire corticale paraît beaucoup plus déterminée par le point de départ des entrées et le point ultime d'arrivée des sorties que par l'organisation intrinsèque des circuits locaux. Reprenant la métaphore cerveau-ordinateur, on pense d'emblée aux circuits imprimés ou aux microprocesseurs dont le mode de branchement détermine le rôle dans la machine. Poussant l'analogie jusqu'au bout, on considérerait volontiers le cortex cérébral comme un assemblage de « modules ». Mais peut-on aller jusque-là?

*Fig. 19. – Une des premières preuves expérimentales d'une organisation « verticale » du cortex cérébral par Powell et Mountcastle (1959). Le cortex sensori-moteur (aires 1, 2, 3 et 4) est ici vu en coupe transversale. Chaque flèche indique le point d'entrée d'une microélectrode qui est enfoncée progressivement à l'intérieur du cortex. On stimule la peau ou les tissus profonds et on enregistre la réponse évoquée au niveau des cellules du cortex rencontrées par la microélectrode. Lorsque la microélectrode descend perpendiculairement à la surface du cortex toutes les cellules rencontrées répondent à la même « modalité » sensorielle : peau (drapeau noir à gauche) ou tissus profonds (drapeau noir à droite). Lorsque la pénétration de la microélectrode est oblique par rapport à la surface du cortex (à droite de la figure), il y a passage « abrupt » de cellules répondant à un type de stimulus puis à l'autre. Chaque transition correspond à la traversée d'une « colonne verticale » de neurones « purs en modalité » (modifié d'après Powell et Mountcastle, 1959).*

*Modules ou cristaux?*

Nous l'avons souvent répété, les détails précis de la connectivité corticale restent encore mal déchiffrés. Leur connaissance exhaustive requiert des méthodes d'exploration quantitative qui ne sont pas encore disponibles. On se trouve donc contraint d'élaborer des *modèles*. Ceux-ci n'offrent qu'une représentation partielle et simplifiée de l'organisation réelle. Ils ne se justifient, à nos yeux, que dans la mesure où ils aident à l'exploration de l'anatomie et à sa compréhension.

Le premier modèle simple du cortex auquel on pense est celui qui vient d'être mentionné : une organisation en « modules [15] ». Suivant ce modèle, le cortex serait formé d'unités répétées, géométriquement définies. Les premières explorations physiologiques du cortex suggéraient une organisation de ce type. Examinons-les en détail.

Le protocole expérimental utilisé par Mountcastle reprend celui des premières expériences de Caton. On enregistre l'activité électrique du cortex à la suite d'une stimulation périphérique des organes des sens. Toutefois, au lieu d'utiliser une électrode de grande taille, on emploie désormais une microélectrode (de 2 à 4 µm de diamètre) qui permet de recueillir les impulsions produites par *un seul* neurone (voir chapitre III). Lorsque la microélectrode pénètre à travers le cortex, elle collecte l'activité des cellules qu'elle rencontre de proche en proche. Mountcastle constate d'abord qu'en stimulant des récepteurs sensoriels différents, par exemple ceux présents dans la peau ou au niveau des articulations, des neurones distincts répondent. L'observation fondamentale de Mountcastle [16] sur le chat et le singe révèle que si la microélectrode pénètre verticalement – perpendiculairement donc à la surface du cortex –, tous les neurones rencontrés répondent à la *même* modalité sensorielle cutanée ou articulaire. Une pénétration oblique, par contre, fait sauter brutalement d'une modalité sensorielle à l'autre. D'où l'idée que les neurones corticaux se distribuent selon des « colonnes » verticales pures en modalité : par exemple, propres à la sensibilité cutanée ou propres à la sensibilité articulaire. En d'autres termes, ces colonnes différeraient non

---

15. V. MOUNTCASTLE, 1957, 1979.
16. V. MOUNTCASTLE, 1957, 1979.

par leur géométrie dans le cortex, mais par leurs connections avec la périphérie : elles constitueraient les « modules » du cortex.

Hubel et Wiesel [17] répètent ces expériences sur le cortex visuel, toujours chez le chat ou le singe. Les paramètres de stimulation diffèrent : ici l'on suit la réponse à l'œil droit ou à l'œil gauche, lorsque les traits lumineux sont placés dans le champ visuel de l'animal. Hubel et Wiesel confirment l'observation de Mountcastle. Les neurones disposés sur une même « colonne » verticale possèdent une même modalité sensorielle. Les dimensions des colonnes qui répondent à un même œil paraissent constantes : environ 400 µm de diamètre. Toutes ces observations s'accordent donc à un modèle du cortex composé de modules disposés côte à côte comme les boîtes de conserve sur l'étagère d'un épicier.

Les difficultés ne tardent pas à surgir. La première vient de la manière dont se distribuent les colonnes œil droit-œil gauche, non plus à travers mais dans le plan du cortex. Regardant le cortex à plat, on constate que celles-ci n'apparaissent pas du tout comme une assemblée de fûts verticaux ressemblant au Temple aux mille Colonnes de Chichen Itza. Les observations anatomiques récentes de Hubel, Wiesel et de leurs collaborateurs [16], montrent qu'il n'y a pas de colonnes dans le cortex visuel, mais un ensemble de *bandes* verticales juxtaposées comme les livres sur le rayon d'une bibliothèque (figure 20). Dans le plan du cortex, ces bandes dessinent un réseau semblable aux raies alternativement noires et blanches de la robe d'un zèbre. Les premières explorations électrophysiologiques, trop parcellaires, n'avaient permis de saisir que l'organisation verticale de ces bandes qui, sur une section transversale de cortex, apparaissent effectivement comme des colonnes, ou, pour reprendre l'image de la bibliothèque, comme le dos des livres alignés sur l'étagère. Les bandes, d'épaisseur constante (environ 400 µm), atteignent quelques dizaines de millimètres de long. Doit-on raisonnablement considérer une bande comme le module du cortex ? L'hypothèse d'une organisation en module implique, par définition, une fixité des dimensions du module, au moins pour une catégorie donnée. Or, Wiesel et Hubel [18], dans une série d'expériences dont il sera question plus loin

I
_____

17. Références dans D. HUBEL et T. WIESEL, 1977.
18. Références dans S. LE VAY et coll. 1980.

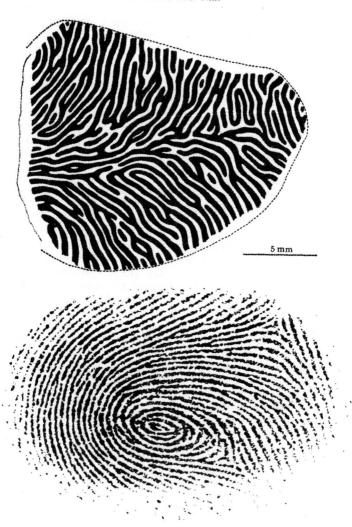

5 mm

FIGURE 20

(chapitre VII), arrivent à faire varier les dimensions du réseau de bandes œil droit-œil gauche. La manière la plus radicale consiste à enlever un œil à la naissance : les bandes correspondant à l'autre œil occupent, chez l'adulte, l'ensemble du territoire cortical, donc avec des dimensions parfaitement doubles des dimensions normales. Les bandes œil droit-œil gauche n'ont pas de dimensions fixes (figure 67).

L'analyse physiologique et anatomique fine de ces bandes montre d'ailleurs que leur épaisseur est directement fonction de la taille de l'arborisation « en boule » des axones qui entrent dans le cortex, venant du thalamus. Ceux-ci, nous l'avons dit, s'arrêtent essentiellement au niveau de la couche IV. Or, la couche IV est traversée par une forêt de pointes verticales : les dendrites apicales des cellules pyramidales situées dans les couches profondes, et surtout les dendrites « en bouquet » ou « ascendants » des cellules étoilées. Comme le proposait Lorente de Nó, les points de contact établis entre les terminaisons des axones issus du thalamus et ces diverses branches dendritiques servent de point de départ à des « chaînes verticales » de neurones. Il n'existerait donc pas de « modules » composés d'un nombre fixe de neurones corticaux, mais un « tissage » cortical en trois dimensions. L'expansion « en boule » des entrées thalamiques au niveau de la couche IV conférerait aux neurones qui y sont enchaînés la fonction de leur noyau thalamique d'origine, comme le caractère œil droit-œil gauche. Dans ces conditions, ce serait l'innervation *extrinsèque* au cortex (les entrées provenant du thalamus) qui déterminerait l'organisation en bandes régulières, et non pas une disposition *intrinsèque* des neurones corticaux.

Cela est d'autant plus vrai que, lorsqu'on explore des propriétés autres que la simple réponse à l'œil droit ou à l'œil gauche, de nouvelles bandes apparaissent. Par exemple, présentons dans le champ visuel de l'animal, chat ou singe, des bandes lumineuses avec une orientation définie. A nouveau on rencontre sur une

*Fig. 20. — Vue « à vol d'oiseau » de la surface du cortex visuel du macaque reconstruite à partir de coupes tangentielles de celui-ci. Lorsque l'on pénètre verticalement avec une microélectrode au niveau d'une bande noire, on n'enregistre que des neurones répondant à un même œil. Passant d'une bande noire à une bande blanche, les neurones répondent à un œil puis à l'autre. Les bandes verticales que l'on voit ici par la tranche forment un dessin qui ressemble à la robe d'un zèbre. En bas, l'empreinte digitale de l'index pour donner l'échelle (d'après Hubel & Wiesel, 1977).*

même verticale les neurones répondant à une même orientation. Mais les bandes d'orientation ainsi définies n'ont plus que 25 à 30 μm d'épaisseur. Il y aurait donc des « mini »-modules dans des « hyper »-modules. Enfin, le réseau des bandes d'orientation entrecoupe celui des bandes œil droit-œil gauche. Ces deux réseaux paraissent indépendants [19]. Alors laquelle des deux catégories de bandes va constituer le module de référence?

Le schéma d'organisation « en modules » paraît donc trop simple. Par quoi le remplacer? Une première manière de faire

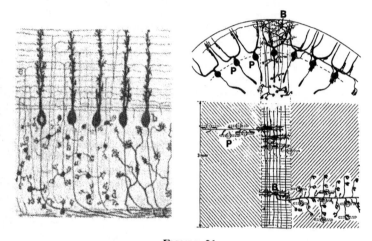

FIGURE 21

*Fig. 21. — Organisation « quasi cristalline » des cellules de Purkinje dans le cortex du cervelet. A gauche, dessin de Cajal (1909) d'une section de ce cortex suivant un plan frontal, perpendiculaire au plan de symétrie de l'animal. Les cellules de Purkinje (b) sont vues avec leur arbre dendritique de profil. A droite, en haut, dessin de Eccles et coll. (1967) suivant un plan parallèle au plan de symétrie de l'animal, les arbres dendritiques « en espalier » (très simplifiés) des cellules de Purkinje (P) sont vus de face; en dessous, vue « à vol d'oiseau » de l'organisation tangentielle du cortex du cervelet: les cellules de Purkinje (P) sont en pointillé: les neurones « en corbeille » (B) homologues de certaines cellules étoilées du cortex cérébral présentent aussi une organisation régulière. (Bax) axone d'une cellule en corbeille.*

---

19. D. Hubel et coll., 1978.

est de s'adresser à des systèmes plus simples que le cortex, possédant comme lui une organisation laminaire, mais moins de cellules et surtout moins de synapses. Ce sont, par exemple, la rétine ou le cortex du cervelet. Peuvent-ils servir d'« objets »-modèles du cortex cérébral?

Le cortex du cervelet est bien connu, à la fois sur le plan anatomique et fonctionnel [20]. Chez tous les vertébrés supérieurs, homme inclus, il se compose de cinq catégories cellulaires, répétées un très grand nombre de fois : les cellules de Purkinje (dont les axones sortent seuls du cortex) peuvent être prises comme homologues des cellules pyramidales; les cellules des grains, comme homologues des petites cellules étoilées; et trois autres catégories de cellules homologues des grandes cellules étoilées du cortex cérébral. Mais tout est beaucoup plus simple (figure 21), car les cellules de Purkinje ne forment qu'une seule

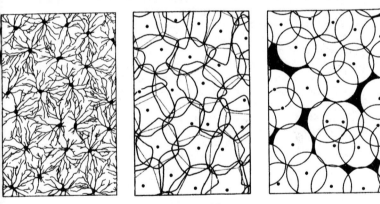

FIGURE 22

*Fig. 22. – Distribution régulière des cellules ganglionnaires (de la région α-ON) dans le plan de la rétine. Les arbres dendritiques se superposent sur leurs bords et les corps cellulaires ne sont pas distribués au hasard. Dans la figure du centre, les extrémités des arbres dendritiques ont été réunies par un trait continu. Dans la figure de droite, on a dessiné un cercle de rayon constant centré sur le corps cellulaire : la régularité paraît moins bonne que dans le cas précédent. Les cellules d'une même catégorie s'organisent de manière « quasi cristalline » (d'après Wässle et coll. 1981).*

20. J. ECCLES et coll., 1967.

couche; les cellules des grains aussi, située en-dessous de la précédente. Cette disposition permet de suivre plus aisément d'éventuelles régularités dans la topologie des neurones et de leurs synapses. De telles régularités existent, mais pas sous la forme d'hypothétiques « modules ». Elles apparaissent dans l'organisation des corps cellulaires en « trame » horizontale dans le plan du cortex. Ceux-ci se présentent comme les nœuds d'un réseau. Les dimensions de cette maille sont constantes pour une catégorie donnée de neurones, mais diffèrent lorsqu'on passe d'une catégorie de neurones à l'autre. Une organisation analogue se retrouve dans la rétine [21] (figure 22). Alors, pourquoi ne pas imaginer que le cortex cérébral soit lui aussi organisé en cristaux cellulaires? Plusieurs de ceux-ci s'empileraient les uns au-dessus des autres pour former les diverses couches du cortex. Il va de soi qu'un tel modèle s'accorde avec l'uniformité du nombre de neurones par unité de surface, reconnue par Powell et ses collaborateurs sur toute l'étendue du cortex. Il s'accorde aussi avec l'existence d'un enchaînement vertical si, comme on le sait par ailleurs, les neurones de chaque cristal ont leurs axones et dendrites orientés de manière privilégiée selon des axes verticaux. Ceux-ci mettraient en relation les neurones des divers cristaux superposés. Chaque cristal à deux dimensions constituerait la « trame » horizontale d'un « tissage » cortical à trois dimensions.

Ce modèle en cristaux cellulaires empilés est-il plus adéquat que le modèle en modules? Rend-il compte plus facilement des différences architecturales déjà mentionnées, entre un cortex « granulaire » (sensoriel) et un cortex moteur ou d'association? Ces différences, nous le savons, ne portent pas sur le nombre de neurones, et résultent donc de la distribution de détail des arborisations axonales et dendritiques, ainsi que de la densité des connections. Sont-elles en relation avec les entrées et les sorties du cortex? Diverses méthodes de traçage récentes montrent que, de fait, la densité des entrées varie de manière importante et discontinue d'une aire à l'autre. Un cortex granulaire « sensoriel » recevra, on s'y attend, un nombre important d'axones issus du thalamus. Ceux-ci s'arrêtant surtout au niveau de la couche IV, cette couche se trouvera donc particulièrement épaisse. Le nombre d'entrées issues du cortex, faible dans cette aire, l'emportera par contre dans une aire dite

---

21. H. WÄSSLE et coll., 1981.

d' « association ». Enfin, on constate aussi une variabilité en relation avec les sorties de l'aire considérée. Plus le point de terminaison d'un axone est éloigné du corps cellulaire, plus la taille de celui-ci est grande. Elle est géante dans le cas des neurones pyramidaux de la couche V du cortex moteur dont les axones s'étendent jusque dans la moelle épinière. La diversité d'architecture des aires corticales s'explique donc au moins en partie sur la base des entrées et des sorties, ainsi que par la combinatoire des connexions établies avec les divers « cristaux » cellulaires superposés dans l'épaisseur du cortex. Le modèle en cristaux superposés assure une variation de l'épaisseur des feuillets sans que toute l'organisation du cortex se trouve perturbée. Il assure une « flexibilité » beaucoup plus grande, à travers l'épaisseur du cortex, qu'une juxtaposition de modules de dimensions fixes.

Suivant ce modèle nécessairement très simplifié, la spécificité fonctionnelle de chaque aire corticale sera déterminée – comme dans le cas de l'organisation modulaire, d'ailleurs – par le branchement des entrées et des sorties. Mais un « modelage » par interactions réciproques peut désormais avoir lieu entre cristaux cellulaires et entrées-sorties. Dans ces conditions, si l'on considère la catégorie des cellules pyramidales, supposée homogène (mais le même raisonnement tient si celle-ci doit être subdivisée en sous-catégories), on s'attend que, bien que la forme générale soit la même, la connexion précise et donc la forme détaillée des arborisations dendritiques et axonales diffèrent d'une couche à l'autre d'une même aire corticale et, dans la même couche, d'une aire à l'autre. Le répertoire des macromolécules synthétisées (ou de gènes « ouverts », voir chapitre VI) qui définissent la catégorie doit donc être complété par celui des connexions qui définiront la « *singularité* » de chaque cellule prise individuellement au sein d'une même catégorie [22]. Le répertoire des singularités est donc considérable. Dans une aire cellulaire, chaque neurone différera du voisin par sa singularité. Par exemple, dans le cortex moteur, chaque cellule pyramidale pourra être étiquetée selon le muscle dont elle commande la contraction (voir chapitre IV). Contrairement à certaines idées en cours, la redondance de l'organisation fonctionnelle du cortex est très faible. Une description complète de la machine corticale passe donc par celle de plusieurs dizaines de milliards de

---

22. J.-P. CHANGEUX, 1980, 1983.

« singularités » neuronales où chaque singularité elle-même
inclut le répertoire de plusieurs dizaines de milliers de contacts
synaptiques. Théoriquement possible, ce dénombrement est-il
pratiquement réalisable? la tâche est colossale.

*De la souris à l'homme*

Aucune catégorie cellulaire, aucun type de circuit particulier
n'est propre au cortex cérébral de l'homme. Les pièces et les vis
de la machine cérébrale humaine sont puisées dans un répertoire
très semblable, sinon identique à celui de la souris. L'événement
majeur de l'évolution du cerveau des mammifères est, nous
l'avons dit et répété, l'expansion du néocortex. Celle-ci s'accompagne d'une augmentation du nombre total de neurones, et donc
du nombre et de la complexité des opérations susceptibles d'être
effectuées par le cortex. Le nombre d'éléments cellulaires par
unité de surface ne change pas; toutefois, l'épaisseur du cortex
varie, mais dans une moindre mesure que sa surface. Le cortex
de l'homme est seulement trois fois plus épais, en moyenne, que
celui de la souris. Cet accroissement d'épaisseur n'affecte pas de
manière uniforme toutes les couches : il concerne plus particulièrement les couches III et V, qui sont les sources principales
des connexions cortico-corticales. Plus la surface du cortex
s'accroît, plus le nombre de neurones susceptibles d'établir des
connexions d'« association » augmente lui aussi; la surface
occupée par les aires d'association l'emporte sur celle des aires
primaires sensorielles et motrices (voir chapitre IV). Cela se
traduit, en définitive, par une augmentation du nombre moyen
de connexions par neurone. Par voie de conséquence, il s'ensuit
un enrichissement des arborisations dendritiques et axonales qui
atteint un maximum chez l'homme. Toutefois, l'augmentation
du nombre moyen de synapses par neurone n'est pas directement proportionnelle à l'accroissement de surface du cortex, loin
de là. La densité de synapses par millimètre cube de cortex
cérébral est du même ordre chez le rat et chez l'homme.
Puisque l'épaisseur du cortex augmente au maximum trois fois,
le nombre moyen de synapses par neurone ne peut guère être
que trois fois plus grand chez l'homme que chez le rat, alors que
celui de la surface du cortex y est quatre cents fois plus élevé.
L'accroissement du nombre moyen de contacts synaptiques ne
suffit pas à expliquer tout l'accroissement de complexité du

cortex cérébral au cours de l'évolution des mammifères. D'autres paramètres interviennent, comme la diversification des aires corticales (voir chapitre IV).

Tant au niveau de l'anatomie macroscopique du cortex qu'à celui de son architecture microscopique, aucune réorganisation « qualitative » brutale ne fait passer du cerveau « animal » au cerveau « humain ». Il y a au contraire évolution *quantitative* et continue du nombre total de neurones, de la diversité des aires, du nombre de possibilités connectionnelles entre neurones, et donc de la complexité des réseaux de neurones qui composent la machine cérébrale.

# Les « esprits animaux »

> « On doit se rappeler que toutes nos connais-
> sances psychologiques provisoires doivent être
> un jour établies sur le sol des substrats organi-
> ques. Il semble alors vraisemblable qu'il y ait
> des substances et des processus chimiques par-
> ticuliers qui produisent les effets de la sexualité
> et permettent la perpétuation de la vie indivi-
> duelle dans celle de l'espèce. »
>
> S. FREUD, *Gesammelte Werke, X,* 143.

Connaître le plan de câblage de la machine cérébrale ne suffit pas pour savoir comment elle fonctionne. Son démontage conduit à une description statique. Révéler la fonction requiert une connaissance d'un autre ordre, de nature dynamique. Comment ces pièces s'articulent-elles les unes avec les autres? Quelles sont les conditions d'ouverture et de fermeture des valves ou commutateurs qui la composent?

Toute communication met en œuvre un émetteur et un récepteur réunis par un canal dans lequel circulent des « si-gnaux ». Dès le début de ce siècle, le grand anatomiste Ramon y Cajal [1] trace sur ses dessins de neurones des flèches qui, selon lui, indiquent le sens le plus plausible de la « marche des courants ». Ses schémas deviennent, de ce fait, des circuits. Comprendre le fonctionnement du système revient à un pro-blème de *communication entre cellules nerveuses.* Les câbles de ce « téléphone intérieur » sont les fibres nerveuses, axones et dendrites qui relient point d'émission et point de réception à des

---

1. S. RAMON Y CAJAL, 1909.

distances parfois très élevées par rapport aux dimensions du corps de la cellule nerveuse. Dans les câbles de la machine nerveuse vont donc se déplacer des signaux. En théorie, un signal se définit par la variation dans le temps d'un paramètre physique. Cette variation est produite par un émetteur, elle se propage le long d'un canal et, finalement, est reconnue par un récepteur qui la distingue des fluctuations du bruit de fond.

Depuis l'Antiquité, à la suite de Galien, on s'interroge sur la nature du (ou des) paramètres physiques employés par les nerfs. Les hypothèses évoquées au fil des siècles évoluent avec le développement des connaissances physiques et techniques, en particulier des moyens de transmission que l'homme développe avec les machines qu'il construit : pneumatique ou hydraulique aux XVIIe et XVIIIe siècles, électrique au XIXe siècle, électrochimique et chimique aujourd'hui. Examinons quels sont les moyens réels exploités par la machine cérébrale, par les organes des sens et par les centres moteurs, pour propager, transmettre et engendrer ces signaux de communication dont l'ensemble constitue l' « *activité* » nerveuse.

## L'électricité cérébrale

En 1929, Hans Berger publie un article intitulé *Über das Electroenkephalogram des Menschen,* qui fait grand bruit. Sur le plan des connaissances de base, il ne s'agit pourtant pas d'une découverte. Dès 1875, Caton écrivait : « Chaque cerveau de singe que j'ai examiné m'a révélé la présence de courants électriques attestés par les oscillations du galvanomètre », et, plus loin : « Les courants électriques de la substance grise paraissent être en relation avec les fonctions de celle-ci. » Mais Berger met au point un système d'enregistrement adapté à l'homme. Dès lors, il n'est plus nécessaire d'ouvrir la boîte crânienne; il suffit d'appliquer des électrodes à la surface de la peau du crâne et de recueillir des variations de potentiel électrique.

L'électricité cérébrale que Berger enregistre à la surface du crâne ne se compare pas aux 300 volts et 0,5 ampère de la décharge du Gymnote. Pour la mesurer, il faut s'équiper d'un amplificateur à gain très élevé. On voit alors apparaître sur l'écran des variations de potentiel électrique (figure 23). Elles sont très faibles : quelques dizaines de microvolts (ou millioniè-

mes de volt). De plus, elles oscillent avec une basse fréquence.
Chez le sujet adulte au repos, les yeux fermés, les ondes
enregistrées présentent une allure très régulière, avec une
fréquence moyenne de 10 cycles par seconde. Ce sont les ondes
*alpha* (α) ou *ondes de repos.*

Lorsque le sujet ouvre les yeux, le tracé change instantanément, l'amplitude chute brutalement, de moitié au moins, et
l'apparence régulière disparaît. La fréquence moyenne des
fluctuations de potentiel enregistrées, ou ondes *bêta* (β), est un
peu plus du double de celle des ondes α. Elles présentent d'autre
part une structure très variée qui contraste avec l'aspect

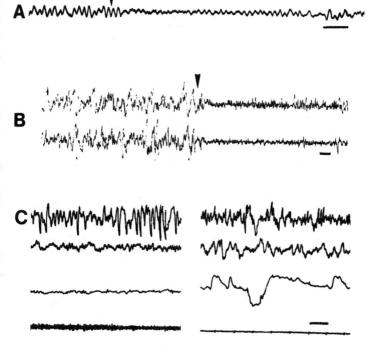

FIGURE 23

répétitif et redondant des ondes α. Pour cette raison, les ondes β sont aussi appelées *ondes d'activité*.

La transmission du tracé α au tracé β, lors de l'ouverture des yeux, résulte-t-elle simplement de l'effet de la lumière sur l'œil, de son impression sur la rétine? Poursuivons l'enregistrement. Le sujet maintient toujours les yeux fermés. Maintenant, on lui demande d'écouter le tic-tac d'une montre. A nouveau le rythme α disparaît au profit des ondes β. Si, maintenu dans l'obscurité, le sujet ouvre à présent les yeux et cherche à voir, les ondes α cèdent à nouveau la place aux ondes β. Le démasquage des ondes d'activité n'est donc pas propre à une stimulation sensorielle particulière, visuelle, auditive ou tactile; il fait appel à un processus plus général, à la fixation de *l'attention* par le sujet [2] (voir chapitre v).

Même lorsque les yeux sont ouverts, les ondes de repos finissent par réapparaître, l'attention s'amenuise. Si, à ce moment, on demande au sujet de calculer mentalement le total de tous les impôts qu'il aura à payer cette année, une dépression du rythme α se produit transitoirement pendant l'exécution des

2. E. ADRIAN, 1946.

*Fig. 23. – Quelques tracés d'électroencéphalographie. En appliquant des électrodes à la surface de la peau du crâne, Hans Berger enregistre dès 1929 des variations très faibles de courant électrique qui témoignent d'une activité cérébrale globale.*
*A) Un des premiers tracés originaux de Berger; le sujet éveillé au repos présente une activité rythmique très régulière d'environ 10 cycles par seconde (ondes α); on lui touche le dos de la main droite avec une tige de verre (flèche), le tracé devient irrégulier, l'amplitude plus faible, le rythme plus rapide; le sujet fixe son attention (ondes β); progressivement, l'attention s'amenuise, les ondes α réapparaissent (longueur de la barre 0,5 seconde) (d'après Berger, 1969).*
*B) L'éveil: Au départ, des ondes de grande amplitude et lentes (longueur de la barre 1 seconde) (ondes δ) caractérisent l'état de sommeil dit « lent », puis une stimulation tactile (flèche) entraîne brusquement le réveil et l'apparition du rythme α (d'après Sharpless & Jasper, 1956).*
*C) Sommeil lent (à gauche) et sommeil paradoxal (à droite). Le tracé supérieur obtenu avec une électrode implantée dans la région du cortex visuel montre la transition des ondes lentes (δ) de grande amplitude à un rythme « paradoxal » plus rapide et en rafale qui se manifeste clairement sur le second tracé puis dans la région occipitale externe. Lors du sommeil paradoxal, les yeux bougent (troisième tracé à partir du haut) et le tonus musculaire (tracé inférieur) s'affaisse (longueur de la barre 1 seconde) (d'après Salzarulo, 1975).*

calculs. Sans ambiguïté, des tracés distincts de l'encéphalo-
gramme coïncident avec des états distincts de l'activité « mentale ». Cela est encore plus net quand le sujet s'endort. Le
passage de l'état de veille à l'état de sommeil s'accompagne
d'une transformation progressive des ondes α en ondes δ
beaucoup plus lentes, de 3 à 5 cycles par seconde, et qui
atteignent une amplitude de plusieurs centaines de microvolts.
De temps à autre, ces ondes lentes laissent place à des épisodes
d'activité électrique intense, des rafales brèves et de fréquence
élevée. Ces phases de sommeil « paradoxal » seraient en relation
avec le rêve[3] (voir chapitre v).

D'une manière plus générale, ces observations établissent une
*corrélation* entre activité cérébrale et phénomènes électriques.
Permettent-elles de conclure que celle-là *s'identifie* à ceux-ci ?
Plusieurs objections se présentent. Les ondes α ou β s'enregis-
trent sinon à la surface de tout le crâne, du moins au niveau de
*régions* importantes de celui-ci. Il s'agit donc de manifestations
trop globales pour rendre compte des détails d'une activité
cérébrale *a priori* très diversifiée. De plus, les ondes α comme
les ondes lentes de sommeil ont une allure répétitive qui les fait
ressembler à des ondes de « brouillage ». On ne peut espérer
qu'elles véhiculent une information d'une quelconque originali-
té. A l'opposé, les ondes β ne présentent aucune régularité
apparente. Enfin, tous ces phénomènes sont lents par rapport à
la vitesse de certains processus cérébraux. Les manifestations
électriques enregistrées par électroencéphalographie ne seraient-
elles donc que des « épiphénomènes » d'un ensemble de processus beaucoup plus complexes ?

Répondre à une question aussi cruciale requiert une analyse
plus détaillée. Un pas significatif est franchi lorsqu'on soumet le
sujet attentif à une stimulation expérimentale contrôlable. Par
exemple, on applique un choc électrique léger au bout de ses
doigts et on enregistre la réaction au niveau d'une aire particulière du cortex (dans l'exemple choisi, l'aire somatosensorielle).
Avec un seul choc, aucune déflection significative du potentiel
ne s'enregistre. Celle-ci, ou *potentiel évoqué*, n'apparaît qu'après
élimination des fluctuations aléatoires en additionnant plusieurs
dizaines ou centaines de tracés à l'aide d'un ordinateur. Les
premiers signes caractéristiques de la réponse se manifestent 20
à 40 millièmes de seconde après la stimulation, donc très

3. M. Jouvet, 1979.

rapidement, et se poursuivent jusqu'à près d'une demi-seconde [4].
Ces enregistrements qui réactualisent, chez l'homme, l'expérience originale de Caton, indiquent que la microstructure des ondes β enregistrées chez le sujet alerte contient, enveloppe, des activités électriques plus élémentaires, à la fois rapides et localisées, ici évoquées par stimulation sensorielle périphérique.

Progresser dans l'analyse de l'électricité cérébrale ne peut dès lors se faire sans employer des techniques d'enregistrement plus résolutives que des électrodes disposées sur la peau du crâne. Le passage à l'animal devient nécessaire pour placer l'électrode sur le cortex lui-même, ou pour la faire pénétrer dans celui-ci. Avec une électrode de l'ordre du millimètre plantée dans le cortex s'enregistre une réponse évoquée en une seule fois, très semblable à celle obtenue par électroencéphalographie après cumulation.

On accède à un autre niveau d'analyse dès que l'on se sert d'une électrode très fine, ou microélectrode, dont la pointe atteint des dimensions (0,5-5 µm) *inférieures* à celles de la cellule nerveuse [5]. Le paysage électrique change alors brutalement. On n'enregistre plus seulement des effets de champ de très faible amplitude, à l'échelle du centimètre ou même du millimètre, mais un « crépitement » d'impulsions très brèves, de l'ordre de la milliseconde, qui paraissent provenir de sources distinctes et dont l'intensité s'accroît puis s'évanouit lorsque l'on déplace la microélectrode de quelques dizaines de micromètres. Ces sources « discrètes » se retrouvent dans toute l'épaisseur du cortex et produisent spontanément des impulsions à une fréquence moyenne qui varie d'une source à l'autre, par exemple de moins d'une par seconde à plusieurs dizaines par seconde (figure 24).

On répète maintenant l'expérience de stimulation électrique du doigt, la microélectrode étant piquée dans le cortex somato-sensoriel. Au lieu d'une onde continue, on enregistre des rafales d'impulsions qui peuvent atteindre des fréquences de 100 par seconde (figure 24). Ces sources corticales répondent à une stimulation périphérique suivant des caractéristiques variées qui révèlent une importante diversité, jusque-là insoupçonnée. Il ne fait plus de doute aujourd'hui que chaque source génératrice

---

4. J. DESMEDT, 1977.
5. J. ECCLES, 1964.

d'impulsions électriques provient d'une seule cellule nerveuse. L'emploi des microélectrodes permet de « *décomposer* » une activité électrique corticale continue en entités *discontinues*, tant au niveau des générateurs – les neurones – que des impulsions qu'ils produisent, donc à la fois dans l'espace et dans le temps.

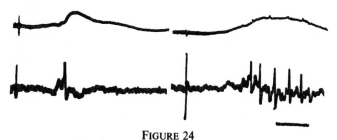

FIGURE 24

*Fig. 24. – Réponse électrique évoquée chez le rat par stimulation de la peau de la patte. Deux niveaux d'analyse : le tracé supérieur correspond à un enregistrement « global » de la réponse obtenue avec une électrode implantée en profondeur dans le cortex somatosensoriel (aires 1, 2, 3). Le tracé du bas révèle la microstructure sous-jacente enregistrée au niveau d'une seule cellule : une (à gauche) ou plusieurs (à droite). Des « impulsions » discrètes et brèves apparaissent et coïncident avec l'onde évoquée (longueur de la barre 4 millisecondes) (modifié d'après Bindmann et Lippold, 1981).*

Reconstituer des tracés électroencéphalographiques à partir d'enregistrements unitaires constitue la démarche complémentaire de leur décomposition en activités plus élémentaires. La tâche est difficile pour des raisons pratiques. Dans 1 mm³ de cortex, on compte chez l'homme de l'ordre de la dizaine de milliers de neurones susceptibles de produire des impulsions. Il faudrait les enregistrer toutes à la fois dans un volume de cortex de plusieurs mm³. Pour l'instant, cette technique n'existe pas (il est probable qu'elle sera développée dans un avenir proche : voir chapitre V) et les entreprises de reconstitution de l'activité électrique régionale se trouvent réduites à des modèles mathématiques trop simples s'appuyant sur des données trop fragmentaires. Les données actuelles suffisent néanmoins pour apporter une interprétation même partielle des réponses évoquées, et même du rythme α. Ce dernier résulterait du fonctionnement auto-rythmique de boucles fermées établies entre neurones du cortex et neurones du thalamus (voir chapitre II). Enfin, en accord avec les données électroencéphalographiques, l'enregistrement unitaire de neurones du cortex révèle un changement radical de la distribution temporelle et de la fréquence spontanée des impulsions lors du passage de la veille au sommeil lent (voir chapitre V).

On se trouve donc en droit d'affirmer que les diverses manifestations électriques globales enregistrées au niveau du cortex cérébral s'expliquent sur la base de – et se trouvent donc réductibles à – l'activité électrique des cellules nerveuses (et gliales) qui la composent, y compris évidemment la propagation de ces impulsions le long des axones, leur transmission au niveau des synapses et leur genèse au niveau des corps cellulaires. Le passage de la mesure globale à l'enregistrement d'unités cellulaires représente une révolution dans l'interprétation des données de l'électrophysiologie cérébrale.

### Le signal nerveux

Lorsque Glisson découvre la « sensibilité » des nerfs, il pense avoir mis le doigt sur une propriété « vitale ». Avec Galvani pour le système nerveux périphérique, puis Fritsch et Hitzig pour le cortex cérébral, la sensibilité devient l'aptitude « physique » à répondre à une décharge électrique. Matteucci, puis Du Bois Reymond (1848-1884) démontrent que cette réponse est elle-même une décharge électrique. Nerfs et cellules nerveuses possèdent donc la double propriété de réagir à l'électricité et de produire de l'électricité, donc de servir comme émetteurs et comme récepteurs dans une communication électrique.

Si le signal nerveux est bien enregistré comme un phénomène électrique, il ne se propage pas comme le courant dans un fil de cuivre. Il se présente comme une « onde de négativité », pour reprendre l'expression de Du Bois Reymond, qui naît au niveau du corps du neurone et se déplace le long de l'axone avec une amplitude constante et une vitesse toujours inférieure à celle du son (figure 25). La durée de cette « impulsion » ou « influx nerveux » ne dépasse pas une ou quelques millisecondes. Sa vitesse se situe entre 0,1 mètre par seconde chez certaines méduses, animaux très primitifs, et plus de 100 mètres par seconde au niveau de certains axones de mammifères. Cette vitesse croît avec le diamètre des fibres nerveuses et suffit pour rendre compte des délais (entre 10 et 100 millisecondes) notés entre la stimulation des organes des sens et la réponse enregistrée au niveau du cortex.

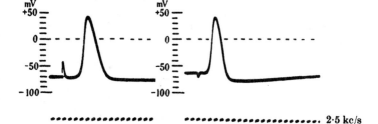

FIGURE 25

*Figure 25. – Le signal nerveux. L'onde électrique propagée est enregistrée à l'aide d'une microélectrode plantée à l'intérieur de l'axone géant du calmar. Des enregistrements très semblables sont obtenus avec l'axone en place sur l'animal (à gauche) ou après dissection et isolement de l'axone (à droite). On peut même expulser le cytoplasme de l'axone (en conservant sa membrane), remplir le tube ainsi obtenu avec des solutions salines, et, néanmoins, enregistrer un signal nerveux très semblable (échelle de temps : 2 500 points par seconde) (d'après Hodgkin, 1964).*

La durée de l'impulsion nerveuse ne varie pas. Une période réfractaire intervient pour maintenir sa durée ainsi que pour espacer deux influx successifs d'un « blanc » d'une à quelques millisecondes. Enfin, l'amplitude des impulsions – de l'ordre du dixième de volt – ne varie pas non plus. Quel que soit l'endroit où on l'enregistre ou la manière dont il est produit, l'influx nerveux a la même forme. La communication dans le système nerveux s'effectue par un système très uniforme, voire universel, d'impulsions électriques. A cet égard, les signaux propagés se réduisent aux points et aux silences d'un langage Morse très simplifié.

La machine nerveuse emploie donc, pour fonctionner, un système d'impulsions électriques qui se propagent sur des distances qui peuvent atteindre le mètre, sans perdre d'amplitude. Mais les câbles nerveux ne sont pas des fils de cuivre. Quelle est donc l'origine de cette « électricité nerveuse » et d'où vient l'énergie qui l' « assiste » dans sa propagation ? La membrane cellulaire joue un rôle fondamental dans cette production d'électricité.

Comme toute cellule vivante, le neurone est enveloppé par une membrane. Composée de lipides et de protéines, celle-ci se présente comme un film très mince, de 5 à 10 milliardièmes de mètre (ou nanomètres) d'épaisseur (soit de l'ordre du millième du diamètre cellulaire). Toutefois, ce film est suffisamment cohérent pour délimiter sans faille le volume de la cellule; il donne à celle-ci son *unité*.

Revenons maintenant aux enregistrements effectués sur le cortex avec une microélectrode. Au lieu de se contenter d'approcher une cellule nerveuse, pénétrons *à l'intérieur* du neurone en perforant sa membrane. Le potentiel électrique saute brutalement à une valeur stable, dite potentiel de repos. Même résultat si nous effectuons l'expérience sur une fibre nerveuse d'accès facile, l'axone géant du Calmar dont le diamètre avoisine le millimètre. Une différence de potentiel électrique existe donc de part et d'autre de la membrane cellulaire, que ce soit au niveau du neurone ou à celui de l'axone. Sa valeur varie peu d'un point à l'autre de la cellule; elle se situe en général au niveau de 50 à 90 millivolts. Une « pile électrique » se développe ainsi au niveau de la membrane du neurone. Comment?

L'intérieur du neurone contient, par unité de volume, au moins dix fois moins de sodium que le milieu extérieur, mais plus de dix fois plus de potassium que celui-ci. De l'énergie se trouve donc accumulée de part et d'autre du « barrage » membranaire, sous forme de concentrations chimiques. C'est cette énergie chimique qui va être convertie en énergie électrique.

Le passage du chimique à l'électrique fait d'abord intervenir une propriété simple des atomes de sodium ou de potassium : celle de perdre une charge électrique négative – un électron – lorsque ceux-ci sont mis en solution aqueuse. De ce fait, les atomes de sodium et de potassium acquièrent une charge positive : ils deviennent *ions positifs* et leur déplacement peut désormais créer un courant électrique. D'un côté de la membrane, un excès d'ions sodium; de l'autre, un excès d'ions potassium. Si la membrane les laisse passer l'un et l'autre, les courants électriques créés par leur déplacement, de sens opposé, vont s'annuler. La membrane intervient alors pour effectuer un « filtrage sélectif ». Au repos, elle ne laisse passer que les ions potassium, et non les ions sodium. Une force électromotrice va se développer, avec une valeur et un signe (négatif à l'intérieur) directement en relation avec le rapport des concentrations de potassium de part et d'autre de la membrane. La conversion d'une différence de concentration chimique en potentiel électrique s'explique donc sur des bases physico-chimiques fort simples.

Mais n'est-ce pas là reculer pour mieux sauter? Si ces phénomènes électriques trouvent leur origine dans des différences de concentrations chimiques, comment celles-ci s'établissent-elles et surtout se maintiennent-elles de part et d'autre de la membrane cellulaire? Une molécule spécialisée intervient, qui a été isolée et purifiée sous forme homogène. Il s'agit d'une protéine, d'une *enzyme-pompe* qui traverse la membrane, capture les ions d'un côté de la membrane et les transporte de l'autre. Comme ce transport s'effectue à contre-courant, dans l'état de régime normal, il coûte de l'énergie. Cette énergie est apportée sous forme chimique par une substance bien connue des biochimistes, l'ATP, produit par la respiration cellulaire. L'enzyme-pompe (ou ATPase) coupe la molécule d'ATP et utilise l'énergie libérée par cette coupure pour transporter les ions sodium et potassium à travers la membrane. Aucun mystère n'enveloppe donc l'énergie utilisée par le neurone pour produire de l'électricité. Son origine est en définitive fort banale. Elle remonte à l'ATP, monnaie d'échange de pratiquement toutes les dépenses énergétiques de la cellule. L'ATP fournit l'énergie requise pour construire une différence de concentrations ioniques de part et d'autre de la membrane et la membrane la convertit *spontanément* en potentiel électrique.

Au repos, la membrane se trouve donc « sous tension ». Enzyme-pompe et respiration cellulaire maintiennent en permanence un potentiel « électro-chimique » de part et d'autre de celle-ci et ce potentiel va désormais pouvoir être utilisé *ad libitum* pour engendrer les impulsions nerveuses. Une propriété de la membrane n'a cependant pas encore été employée. A l'état de repos, elle ne laisse pas passer les ions sodium. Une différence de concentration existe pourtant : l'intérieur de la cellule est très pauvre en ions sodium. Dès le début du siècle, Bernstein, l'auteur de la théorie du potentiel de repos, suggère que la décharge de l'influx nerveux résulte de l'effondrement transitoire de cette barrière membranaire. Overton (1902) reprend l'idée et apporte des faits qui indiquent effectivement une contribution des ions sodium du milieu extérieur à la genèse de l'influx nerveux. Finalement, Hodgkin et Huxley (1952) démontent complètement la mécanique ionique de l'influx nerveux et s'aident, pour ce faire, d'une préparation exceptionnelle, déjà mentionnée : l'axone géant du Calmar. Ses dimensions sont telles qu'on peut le vider de son contenu cellulaire, conserver sa membrane sous forme de tube et la remplir, à son gré, de solutions salines de compositions variées.

Le résultat de leur remarquable série d'expériences est clair. Le déclenchement de l'influx nerveux résulte au premier chef d'une perméabilisation de la membrane aux ions sodium. Le potentiel électrique commande cette ouverture de la membrane : lorsqu'il franchit une valeur-seuil, il démasque des canaux au travers desquels les ions sodium s'engouffrent de « manière explosive » à l'intérieur de la cellule, évidemment sans faire appel à d'autre source d'énergie que le « vide » créé par l'enzyme-pompe. Ce passage des ions sodium entraîne un courant électrique, et donc un changement de potentiel. En moins d'un dixième de milliseconde, le signal nerveux se déclenche. Le potentiel électrique change de signe, atteint + 20 millivolts – valeur qu'impose le rapport des concentrations de sodium de part et d'autre de la membrane. L'amplitude de la réponse est d'emblée maximale : environ 100 millivolts. Puis les canaux sélectifs pour les ions sodium se ferment (des canaux sélectifs pour les ions potassium s'ouvrent aussi transitoirement). Le potentiel de membrane retourne à sa valeur de repos, l'impulsion s'achève. Elle aura duré 1 milliseconde. Elle a la forme d'une onde solitaire qui se propage de manière auto-entretenue.

La remarquable analyse expérimentale de Hodgkin et Huxley se conclut par une théorie qui rend compte, intégralement et de manière quantitative, des caractéristiques électriques de l'influx nerveux et de sa propagation sur la base d'un très petit nombre de molécules-canaux. Deux suffisent : le principal est évidemment le canal sodium, dont l'ouverture est réglée par le potentiel électrique; l'autre intervient dans le transport des ions potassium.

Le succès considérable des résultats et interprétations théoriques de Hodgkin et Huxley tient non seulement à leur rigueur et à leur logique, mais aussi à leur universalité. Que ce soit au niveau de l'axone géant du Calmar, du nerf sciatique de rat ou du neurone du cortex cérébral, la propagation de l'influx nerveux s'explique par des mécaniques élémentaires très sem-

blables, sinon identiques. Enfin, des données expérimentales de
plus en plus nombreuses, couronnées par l'isolement du canal
sodium sous la forme d'une espèce chimique définie, montrent le
bien-fondé de la théorie.

La « sensibilité » immatérielle de Glisson s'explique désormais
de manière très matérielle par l'effet de facteurs physiques, en
particulier les champs électriques, sur l'ouverture de molécules-
canaux ; la production d'électricité, mise en évidence par Matteucci, s'explique par le transport des ions sodium et potassium
à travers les canaux. Quant à l'énergie employée, elle provient
très naturellement de la respiration cellulaire.

*Les oscillateurs*

La communication dans le réseau nerveux s'effectue donc
sous la forme d'ondes solitaires qui circulent le long des nerfs
d'un point à l'autre du réseau. Mais d'où viennent ces signaux ?
L'électroencéphalogramme montre clairement qu'en l'absence
de stimulation sensorielle évidente, même pendant le sommeil,
le cortex cérébral produit une activité électrique intense. Une
microélectrode plantée dans une cellule nerveuse quelconque du
cortex indique bien qu'il s'agit d'une genèse spontanée d'impulsions électriques. Le phénomène est général. Même des neurones mis en culture, par exemple à partir d'une tumeur comme le
neuroblastome, produisent spontanément des potentiels d'action.
L'analyse de ces générateurs d'impulsions a été facilitée par la
remarquable régularité de la distribution de ces impulsions dans
le temps. Ils fonctionnent comme des oscillateurs. C'est le cas,
par exemple, du neurone « à rafales » $R_{15}$ d'Aplysie.

L'Aplysie possède (voir aussi chapitre II et VIII) un système
nerveux dispersé qui se prête à l'expérimentation (figure 26).
Pas de cerveau ni de moelle épinière, mais environ 100 000 neurones rassemblés en ganglions compacts répartis en diverses
régions du corps. Chaque ganglion n'est lui-même composé que
d'un petit nombre de neurones (environ 2 000 pour le ganglion
abdominal) dont la disposition et la fonction se répètent de
manière identique d'un individu à l'autre [6]. On peut donc les
étiqueter un à un, et d'autant plus aisément que plusieurs

---

6. E. KANDEL, 1976.

d'entre eux sont géants. Leur corps cellulaire presque visible à l'œil nu atteint ou dépasse le dixième de millimètre de diamètre. Celui du neurone $R_{15}$ se repère dans la partie postérieure du ganglion abdominal. Approchons-le avec une microélectrode de

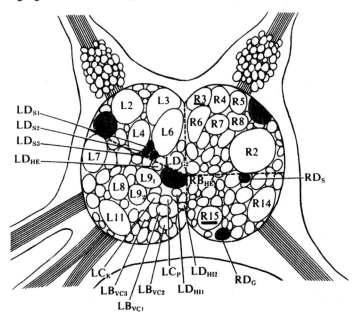

FIGURE 26

*Fig. 26. – Ganglion abdominal de la limace de mer ou Aplysie* (Aplysia californica). *Celui-ci se compose d'environ 2 000 neurones, dont plus de 50 ont un corps cellulaire géant, facilement identifiable (d'après Kandel, 1976).*

verre, puis pénétrons sa membrane. La plume de l'enregistreur inscrit un étonnant monologue (figure 27 B). Des rafales de 10 à 20 impulsions partent toutes les 5-10 secondes avec la régularité d'un balancier d'horloge. On isole le ganglion, les oscillations persistent. On isole maintenant le neurone $R_{15}$ lui-même : le résultat est le même. L'activité oscillatoire du neurone ne résulte pas des connexions qu'il établit dans le système nerveux d'Aplysie. Il s'agit d'une activité spontanée « intrinsèque » à la cellule nerveuse.

Qu'un neurone tienne seul un tel langage, voilà qui ne va pas sans s'entourer d'un certain mystère. Quel est cet « esprit frappeur » qui dicte ses ordres avec une telle régularité?

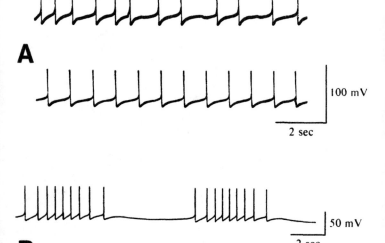

**FIGURE 27**

*Fig. 27. – Activité spontanée de neurones identifiés d'Aplysie. A) activité oscillante régulière du type de celle enregistrée au niveau du neurone $R_3$; B) rafales régulières d'impulsions du type de celles enregistrées au niveau du neurone $R_{15}$. Dans l'un et l'autre cas, la ligne supérieure correspond à l'enregistrement du neurone en place dans l'animal, la ligne inférieure après isolement du ganglion nerveux. L'activité spontanée persiste après isolement (d'après Alving 1968).*

D'abord, ce comportement oscillatoire est-il compatible avec les lois de la thermodynamique ? Prigogine [7] et ses collaborateurs se sont penchés sur cette question dans le cadre plus général d'une théorie des oscillations des systèmes chimiques. Première conclusion : des oscillations ne peuvent pas apparaître dans un système thermodynamique s'il est fermé, mais seulement s'il est *ouvert* et échange en permanence de l'énergie avec le monde extérieur. Deuxième conclusion : les oscillations ne se développent jamais près de l'équilibre ; pour cela, il faut que le système soit *hors d'équilibre* mais dans un état stable, qu'il constitue en somme une « structure dissipative ». La cellule, et plus particulièrement le neurone, satisfait à ces deux conditions. Elle échange de l'énergie en permanence avec le monde extérieur, *via* la consommation d'aliments énergétiques comme le glucose et la respiration cellulaire qui produit l'ATP. Elle se place de manière stable hors d'équilibre en maintenant en permanence une distribution inégale d'ions de part et d'autre de la membrane cytoplasmique, par le travail constant d'une pompe utilisatrice d'ATP.

La troisième et dernière conclusion du travail de Prigogine se rapporte aux caractéristiques des réactions chimiques engagées par le système considéré, ainsi que des flux de matière et d'énergie que ce système échange avec le monde extérieur. Des relations *non linéaires* doivent exister entre forces et flux. Concrètement, cela se présente lorsque des réactions se développent dans le temps de manière « explosive » et lorsque des couplages entre réactions s'établissent, par exemple à la suite d'une rétroaction (le « feedback » des cybernéticiens) entre le produit final d'une chaîne de réactions et la réaction d'entrée. Le déclenchement explosif de l'influx nerveux satisfait évidemment à cette condition de non-linéarité.

Donc, le comportement oscillant d'un neurone cadre avec les lois de la thermodynamique. On s'y attendait. Encore fallait-il le montrer. Demandons-nous maintenant concrètement comment ces oscillations se développent.

Celles-ci se composent de rafales d'impulsions nerveuses fort banales, qui relèvent du mécanisme proposé par Hodgkin et Huxley pour l'influx propagé par l'axone géant de Calmar. Le fait original, c'est la répétition régulière de ces impulsions sous la forme de rafales, ainsi que la succession régulière de ces

7. I. Prigogine, 1961 ; I. Prigogine et R. Balescu, 1956.

rafales. En fait, chaque rafale se greffe sur un système générateur d'oscillations, un « oscillateur de base » ou « pacemaker », qui fait fluctuer lentement le potentiel électrique de la membrane du neurone [8]. Celui-ci oscille entre deux valeurs extrêmes qui se situent de part et d'autre du seuil d'apparition de l'influx nerveux. Lorsque le potentiel franchit le seuil d'ignition, une impulsion part, puis une autre... tant que le potentiel reste au-delà de ce seuil. Dès qu'il revient en deçà, les impulsions cessent, la rafale s'arrête.

L'oscillateur de base qui fait fluctuer le potentiel électrique dans l'espace de temps de la dizaine de secondes se compose de deux molécules-canaux. Leur ouverture est *lente* (secondes) comparée à celle des canaux engagés dans la propagation de l'influx nerveux (millisecondes). De plus, leur perméabilité sélective aux ions est différente. L'un laisse passer le potassium, l'autre le calcium. Potentiel électrique et calcium (qui, comme le sodium, est exclu de l'intérieur de la cellule par une enzyme-pompe) vont assurer le couplage de « feedback » requis par la thermodynamique, car l'ouverture du canal calcium est sensible au potentiel créé par le canal potassium, et l'ouverture du canal potassium est elle-même réglée par la concentration de calcium qui entre par le canal qui lui est propre (figure 28).

Point de départ de l'oscillation : le potentiel électrique diminue, en conséquence de quoi le canal calcium, lent, sensible au potentiel, s'ouvre. Le calcium entre dans la cellule. Avant d'être rejeté par la pompe, il provoque l'ouverture de l'autre canal lent, sélectif pour le potassium. A ce moment, le potassium sort de la cellule; en sortant, il entraîne une augmentation de potentiel. On se retrouve au point de départ... Le potentiel de membrane oscille lentement. Si l'oscillation a une amplitude suffisante pour que le potentiel de membrane franchisse le seuil de déclenchement de l'influx nerveux, une rafale part à la crête de chaque oscillation lente. La longueur de la rafale dépend de l'amplitude et de la durée de l'oscillation. Si cette amplitude n'atteint le seuil que pour un temps très bref, la rafale se réduit à une ou quelques impulsions (figure 27 A). Celle-ci peut même ne pas apparaître à chaque oscillation, seulement à l'occasion d'une fluctuation particulièrement grande de celle-ci. On passe d'une horloge à rafales à un générateur stochastique d'impul-

8. F. STRUMWASSER, 1965; R. MEECH, 1979; M. BERRIDGE et P. RAFF, 1979.

sions. Les oscillateurs neuronaux sont donc réglables tant par le potentiel de membrane que par la concentration interne de calcium.

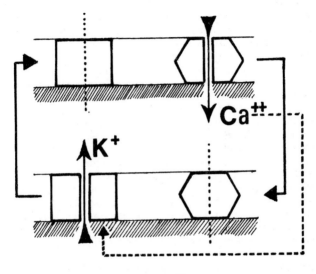

FIGURE 28

*Fig. 28. – Schéma très simplifié du fonctionnement d'un oscillateur de base. Il se compose de deux canaux ioniques lents, l'un sélectif pour le potassium (K⁺) (à gauche), l'autre pour le calcium (Ca⁺⁺) (à droite). L'entrée « régénérative » de calcium entraîne une diminution de potentiel électrique, une fois entré dans le cytoplasme, le calcium ouvre le canal potassium (flèche en pointillé), le potassium sort de la cellule, et, de ce fait, entraîne un accroissement de potentiel électrique. Puis le calcium interne est éliminé par une enzyme-pompe, le potassium récupéré et le cycle recommence. Une oscillation régulière du potentiel électrique de la membrane cellulaire en résulte.*

Quatre molécules-canaux, trois ions, deux pompes ainsi que de l'ATP suffisent donc pour créer une horloge biologique réglable qui fonctionne, sans relâche et de manière spontanée. Des oscillateurs construits sur le même principe se retrouvent dans la plupart des types de cellules nerveuses et même non nerveuses, partout où ils ont été recherchés, de l'Aplysie aux mammifères. Il s'agit d'un dispositif très communément répandu qui, à lui seul, rend compte d'une grande partie de l'activité spontanée enregistrée à divers niveaux du système nerveux.

A quoi bon cette activité spontanée? D'un côté, les psychologues répugnent à considérer le travail mental comme une activité spontanée, de l'autre, les physiologistes, dans la foulée de Sherrington et des cybernéticiens, s'intéressent aux réponses dont la relation avec une stimulation périphérique ne fait pas de doute. En fait, au niveau élémentaire, les impulsions propagées sont identiques, qu'elles soient d'origine spontanée ou « évoquées ». De plus, la distinction entre impulsions spontanées et impulsions évoquées par une interaction avec l'environnement se discute. En effet, dans quelques cas bien établis, l'activité évoquée a pour point de départ un générateur spontané d'impulsions!

L'exemple le plus frappant est celui des récepteurs sensoriels dont la fonction est de « transduire » des signaux physiques reçus du monde extérieur en impulsions nerveuses. En premier ressort, ils sont à l'origine de toute activité évoquée. Choisissons le cas des récepteurs vestibulaires qui, logés dans l'oreille interne, interviennent dans la perception du champ de gravité et des mouvements dans l'espace à trois dimensions. Chez le singe éveillé, une électrode appliquée sur le nerf vestibulaire enregistre une activité spontanée soutenue de l'ordre de 20 impulsions par seconde. Si on fait tourner dans une direction donnée la chaise sur laquelle le singe est assis, l'activité augmente jusqu'à 30 impulsions par seconde; dans la direction opposée, elle décroît jusqu'à moins de 10 par seconde. L'activité spontanée qui préexiste à l'action du stimulus physique permet une double régulation et, de ce fait, offre de plus grandes possibilités de codage. La réponse de l'organe récepteur et, par voie de conséquence, la réponse évoquée recueillie au niveau central, se manifestent donc aussi bien par un accroissement de fréquence des impulsions que par une diminution de celle-ci.

L'organe vestibulaire se compose, au niveau de l'oreille interne, de deux catégories d'éléments cellulaires : les neurones générateurs d'impulsions, dont les axones se dirigent vers le système nerveux central, et les cellules sensorielles proprement dites. Ces cellules portent une touffe de cils palpeurs. Ceux-ci baignent dans le liquide contenu à l'intérieur du vestibule et peuvent aussi entrer en contact avec un petit « caillou » qui s'y trouve. Les mouvements de la tête entraînent, par inertie, un déplacement du liquide. L'orientation des cils change. Cela se traduit par un effet sur le potentiel de membrane qui ressemble à celui du « manche à balai » sur le vol d'un avion. Déplacé mécaniquement vers un pôle, le paquet de cils entraîne une diminution du potentiel de membrane; déplacé dans l'autre sens, il provoque un accroissement de celui-ci. En avant, des canaux sélectifs pour le calcium s'ouvrent; en arrière, ils se ferment. Il y a transformation d'un signal mécanique en signal électrique. Cet effet mécano-électrique est transmis à la cellule nerveuse adjacente, il modifie le potentiel de membrane de celle-ci et, par voie de conséquence, le rythme des impulsions qu'elle produit [9].

La variation d'un paramètre physique de l'environnement se trouve donc traduite en une variation d'impulsions nerveuses. Cela vaut quel que soit le paramètre : gravitationnel, lumineux, chimique..., auquel l'organe sensoriel est sensible. Une chaîne de réactions successives, explicables en termes strictement physico-chimiques, assure, de la surface sensible à l'oscillateur, le réglage d'une activité spontanée qui préexiste à toute interaction avec le monde extérieur. Ces impulsions produites sont donc de nature indépendante du paramètre physique auquel l'organe est sensible. Les organes des sens se comportent comme des « commutateurs » d'horloges moléculaires. Les stimuli physiques qu'ils reçoivent du monde extérieur les avancent, les retardent ou les remettent à l'heure. Aucune « analogie » physique n'existe entre le paramètre physique reçu de l'environnement et le signal nerveux produit.

Les impulsions émises par les oscillateurs périphériques se propagent jusqu'aux centres nerveux, cortex cérébral inclus. Cette activité « évoquée » ne constitue en fait qu'une faible fraction de l'activité totale observée en l'absence de stimulation sensorielle évidente. La propriété de générateur d'impulsions n'est pas réservée, nous l'avons vu, aux seules cellules sensorielles. Il s'agit d'une propriété générale de la cellule nerveuse (voire même de cellules non nerveuses comme certaines cellules glandulaires) qui se trouve distribuée à de multiples niveaux, au centre comme à la périphérie. La machine nerveuse contient donc de multiples générateurs d'impulsions « distribués » tant au niveau du système nerveux lui-même que de l'organisme dans son ensemble.

---

9. A. Hudspeth et D. Corey, 1977.

*D'un neurone à l'autre*

Les générateurs d'impulsions produisent des signaux électriques qui envahissent le réseau complexe de câbles et de connexions qui relient entre eux neurones, cellules sensorielles et organes effecteurs. Le sens de propagation suit toujours la même direction qui va du corps cellulaire aux terminaisons de l'axone et des dendrites au corps cellulaire. Le réseau nerveux est donc organisé en circuits, avec sens obligatoires et sens interdits. Cette situation est à maints égards paradoxale.

D'abord, on sait (voir chapitre I) qu'axones et dendrites ne sont pas en continuité les uns avec les autres : les circuits nerveux se composent de neurones *juxtaposés* au niveau de synapses. Ils sont « interrompus » d'un neurone à l'autre. Comment de telles *discontinuités* d'organisation vont-elles permettre le passage de signaux électriques d'un neurone à l'autre ? Vont-elles intervenir dans la « polarité » de la propagation des signaux nerveux ?

Ensuite, lorsque l'on stimule électriquement un axone en son milieu, on provoque le départ d'un influx qui se propage tout aussi bien en amont, vers le corps cellulaire, qu'en aval vers les terminaisons axonales. Il n'existe pas de polarité intrinsèque dans la propagation de l'influx nerveux au niveau de l'axone. Alors, comment expliquer que les impulsions nerveuses circulent toujours dans le même sens ?

La réponse à ces deux questions, Sherrington la suggère dès 1906 dans son ouvrage *L'action intégratrice du système nerveux*. Il compare précisément la propagation bidirectionnelle, dans un tronc nerveux, avec celle, unidirectionnelle, de l'arc réflexe. Il avance que les « caractères qui distinguent [ces deux modes de propagation] sont dûs largement aux barrières intercellulaires », au « nexus entre neurone et neurone », donc aux propriétés de la synapse. Déjà, deux thèses s'affrontent, qui s'affronteront encore pendant cinquante ans. Les électrophysiologistes soutiennent que la traversée de la synapse par l'influx nerveux s'effectue de manière électrique. Les pharmacologues, avertis des expériences de Claude Bernard, préfèrent au contraire une transmission chimique. Depuis les années 50, le débat est clos ; physiologistes et pharmacologues sont d'accord : les deux modes de transmission existent. Il y a des synapses à transmission électrique, d'autres à transmission chimique.

Les synapses électriques se caractérisent en particulier par un accolement très étroit des membranes cytoplasmiques. Au microscope électronique, l'espace synaptique n'a que deux nanomètres d'épaisseur. Il n'introduit pas de délai dans la propagation de l'influx nerveux. Tout se passe comme s'il y avait continuité électrique d'une cellule à l'autre. Dans ces conditions, on ne s'attend pas à une polarité dans le transfert de signaux. Dans quelques cas, une meilleure efficacité de transmission s'observe dans une direction plutôt que dans une autre, mais, le plus souvent, ces synapses créent un couplage non directionnel qui « met à la même heure » des ensembles parfois importants de neurones.

L'idée qu'un mode de transmission « chimique » intervienne dans la signalisation nerveuse en complément d'une propagation électrique n'aura pas été le fait d'un chimiste, mais de l'électrophysiologiste de génie que fut Du Bois Reymond (voir chapitre I). Le développement de ce concept devra cependant beaucoup aux pharmacologues qui, comme Elliott (1904), Langley (1905) et surtout Sir Henry Dale (1953), s'intéressent au mode d'action de substances chimiques naturelles ou de synthèse sur des organes-cibles. Par commodité, ils prélèvent d'abord ces organes à la périphérie. Ce sont, par exemple, le muscle sartorius de Grenouille, le muscle dorsal de Sangsue. Comparant l'effet de ces substances chimiques à celui des nerfs moteurs qui innervent ces organes, ils constatent des similitudes d'action frappantes. C'est le cas d'un composé naturel extrait du tissu nerveux, dont les chimistes Crum-Brown et Frazer (1868-1869) ont déjà effectué la synthèse. Il s'agit d'un ester de la choline : l'acétylcholine. Celle-ci est présente dans le nerf moteur, et le nerf en effectue la synthèse.

$$CH_3 - {}^+N - CH_2 - CH_2 - O - CO\text{-}CH_3$$

avec les deux groupes $CH_3$ liés à l'atome $N$.

La stimulation électrique des terminaisons motrices entraîne sa libération. En toute légitimité, l'acétylcholine peut être proposée comme « intermédiaire chimique », comme *neurotransmetteur*, dans la transmission du signal nerveux à travers l'espace qui sépare le nerf moteur du muscle strié.

Le schéma de la transmission synaptique chimique devient alors le suivant :

| Synthèse et accumulation d'acétylcholine | → | libération par l'influx nerveux | → | diffusion dans la fente synaptique | → | action sur la membrane du muscle | → | destruction de l'acétylcholine |

Plusieurs ensembles de faits convergents en montrent la validité.

La microscopie électronique (figures 9, 17) révèle des différences majeures entre les synapses électriques et celles supposées fonctionner avec un neurotransmetteur, comme la jonction nerf moteur-muscle strié. Les synapses chimiques possèdent une polarité morphologique qui entraîne d'emblée une polarité fonctionnelle. D'abord, l'espace synaptique est plus de dix fois plus large (20 à 50 nanomètres) que celui de la jonction électrique; ensuite, ses deux rives se présentent avec des morphologies très différentes. D'un côté, une terminaison nerveuse bourrée de vésicules de 30 à 60 nanomètres de diamètre; de l'autre, pas de vésicules, mais un épaississement de la membrane sur sa face cytoplasmique, ou densité post-synaptique. Des synapses de ce type ne se rencontrent pas seulement au niveau de la périphérie (figure 9, chapitre I). Elles abondent, nous l'avons vu, dans le cortex cérébral (figure 17, chapitre II). On peut même les isoler dans le tube à essais [10] et montrer que les vésicules, présentes dans la terminaison nerveuse, contiennent le neurotransmetteur.

Les enregistrements à l'aide de microélectrodes intracellulaires révèlent des signes électriques propres à ce type de synapse [11]. Stimulons le nerf moteur, enregistrons dans le muscle : une réponse s'observe au niveau de la fibre musculaire. Inversons les électrodes : la stimulation électrique du muscle n'entraîne aucun signal dans le nerf. Le signal ne passe que dans un sens, du nerf moteur vers le muscle. Cette synapse fonctionne comme une « valve », de manière strictement unidirectionnelle. Autre différence avec les synapses électriques : les premiers changements enregistrés au niveau de la membrane du muscle apparaissent avec un délai (de l'ordre de 0,3 à 0,8 milliseconde) qui est important par rapport à la durée de l'influx nerveux (une à quelques millisecondes).

Toutes ces particularités s'expliquent simplement par le

10. V. WHITTAKER et coll., 1964; N. MOREL et coll., 1977.
11. B. KATZ, 1966; S. KUFFLER et J. NICHOLS, 1976.

schéma de la transmission chimique. L'acétylcholine n'est présente que dans la terminaison nerveuse et non dans le muscle : le signal chimique ne peut se propager que du nerf vers le muscle ; la transmission est donc nécessairement « polarisée ». Enfin, la libération de l'acétylcholine, sa diffusion dans l'espace synaptique et son action sur la membrane du muscle prennent du temps. Un délai en résulte, évidemment plus long que celui observé dans une transmission électrique.

La manière dont l'influx nerveux provoque la sécrétion d'acétylcholine lorsqu'il envahit la terminaison du nerf n'est pas encore totalement éclaircie. On sait cependant qu'une « mise en paquets » de l'acétylcholine intervient et que chaque impulsion qui atteint la terminaison déclenche la libération (à la jonction nerf-muscle) d'environ 300 de ces paquets. Chaque paquet contient environ 10 000 molécules d'acétylcholine. Au total, à peu près 3 millions de molécules d'acétylcholine s'accumulent pendant un temps très bref, moins d'une milliseconde, dans la fente synaptique. Si on réalise qu'il s'agit là d'un *nombre absolu* de molécules, ce nombre n'est pas élevé. En effet, dans l'unité de quantité de matière, ou mole, on compte $6,02 \times 10^{23}$ molécules... Toutefois, le volume de la fente synaptique est si petit que la *concentration locale* réalisée par ces quelques millions de molécules atteint une valeur très élevée. Au repos, la « fuite » d'acétylcholine dans la fente synaptique est inférieure à $10^{-9}$ moles par litre. Lors du passage de l'impulsion, cette concentration s'accroît brutalement près d'un million de fois. Elle atteint $10^{-4}$ à $10^{-3}$ moles par litre pour une durée de l'ordre de la milliseconde, puis s'évanouit par diffusion (et dégradation par une enzyme spécialisée). A l'impulsion électrique succède une impulsion chimique. Cet accroissement local et transitoire de la concentration d'acétylcholine assure un passage rapide du signal à travers l'espace synaptique.

Pour qu'un tel transfert ait lieu, il faut évidemment que l'acétylcholine libérée par la terminaison nerveuse agisse sur l'autre face de la fente synaptique. Là, on enregistre une onde électrique qui diffère de manière significative de l'influx nerveux (figure 29). Contrairement à celui-ci, cette onde ne se propage pas. Elle dure plus longtemps (3 à 5 fois plus), se termine de manière beaucoup moins abrupte, et son amplitude est 5 à 10 fois plus faible. Elle résulte d'un accroissement de perméabilité qui engage *simultanément* – et non séquentiellement – les ions sodium et potassium. La situation est en définitive plus simple que dans le cas de l'influx propagé : sur la face musculaire de la jonction, une seule catégorie de canaux (et pas deux) intervient. Enfin, expérience cruciale, l'application locale, à l'aide d'une micropipette, d'une « impulsion » d'acétyl-

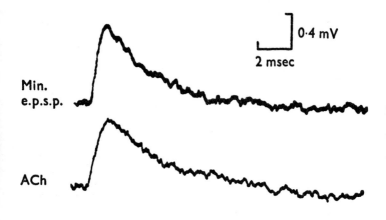

FIGURE 29

*Fig. 29. – Réponse électrique de la membrane post-synaptique d'une synapse chimique (ici, la jonction nerf-muscle) au neurotransmetteur (ici, l'acétylcholine). La forme et les propriétés de l'onde diffèrent de celles du signal nerveux propagé. Le tracé du haut (Min. e.p.s.p.) a été enregistré lors de la libération d'un « paquet » d'acétylcholine par la terminaison nerveuse, celui du bas, lors d'une application locale d'une forte dose d'acétylcholine (Ach) par une micropipette. Les deux tracés sont pratiquement superposables (d'après Kuffler & Yoshikami, 1975).*

choline entraîne au niveau de la membrane post-synaptique une onde électrique très semblable à celle déclenchée par le nerf [12]. Les canaux ioniques présents dans la membrane post-synaptique sont ouverts par l'acétylcholine, mais, contrairement à ceux engagés dans la propagation de l'influx nerveux, résistent aux changements de potentiel électrique. La résolution des techniques d'enregistrement permet désormais de saisir l'ouverture et

---

12. B. KATZ, 1966; S. KUFFLER et J. NICHOLS, 1976.

la fermeture d'*un seul* de ces canaux. Celles-ci se produisent de manière très brutale : la minuscule onde qui en résulte et qui dure environ un millième de seconde a une forme carrée très caractéristique (figure 30); le canal iodique ne peut être qu'ouvert ou fermé !

La libération de l'acétylcholine par l'influx nerveux réalise la conversion du signal électrique en signal chimique; l'ouverture des canaux ioniques constitue l'étape inverse : la conversion du signal chimique en signal électrique.

Au niveau de la jonction nerf moteur-muscle strié, l'amplitude de la réponse synaptique suffit en général pour que le potentiel de membrane atteigne le seuil de déclenchement d'un influx. A chaque impulsion du nerf répond une impulsion, suivie de la contraction de la fibre musculaire. La transmission est efficace à 100 %. Ce n'est pas toujours le cas, en particulier lorsqu'il s'agit de synapses entre neurones. Ces terminaisons nerveuses sont si petites qu'elles ne peuvent libérer qu'un seul « paquet » de neurotransmetteurs (et non 300, comme à la jonction nerf moteur-muscle) et pas nécessairement à chaque fois qu'un influx nerveux envahit la terminaison [13]. Il n'en reste pas moins que le schéma général de la transmission chimique, établi au départ avec la jonction nerf moteur-muscle strié, s'applique aux synapses du système nerveux central.

Dans l'histoire des neurosciences, un délai prolongé intervient souvent entre la découverte d'un mécanisme au niveau du système nerveux périphérique et sa confirmation au niveau central. L'évolution des connaissances sur les neurotransmetteurs en offre un excellent exemple. Acétylcholine et adrénaline sont reconnues à la périphérie dès 1904-1905 par Elliott et par Langley, mais l'acétylcholine ne sera identifiée dans le cerveau qu'en 1941 par McIntosh la noradrénaline par Vogt en 1954. Ces deux neurotransmetteurs sont devenus les membres d'honneur d'une compagnie de substances chimiques qui s'élargit jour après jour : des acides aminés : glutamate, aspartate, acide $\gamma$-aminobutyrique; des amines « biogènes » : dopamine, sérotonine; des polypeptides : enképhalines, endorphines, substance P... Un des derniers nés est le VIP, non pas appelé ainsi parce qu'il serait une *Very Important Person,* mais parce qu'il est vasoactif et intestinal! En effet, il a d'abord été découvert dans l'intestin

---

13. H. KORN et coll., 1981.

avant d'être identifié dans le cerveau. Ce cas n'est pas unique. Non seulement les neurotransmetteurs employés par le système nerveux périphérique servent également dans le système nerveux central, mais plusieurs de ces substances jouent un tout autre rôle dans l'organisme. Un autre exemple en est l'hormone qui inhibe la libération de l'hormone de croissance, ou somatostatine. Guillemin et ses collaborateurs ont montré que celle-ci est présente au niveau de neurones des ganglions sympathiques comme du cortex cérébral, mais elle se trouve aussi dans le

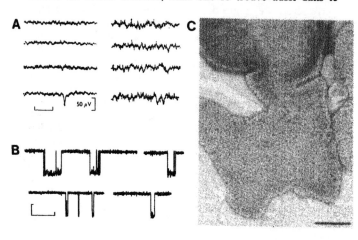

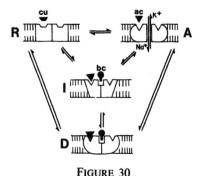

FIGURE 30

pancréas, au niveau des cellules δ des îlots de Langerhans, d'où elle supprime la sécrétion d'insuline [14] par d'autres types cellulaires.

Plusieurs de ces neurotransmetteurs ont été identifiés dans le système nerveux d'espèces animales très primitives, comme dans les Vers Annélides. On les retrouve dans tout le règne animal, en particulier chez les vertébrés supérieurs, le rat, le singe et l'homme. Ils apparaissent tout aussi « universels », dans leur intervention au niveau de la synapse chimique, que l'influx nerveux dans la propagation au niveau de l'axone. A ce jour, aucun neurotransmetteur n'a été reconnu propre à l'espèce humaine.

---

14. Références dans F. BLOOM, 1981; R. ACHER, 1981.

---

*Fig. 30. – L'onde électrique post-synaptique se réduit à l'ouverture collective de « canaux moléculaires ».*
*A. Enregistrement avec une électrode extracellulaire du « bruit », ou plutôt du « grésillement », spontané de la membrane sous-synaptique. Ce bruit est beaucoup plus important en présence d'acétylcholine (à droite) qu'en son absence (à gauche) (barre horizontale) (d'après Katz & Miledi, 1972).*
*B. Il résulte de l'ouverture et de la fermeture brutales d'un grand nombre de canaux ioniques bien individualisés sur l'enregistrement présenté (obtenu par Alain Trautmann à partir de cellules musculaires de rat en culture) (barre horizontale : 100 msec, verticale : 2pA).*
*C. Vue de fragments de membrane post-synaptique observés au microscope électronique (l'observateur se situe à la place de la terminaison nerveuse) révélant les molécules de récepteur qui contiennent le canal ionique dont l'ouverture et la fermeture produisent les fluctuations présentées en A et B (barre horizontale : 0,1 μm). Cliché Jean Cartaud.*
*Schéma du bas : représentation très simplifiée et hypothétique des transitions moléculaires du récepteur de l'acétylcholine. Suivant le modèle proposé (voir Changeux et al, 1976, Neubig et Cohen, 1980, Heidmann et Changeux, 1980), la molécule de récepteur peut exister sous plusieurs « états » (ou conformations) interconvertibles, « de repos » (R) stabilisé par le curare (cu), « actif » (A), ouvert par l'acétylcholine (ac), le seul à laisser passer les ions sodium (Na⁺) et potassium (K⁺). La transition R→A est très rapide (microsecondes, millisecondes). Sur ce schéma ont été ajoutés des états où le canal ionique est fermé : « intermédiaires » (I) et « désensibilisés » (D), stabilisés par l'acétylcholine et accessibles de manière lente. Ces états pourraient intervenir dans des phénomènes de mémoire à court terme (voir chapitre v).*

On en compte désormais par dizaines dans le cerveau, et la liste risque de s'allonger dans les années à venir. Cette diversité biochimique contraste avec l'uniformité de la signalisation électrique. Au départ, Sir Henry Dale pensait qu'un même neurone ne produit et ne libère qu'un seul neurotransmetteur. Des exceptions notables existent pourtant à cette règle. Un même neurone peut en effet contenir un neurotransmetteur classique comme l'acétylcholine et un peptide comme le VIP [15].

Souvenons-nous qu'un même neurone du cortex cérébral peut recevoir des dizaines de milliers de synapses et que ces synapses peuvent employer des neurotransmetteurs différents. Cette diversité, à la fois dans la nature chimique et dans l'effet ionique des neurotransmetteurs, introduit une « combinatoire de signaux », des possibilités de calcul qu'un neurone strictement « électrique » effectuerait différemment ou n'effectuerait même pas du tout. Nous verrons plus loin les conséquences importantes de ces capacités de calculs locaux dans la fonction du neurone (chapitre IV).

### Les molécules-serrures

La synapse chimique tient une place centrale dans la communication entre neurones. Elle canalise le transfert de signaux de cellule à cellule et, en introduisant une polarité dans ce transfert, crée des circuits et introduit une diversité au niveau de la membrane du neurone. Ses dimensions sont de l'ordre de grandeur d'une cellule bactérienne, mais, à l'évidence, elle n'en possède pas toutes les propriétés. Le répertoire des molécules d'une synapse comme la jonction nerf-muscle, bien qu'incomplètement établi, paraît d'emblée moins riche que celui du Colibacille. Il s'agit d'un « organite » plus simple dans son organisation qu'une cellule bactérienne. Son déchiffrage, compte tenu de l'importance stratégique de la synapse dans la communication nerveuse, présente un intérêt exceptionnel tant sur le plan théorique que sur le plan pratique.

Une manière de s'attaquer au démontage de la synapse chimique consiste à utiliser les signaux qu'elle emploie, par exemple le neurotransmetteur ou l'un de ses congénères. La cible de choix est la molécule sur laquelle le neurotransmetteur

---

15. T. Hökfelt et coll., 1980.

exerce son effet « électrogène » dans la membrane post-synaptique.

Dès la fin du XIXᵉ siècle, Ehrlich écrit : « *Corpora non agunt nisi fixata* » – pour agir, un corps doit se fixer. Comment cette fixation se fait-elle? Fischer (1894-1898) en propose une image particulièrement suggestive, encore valable aujourd'hui. La cellule contient une substance « chimiquement active » qui présente une « configuration géométrique », complémentaire de celle du corps considéré, et qui lui est « adaptée comme une clef dans une serrure ». Travaillant avec la jonction nerf-muscle, Langley (1906) montre que cette substance répond à la nicotine ou au curare qui en bloque l'effet, et qu'elle n'est localisée sur le muscle adulte qu'au niveau de la terminaison nerveuse. Il avance que « la substance du muscle qui se combine avec la nicotine (dont l'action est semblable à celle de l'acétylcholine) et le curare n'est pas identique à la substance qui se contracte »; il la nomme « substance réceptrice » ou *récepteur*. La liaison de l'acétylcholine sur ce récepteur-serrure présent dans la membrane post-synaptique entraîne l'ouverture du canal ionique qui lui est associé.

Pendant des années, on a considéré ce récepteur comme une entité mythique. Même Sir Henry Dale, qui avait apporté tant de faits à l'appui du rôle de l'acétylcholine comme neurotransmetteur, répugnait à employer ce terme. Présent en quantité très faible, le récepteur paraissait échapper à toute identification chimique. Deux stratégies convergentes conduisirent au succès [16].

Au premier chef, il fallait utiliser un organe qui contînt des quantités de récepteur beaucoup plus importantes que le muscle. L'organe électrique du poisson Torpille (figure 31) ou Gymnote satisfait à cette exigence. Il sert à produire des décharges électriques très puissantes (trois décharges de Gymnote – 500 Volts, 0,5 Ampère – tuent un homme) qui résultent de la mise à feu simultanée de milliards de synapses très semblables, par leurs propriétés, aux jonctions nerf-muscle. Schématiquement, l'organe électrique se compare à un muscle dont les synapses auraient proliféré après la perte de l'appareil contractile. Cette accumulation gigantesque conduit à une amplification fort utile pour le biochimiste [17]. Comme toutes ces

---

16. J.-P. CHANGEUX, 1981.
17. D. NACHMANSOHN, 1959.

synapses microscopiques ont la même composition chimique, travailler sur un kilogramme d'organe électrique revient pratiquement à travailler sur une seule synapse géante qui pèserait le même poids! Dans ces conditions, les quantités de récepteur de l'acétylcholine disponibles se chiffrent par décigrammes, voire par grammes. Il reste désormais à le séparer des autres composants de l'organe électrique afin de l'identifier en tant qu'espèce chimique. Pour cela, il faut l'étiqueter, par exemple à l'aide d'un marqueur radioactif que l'on va suivre à la trace. Première molécule à laquelle on pense : le neurotransmetteur lui-même ou ses analogues. L'expérience échoue. Ceux-ci se lient de manière non sélective à beaucoup trop de molécules en plus du récepteur lui-même.

On fera alors appel une nouvelle fois aux ressources du monde animal. Certains serpents comme le cobra ou le bungare doivent leur très mauvaise réputation à la toxicité du venin qui, injecté dans le sang par leur morsure, tue leurs proies, l'homme inclus, par paralysie des muscles respiratoires. Il agit en quelque sorte comme le curare dont les Indiens d'Amazonie enduisent la pointe de leurs flèches. Le principe paralysant du venin de ces serpents est une petite protéine de taille semblable à celle de l'insuline, appelée toxine α [18]. Cette toxine se fixe d'une manière pratiquement irréversible, et très sélective sur le site synaptique où se lie l'acétylcholine. C'est, en quelque sorte, la fausse clé qui entre dans la bonne serrure; mais, une fois entrée, elle ne peut plus sortir, bloque le fonctionnement du récepteur, le paralyse. Rendue radioactive, elle servira d' « indicateur » très sélectif du récepteur-serrure là où il se trouve.

Si poisson électrique et serpent bungare n'ont que peu de chances de se rencontrer dans la nature (il existe cependant, dans la mer du Japon, des serpents marins mangeurs de poissons...), leur réunion dans le tube à essais décidera de l'isolement du récepteur de l'acétylcholine. La toxine α, en effet, marque le récepteur de l'organe électrique dont on connaît la richesse [19].

Le récepteur est une grosse molécule, une protéine de taille beaucoup plus grande que celle de la toxine α. Elle se présente au microscope électronique comme une rosette de 9 milliardiè-

---

18. C. Y. Lee et C. Chang, 1966.
19. J.-P. Changeux et coll., 1970.

mes de mètre (figure 31). Sa masse moléculaire est 250 000, soit 3,5 fois celle de l'hémoglobine. Comme celle-ci, elle se compose de plusieurs chaînes, mais de quatre types différents, dont une répétée deux fois. Ces cinq chaînes, profondément ancrées dans la membrane post-synaptique, la traversent de part en part. Elles s'y trouvent avec une densité par unité de surface très élevée : la membrane post-synaptique ne se compose pratiquement que de molécules de récepteur réunies côte à côte par un film de lipides (figure 30 C). Elle présente donc une remarquable simplicité biochimique, plus grande que celle de la membrane d'une cellule bactérienne!

Cette membrane sous-synaptique s'isole, par centrifugation, à partir de broyats d'organe électrique, sous la forme de minuscules fragments de taille d'un micromètre (donc de celle de la synapse ou même plus petits). Ceux-ci se referment sur eux-mêmes en vésicules ou microsacs que l'on peut remplir d'ions sodium ou potassium radioactifs. Ajoutons l'acétylcholine à ces microsacs : celle-ci provoque l'ouverture des canaux. En l'absence de tout environnement cellulaire « naturel », ces microsacs répondent à l'acétylcholine d'une manière très semblable à celle de la face postérieure de la synapse sur l'animal vivant. Cette importante fonction dans la communication intercellulaire se conserve dans le tube à essais.

La protéine réceptrice est majoritaire dans ces fragments de membrane. Suffit-elle à déterminer l'ensemble des propriétés physiologiques de la réponse à l'acétylcholine? Où se trouve le canal ionique dont l'ouverture est commandée par l'acétylcholine; fait-il partie de la même molécule que le récepteur lui-même? Des détergents doux (comme ceux employés dans les travaux ménagers) dispersent les microsacs sans détruire le récepteur. Celui-ci est alors préparé sous la forme d'une espèce chimique homogène et pure. On le réinsère ensuite dans un film de lipides lui-même chimiquement défini. La membrane ainsi « reconstituée » possède toutes les propriétés fonctionnelles reconnues, avec les microsacs natifs ou même la membrane sous-synaptique (figure 32). En particulier, on peut la soumettre aux mêmes enregistrements électrophysiologiques que ceux qui avaient permis de détecter l'ouverture, « carrée », des canaux uniques. On les retrouve identiques, dans leur forme et leurs propriétés, à ceux observés avec la jonction nerf moteur-muscle strié sur l'animal. La protéine réceptrice de masse molécu-

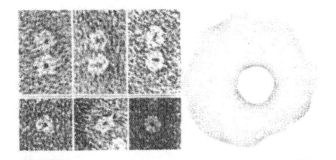

**20 nm**

FIGURE 31

laire 250 000 contient donc à la fois le site récepteur, qui reconnaît l'acétylcholine, et le canal ionique, qui est sous sa commande.

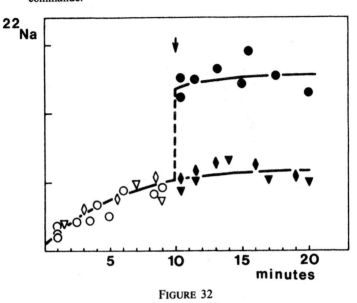

FIGURE 32

*Fig. 32. – Reconstitution d'une membrane active à partir de composants chimiquement définis : le récepteur de l'acétylcholine purifié et des lipides de soja. Le mélange forme systématiquement des vésicules closes de petite taille (micromètre) qui excluent (ou retiennent) les ions, ici le sodium radioactif ($^{22}Na^+$). L'addition d'un analogue de l'acétylcholine (flèche) provoque l'ouverture du canal ionique contenu dans la molécule de récepteur et déclenche l'entrée des ions $^{22}Na^+$ (d'après Popot et coll., 1981).*

*Fig. 31. – Poisson torpille (Torpedo marmorata) dont les organes électriques (découverts par la dissection des deux côtés de la tête) sont d'une extrême richesse en synapses employant l'acétylcholine, et donc en récepteur de l'acétylcholine (d'après Savi, 1844). En dessous, plusieurs photographies de la molécule de récepteur de l'acétylcholine obtenues en microscopie électronique par Jean Cartaud, ainsi qu'une image « reconstruite » après analyse de ces photographies à l'aide d'un ordinateur. La molécule présente un « trou » central (s'agit-il du canal ionique?) et cinq sous-unités de tailles inégales (d'après Bon et coll., 1982).*

L'acétylcholine déclenche cette ouverture suivant un mécanisme qui ressemble à celui déjà reconnu avec des protéines spécialisées dites « allostériques » [20]. Celles-ci se situent dans la cellule à des points critiques de la carte biochimique où, suivant les termes de Jacques Monod (1970), elles « assurent les opérations cybernétiques élémentaires... en jouant le rôle de détecteurs et intégrateurs d'information chimique ». Ces protéines sont l'objet de transitions discrètes et réversibles, de tout-ou-rien, entre états moléculaires distincts, actif et inactif, ou, dans le cas du récepteur, avec canal ouvert et canal fermé (figure 30). La réaction physiologique devient la stabilisation par l'acétylcholine de l'état « ouvert » du « récepteur-canal ». L'onde post-synaptique enregistrée au niveau de la fibre musculaire correspond, dans ces conditions, à l'ouverture simultanée d'une collection importante de récepteurs-canaux. Elle s'identifie à la somme d'événements moléculaires discrets, au même titre d'ailleurs que l'impulsion nerveuse s'identifie à l'ouverture des canaux sodium dans la membrane de l'axone et aux flux ioniques qui en résultent.

La réponse physiologique à l'acétylcholine, étape critique de la transmission synaptique chimique, est donc intégralement déterminée, donc *expliquée* par les propriétés de la molécule de récepteur. Celle-ci, comme toute protéine cellulaire, se compose d'acides aminés enchaînés les uns aux autres (environ 2 500) et ses propriétés moléculaires sont elles-mêmes déterminées par la séquence de cet enchaînement et le repliement spontané de cette chaîne sur elle-même. Chaque acide aminé se compose d'atomes (environ 10 à 30) qui déterminent intégralement sa réactivité chimique, ses possibilités de liaison avec ses congénères pour construire l'édifice protéique. Partis pour disséquer les mécanismes de la communication chimique entre neurones, nous accédons à une explication au niveau moléculaire, voire atomique, de cette communication.

## Les « atomes psychiques » réexaminés

La même méthode, en définitive, conduit de l'enregistrement de l'électroencéphalogramme à celui des impulsions électriques

---

20. J. Monod, J.-P. Changeux, F. Jacob, 1963; J. Monod, J. Wyman, J.-P. Changeux, 1965.

produites par des neurones uniques, de la réponse post-synaptique aux transitions d'ouverture de canaux ioniques, eux-mêmes identifiables à des changements de structure moléculaire. A chaque étape, il y a « réduction » d'un niveau d'organisation à un niveau plus élémentaire : de la population de neurones corticaux à la cellule ou à la synapse, de l'impulsion nerveuse (ou des courants post-synaptiques) à la molécule. Chaque fois, une onde d'apparence continue et globale se trouve « découpée » en unités discrètes et interprétées comme résultant intégralement de celle-ci, sur la base d'une « reconstitution » du phénomène global à partir de ces entités discrètes. Une activité globale se trouve donc réduite à des propriétés physico-chimiques, devient descriptible avec les mêmes termes que ceux employés par le physicien ou le chimiste. Pratiquement, on n'utilise pas la formule chimique complète de la molécule de récepteur (bien que déjà partiellement établie) pour décrire la réponse post-synaptique à l'acétylcholine, mais on est fort légitimement en droit de le faire.

L'activité nerveuse, évoquée ou spontanée, et sa propagation dans les réseaux de neurones s'expliquent en fin de compte par des propriétés *atomiques*. Doit-on alors réactualiser la notion d' « atome psychique » avancée par Démocrite ? Les ions sodium et potassium qui traversent les canaux de l'axone ou de la membrane post-synaptique sont les mêmes dans l'eau de mer ou à l'intérieur du neurone. Les molécules de neurotransmetteurs et de leurs récepteurs sont composées de carbone, d'hydrogène, d'oxygène et d'azote qui n'ont rien de propre aux êtres vivants. Le système nerveux se compose de – et emploie pour fonctionner – la même « matière » que le monde inanimé. Celle-ci s'organise en édifices « moléculaires » qui interviennent dans la communication nerveuse au même titre que d'autres règlent la respiration cellulaire ou la réplication des chromosomes. Les protéines tiennent là une place critique puisque enzyme-pompe, canaux ioniques, enzymes de synthèse des neurotransmetteurs et leurs récepteurs sont des protéines. Au lieu de reprendre le terme d' « atomes psychiques », devons-nous alors parler de « molécules psychiques » ?

Le trait le plus frappant qui se dégage des recherches actuelles sur l'électricité et la chimie du cerveau est que les mécanismes responsables de l' « activité » ou, si l'on veut, la communication dans la machine cérébrale ressemblent à ceux qui s'observent dans le système nerveux périphérique et même en d'autres organes. On les retrouve également dans les systèmes nerveux d'organismes très simples. Ce qui est vrai pour l'organe électrique du Gymnote l'est pour le cerveau de l'*Homo sapiens*. Au niveau des mécanismes élémentaires de la communication nerveuse, rien ne distingue l'homme des animaux. Aucun neurotransmetteur, aucun récepteur ou canal ionique n'est propre à l'homme. Employons donc le terme de « macromolécules responsables de la communication nerveuse » plutôt que celui d' « atomes psychiques ». Après avoir, avec Gall, laïcisé l'anatomie du cerveau humain, laïcisons son activité!

# IV

# Passage à l'acte

> « Dérangez l'origine du faisceau, vous changez
> l'animal. »
>
> D. DIDEROT,
> *Éléments de Physiologie.*

L'homme agit sur son environnement et communique avec ses semblables par le mouvement de ses lèvres, de ses yeux, de ses mains, par un ensemble de performances motrices que l'on qualifie en général de conduites ou comportements. Leur étude s'est cristallisée dès 1913 autour d'un mouvement scientifique très dynamique créé par J.B. Watson, le behaviorisme. Soucieux de bannir le subjectif de l'observation scientifique, le behaviorisme ne prit en considération que les relations « externes » pouvant exister entre la variation du milieu, ou stimulus, et la réponse motrice déclenchée. Il suffisait de connaître ces règles pour expliquer une conduite. A quoi bon s'intéresser au contenu de la « boîte noire » intercalée entre le stimulus et la réponse? Cette étroitesse de vue, on pouvait s'y attendre, conduisit les sciences du comportement, et, avec elles, beaucoup de sciences humaines, à une impasse.

Le développement des neurosciences impose désormais une autre manière de voir qui se trouve dans le droit fil de la tradition de Gall et de Broca. Le contenu en neurones de la boîte noire ne peut plus être négligé. Au contraire, tout comportement *mobilise* des ensembles définis de cellules nerveuses et c'est à leur niveau que doit être recherchée l'explication des conduites et des comportements. La comparaison du cerveau à une machine cybernétique, à un ordinateur, intervient utilement pour définir cette mobilisation interne. Par construction, le cerveau-machine cybernétique ne peut effectuer qu'un nombre défini d'opérations. Toutes ne sont pas possibles. Il ne les accomplit que dans la mesure où, pour reprendre les termes de J. Z. Young (1964), il « est » (ou contient) une représentation de son environnement. En d'autres termes, l'appréhension du monde extérieur et la réponse produite dépendent de l'organisation interne de la machine. Le système nerveux très simple d'un mollusque n'analysera pas les signaux de l'environnement d'une manière aussi approfondie que celui du singe ou de l'homme, il ne produit pas non plus un spectre aussi vaste de réponses. L'essentiel a lieu à l'intérieur de la machine, au niveau du système nerveux central, où l'information est transmise suivant un *code,* analysée puis traitée. Résultat des calculs, des neurones moteurs entrent en action et commandent la contraction des muscles. Examinons dans le détail les divers modes de *codage interne* du passage à l'acte.

## Chanter et fuir

Qui n'a pas présent à la mémoire le souvenir des chaudes soirées d'été « où chaque fleur s'évapore ainsi qu'un encensoir » tandis que montent les premiers chants du grillon? Seuls les mâles prennent part au concert pour attirer et surtout guider les femelles réceptives vers leur terrier. Ce chant d'appel fait partie d'un réseau de communication fort complexe qui se noue entre partenaires de sexe opposé, mais aussi entre mâles. Pour le neurobiologiste, par son caractère répétitif et simple, stéréotypé mais propre à l'espèce, le chant d'appel constitue un comportement « schématique » qui se prête particulièrement bien à l'analyse des mécanismes « internes »[1].

La première paire d'ailes, ou élytres, sert d'instrument de musique. Le bord interne est l'archet; la scie disposée en écharpe sur la face externe de l'élytre, la corde vibrante. Lorsque le mâle referme ses élytres, l'archet frotte sur la scie, l'aile vibre à environ 5 000 périodes par seconde et produit ce son pur et flûté, si caractéristique. Des muscles thoraciques puissants commandent ce mouvement de fermeture. Une étroite corrélation existe entre la contraction des muscles de fermeture

1. Y. Leroy, 1964; D. Bentley et R. Hoy, 1974; D. Bentley, 1971.

et la production d'une note. Si, à l'aide d'une microélectrode, l'on enregistre les impulsions électriques qui circulent dans les nerfs moteurs, une relation identique apparaît : à chaque influx propagé dans le nerf de fermeture correspond une note. On n'imagine guère codage plus simple (figure 33).

Le chant d'appel du grillon polynésien *Teleogryllus oceanicus* se compose de phrases répétées, toutes identiques entre elles. Elles débutent par un « cri » de cinq notes, suivi par dix « trilles » de deux notes. Le rythme des impulsions enregistrées dans le nerf moteur coïncide exactement avec celui des notes. Ce rythme se retrouve également dans les ganglions nerveux du thorax au niveau des neurones moteurs. Il persiste après section des nerfs sensoriels et des nerfs moteurs, donc après isolement total des ganglions. Ceux-ci contiennent donc des générateurs spontanés d'impulsions (voir chapitre III) qui, de manière régulière et automatique, produisent, une fois connectés aux muscles adéquats, la totalité des traits caractéristiques du chant.

L'exemple du chant du grillon met en évidence les deux composantes du « passage à l'acte » :

– D'abord, la *connectivité* nerveuse. Supposons que l'on branche les axones de neurones moteurs des élytres sur les muscles des pattes : le grillon marchera au rythme du chant d'appel, mais ne chantera pas. Le câblage entre neurones au sein du ganglion et entre ceux-ci et le muscle définit un ensemble de cellules, un réseau stable dans le temps et sélectivement engagé dans la production du chant, que l'on peut décrire par une structure mathématique appelée *graphe* [2].

– Ensuite, les *impulsions*. Supposons que l'on modifie artificiellement le potentiel de membrane de l'un des neurones oscillateurs du « graphe du chant ». La fréquence des impulsions produites va changer, la phrase n'aura plus la même forme. Elle n'exercera plus l'attrait espéré auprès des femelles. Les impulsions produites spontanément et propagées dans ce réseau déterminent donc la succession des notes dans le temps, selon un rythme caractéristique. Elles assurent l'actualisation du chant.

En d'autres termes, deux modes de *codage* interviennent : celui de la topologie des connexions fixe la géométrie du réseau, et celui des impulsions règle dans le temps le déroulement du comportement qui y est associé (figure 33).

2. J.-P. Changeux, P. Courrège, et A. Danchin, 1973.

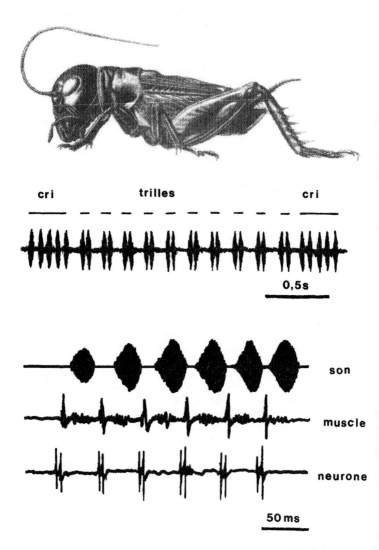

FIGURE 33

Il devient désormais possible d'élaborer un *modèle* mathématique qui permette de simuler, de reproduire le comportement étudié et qui en représente donc, de manière simplifiée et schématique, le mécanisme interne. Ce travail a été réalisé dans le cas de la nage de la sangsue, où les neurones concernés ont été identifiés [3]. Avec le chant du grillon, quelques éléments manquent encore, mais on peut affirmer sans risques que la conclusion sera la même, que ce comportement est intégralement *déterminé* par un réseau particulier, un graphe de neurones, et par les impulsions qui y circulent. L'intérêt particulier du chant est la relative indépendance de ce comportement vis-à-vis du monde extérieur : une fois déclenché, le chant se poursuit des heures durant.

Passons des insectes aux vertébrés. Pour effectuer un travail similaire, il faut poursuivre l'enregistrement de neurones bien identifiés. Toutefois, le nombre des cellules est si élevé que planter une électrode exactement dans le même neurone, d'un animal à l'autre, paraît une tâche insurmontable. Fort heureusement, quelques situations exceptionnellement favorables existent où l'expérience devient possible. C'est le cas d'une cellule géante du bulbe des poissons, la *cellule de Mauthner* [4], dont l'étendue, soma plus dendrites, atteint un demi-millimètre. De surcroît, celle-ci ne se trouve qu'à deux exemplaires par poisson, chacune dans une position facile à repérer. Enfin, elle joue un rôle très précis dans la vie quotidienne de l'animal, puisqu'elle intervient dans un réflexe qui permet au poisson d'échapper à ses prédateurs. Observons discrètement un poisson rouge dans son aquarium : il nage calmement, droit devant lui. Frappons avec un maillet une paroi opaque de l'aquarium, ou laissons

---

3. G. STENT et coll., 1978.
4. D. FABER et H. KORN, 1978.

---

*Fig. 33. – Le chant du grillon constitue un exemple simple où un comportement défini a été mis directement en relation avec l'activité « interne » d'un réseau précis de neurones. En haut, le grillon champêtre (Gryllus campestris) d'après un dessin original de Finot (1890) conservé au Muséum d'Histoire Naturelle. En dessous, l'enregistrement graphique, ou sonogramme, du chant du grillon océanien (Teleogryllus oceanicus). Le chant d'appel se compose d'une phase comprenant un cri de cinq notes suivi de dix trilles de deux cris. Une relation parfaite existe entre la production d'impulsions nerveuses propagées dans les neurones moteurs, la contraction des muscles de fermeture des ailes et l'émission du son résultant du frottement de l'archet sur la scie (redessiné d'après Bentley et Hoy, 1974).*

tomber devant sa face vitrée une balle de golf. Brusquement, le poisson fait volte-face, sa tête se tourne de côté, son corps change d'orientation. Le poisson évite, fuit le signal sonore ou visuel. La cellule de Mauthner est entrée en action. Elle ne provoque pas directement la contraction des muscles. Elle se trouve hiérarchiquement « au-dessus » des neurones moteurs qui commandent cette contraction : elle coordonne et règle leur activité. Enregistrons maintenant la cellule de Mauthner dans ces conditions où le réflexe de fuite apparaît : une coïncidence s'observe entre la production d'une impulsion et le déclenchement du réflexe (figure 34).

A la différence des neurones du chant, la mise à feu de la cellule de Mauthner est réglée par les signaux reçus du monde extérieur par les organes des sens. Prenons le cas du choc sonore. Les vibrations stimulent l'oreille interne du poisson qui répond par des rafales d'impulsions dans le nerf auditif. Celles-ci atteignent la cellule de Mauthner et entraînent une diminution du potentiel de membrane, comme au niveau de la jonction nerf-muscle (chapitre III). Si le seuil est franchi, une impulsion part. Les synapses du nerf auditif sur la cellule de Mauthner sont *excitatrices* (figures 34 Da).

Dans d'autres conditions, par exemple lorsque l'eau est agitée, la réponse n'a pas lieu. Des synapses *inhibitrices,* elles aussi reliées aux organes des sens, bloquent l'effet des précédentes. Comme les synapses excitatrices, ce sont des synapses chimiques [5]. L'effet du neurotransmetteur sur le récepteur, par contre,

---

5. La cellule de Mauthner reçoit aussi des synapses électriques mêlées aux synapses chimiques.

---

*Fig. 34. – La mise à feu de la cellule de Mauthner et la fuite du poisson.* En haut, *A, images du poisson prises toutes les cinq millisecondes après la chute d'une balle de golf devant l'aquarium (d'après Eaton et al, 1977). En dessous, B, dessin de la cellule de Mauthner avec ses dendrites géantes (d) et le point de départ de l'axone (a) (d'après Bodian, 1952). C, enregistrement simultané de l'impulsion électrique dans la cellule de Mauthner gauche (n) et de la contraction des muscles (m) de la partie droite (m) du tronc (l'axone de la cellule de Mauthner gauche innerve la partie droite du corps du poisson) (d'après Yasargil et Diamond, 1968). D, la membrane du neurone « calcule » : (a) réponse synaptique « activatrice » qui donne lieu au départ d'une impulsion nerveuse (tronquée) et (i) réponse inhibitrice qui s'y oppose (d'après Faber et Korn, 1978).*

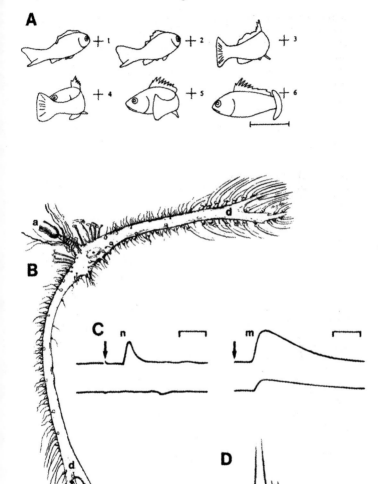

FIGURE 34

diffère radicalement. Au lieu d'entraîner une diminution du potentiel de membrane, il a l'effet opposé. Il bloque l'effet dépolarisant du transmetteur excitateur, parfois même il fait évoluer le potentiel en sens opposé. Il hyperpolarise (figure 34 Di).

Pourquoi cette différence de signe? Est-elle due à la nature chimique du neurotransmetteur, à celle de l'ion qui traverse le canal ouvert par le neurotransmetteur (voir chapitre II)? C'est l'identité de l'ion transporté qui décide du signe. Si celui-ci est chargé positivement et *entre* dans la cellule, il y a dépolarisation, donc *excitation,* comme nous l'avons vu dans le cas de la jonction nerf-muscle. Si l'ion transporté se déplace dans le même sens mais est chargé *négativement* comme le chlore, l'effet électrique est évidemment de signe opposé. Il y a *inhibition.* Enfin, il existe des cas où le récepteur ne règle pas directement l'ouverture d'un canal. Il agit par l'intermédiaire d'un « messager interne », une sorte d'hormone qui circule non plus d'une cellule à l'autre, mais à l'intérieur du neurone. Le plus connu de ces messagers est une molécule cyclique proche de l'ATP : l'AMP-cyclique.

La membrane du neurone sert de machine à calculer arithmétique. Elle additionne signaux positifs et signaux négatifs. Si la balance penche en faveur des premiers, le seuil est franchi, l'impulsion part. Si les signaux négatifs l'emportent, la membrane du neurone reste silencieuse. La prise de décision, qui entraîne ou non le comportement de fuite du poisson, résulte en définitive d'un « calcul » élémentaire. Ce calcul est lui-même déterminé par les récepteurs et canaux ioniques présents dans la membrane du neurone et par son environnement ionique. La réaction de fuite du poisson à un stimulus reçu du monde extérieur s'explique donc intégralement par la connectivité du graphe auquel appartient la cellule de Mauthner, par les impulsions qui circulent et plus particulièrement, ici, par les propriétés moléculaires de sa membrane qui déterminent la « prise de décision ».


*Boire et souffrir*


L'exemple de la cellule de Mauthner met en relief les effets antagonistes de synapses excitatrices et inhibitrices. Certains transmetteurs se spécialisent dans l'inhibition, d'autres dans l'excitation. D'après le modèle de la cellule de Mauthner, et pour schématiser à l'extrême, le transmetteur excitateur devient la substance de fuite du poisson, l'inhibiteur la substance de repos. La tentation est alors grande d'assigner à chaque comportement une étiquette chimique. Elle l'est d'autant plus que le cerveau des vertébrés, l'homme y compris, contient une grande variété de neurotransmetteurs (chapitre III). L'acétylcholine ou le glutamate sont en général excitateurs; d'autres, comme l'acide γ-aminobutyrique ou la glycine, inhibiteurs. Alors, pourquoi pas une substance de la soif, une autre de la douleur ou du plaisir, et, plus généralement, un codage chimique du comportement?

Le cas de la *soif* est exemplaire [6]. On se met à boire à la suite d'une perte d'eau, par exemple après un effort. Cette perte d'eau entraîne une diminution du volume du sang, dont le contenu en sels change. Cette variation de propriétés physico-chimiques va déclencher, au niveau du système nerveux, la prise de boisson. Seuls quelques neurones y participent. Ils sont localisés dans une région précise de l'encéphale, l'hypothalamus, situé, comme son nom l'indique, au-dessous du thalamus (voir figure 13). Stimulons électriquement, chez le rat, ce groupe de neurones : celui-ci boit sans s'arrêter. Enlevons ce centre : l'animal ne boit plus. Au même titre que la cellule de Mauthner déclenche le comportement de fuite chez le poisson, ces neurones hypothalamiques règlent la prise de boisson chez le rat comme chez l'homme. Enregistrons maintenant leur activité afin d'identifier une substance qui les active : un hypothétique « médiateur de la soif ». Celui-ci a été identifié. Il fait partie de ces nombreux peptides que l'on retrouve servant ici d'hormone, là de neurotransmetteur. Il se compose de l'enchaînement de huit acides aminés et son nom est l'angiotensine II. Injectons-la dans le sang, ou appliquons-la directement au niveau des neurones « spécialisés » de l'hypothalamus. Des rafales d'impulsions apparaissent. Des neurones oscillateurs semblables à ceux du grillon ou de l'aplysie (voir figure 27) entrent en action. L'angiotensine II déclenche la mise en route des « horloges » à impulsions présentes dans l'hypothalamus. Lorsque la concentration d'angiotensine II dépasse un seuil, l'animal ne tarde pas à boire.

Dans le système étudié, l'angiotensine n'est pas à proprement

6. B. ROLLS et E. ROLLS, 1981; E. STRICKER et coll., 1976.

parler un neurotransmetteur, car elle n'est pas libérée par des terminaisons nerveuses. Elle informe néanmoins le système nerveux de l'état de crise provoqué par le manque d'eau. Le rein qui, comme on le sait, assure l'élimination d'eau par l'urine, joue le rôle d'informateur. Le volume du sang baisse-t-il à la suite d'une perte d'eau? Le rein réagit par la production d'une enzyme qui, indirectement, provoque l'apparition d'angiotensine II dans le sang. Sa concentration circulante monte et suffit pour exciter les neurones du centre de la soif. L'angiotensine sert donc de médiateur chimique de la prise de boisson [7].

La *douleur* constitue un autre exemple où la chimie éclaire le mécanisme non plus d'un acte, mais d'une sensation. La douleur cède à l'extrait de pavot, et plus particulièrement à l'un de ses constituants, la morphine. Les Sumériens connaissaient déjà les effets du pavot, quatre mille ans avant notre ère.

Comme toute sensation, la douleur naît de la stimulation des terminaisons sensorielles. Celles-ci se trouvent dispersées dans la plupart des organes, mais surtout dans la peau et les viscères. Ce sont des terminaisons très particulières, les ramifications ultimes de dendrites, nues et branchues, qui répondent à divers signaux physiques : au chaud, au froid, à la pression, mais aussi à des substances chimiques internes produites par l'organisme à la suite d'une irritation ou d'une lésion. L'une d'elles, la prostaglandine E2, a acquis la célébrité depuis que l'on sait que l'*aspirine,* un des médicaments quotidiennement les plus employés, bloque sa synthèse et, de ce fait, atténue certaines sensations douloureuses. Ces terminaisons nerveuses polyvalentes « sonnent l'alarme », elles produisent les rafales d'impulsions qui se propagent le long des nerfs jusqu'à des corps cellulaires situés dans les ganglions spinaux, eux-mêmes reliés à la moelle épinière. Là, ces « neurones de la douleur » font synapse avec des neurones-relais qui envoient leur axone vers le haut, vers le tronc cérébral et le cerveau.

Le transmetteur libéré au niveau de la moelle épinière par les « neurones de la douleur » est connu. Comme pour la soif, c'est un peptide, long de 11 acides aminés, la substance P, un des premiers peptides à avoir été isolé à partir du tissu nerveux [8]. La

7. Ce n'est pas le seul mécanisme qui règle la prise de boisson. Des récepteurs sensibles à la pression sanguine, présents dans la paroi des grosses veines et de l'aorte, jouent aussi un rôle.
8. V. von EULER et J. GADDUM, 1931.

substance P est présente dans les nerfs « de la douleur » qui, issus des ramifications sensorielles périphériques, pénètrent dans la moelle [9]. La stimulation électrique de ces nerfs entraîne sa libération. Enfin, appliquée localement sur les neurones-relais de la moelle, elle déclenche des impulsions qui remontent jusqu'au cerveau. La *substance P* est donc bien, dans la moelle épinière, le transmetteur de la douleur.

Dans ces conditions, où agit la morphine? A la périphérie comme l'aspirine, ou dans la moelle épinière au niveau des synapses à substance P? L'isolement de son récepteur a permis de répondre à cette question. Comme dans le cas du récepteur de l'acétylcholine (voir chapitre III), le succès est venu de l'emploi de traceurs adéquats, non plus une toxine de venin de serpent, mais un dérivé de la morphine [10] radioactif. Celle-ci existe sous deux formes moléculaires symétriques l'une de l'autre par rapport à un plan (figure 35). Bien qu'elles soient

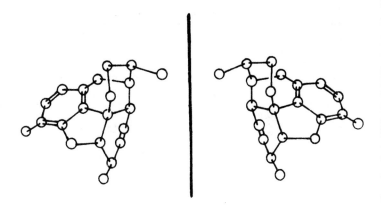

FIGURE 35

*Fig. 35. – Formules du levorphanol (à gauche) et du dextrorphan (à droite) : l'une est l'image en miroir de l'autre. De ces deux isomères optiques, seul le levorphanol calme la douleur et se fixe sur les récepteurs de la morphine.*

9. T. HÖKFELT et coll., 1980.
10. L. TERENIUS, 1973; C. PERT et S. SNYDER, 1973; E. SIMON et coll., 1973.

chimiquement composées des mêmes atomes, seule la forme
« gauche » (le lévorphanol) calme la douleur et servira donc de
clef adéquate pour reconnaître le « vrai » récepteur-serrure des
« faux », qui fixent n'importe quoi. L'authentique récepteur
existe bien dans le tissu nerveux, là où on l'attend : dans la
moelle épinière et, bien entendu, dans l'encéphale.

A quoi sert ce récepteur ? La morphine est extraite du pavot,
plante qui, jusqu'à nouvel ordre, ne possède pas de système
nerveux et ne perçoit pas la douleur. Prend-elle la place d'une
substance naturelle, présente dans le système nerveux, qui serait
en quelque sorte une « morphine interne » ? Des composés de ce
genre ont effectivement été isolés. Une fois encore, ce sont des
peptides : ici très petits, de cinq acides aminés, les *enképhalines* [11], ou bien plus longs, les *endorphines* (contraction pour endo
+ morphine). Enképhalines ou endorphines se lient avec une très
haute affinité sur le même récepteur que le dérivé gauche de la
morphine. Cela peut surprendre, car la morphine appartient à
une catégorie chimique, les alcaloïdes, très différente de celle de
ces peptides. Si l'on regarde les choses de plus près – par
exemple à l'aide d'une méthode physique qui renseigne sur la
forme de ces molécules –, de remarquables analogies de
structure apparaissent (figure 36). Leurs géométries dans l'espace se ressemblent à tel point que la clef enképhaline et la clef

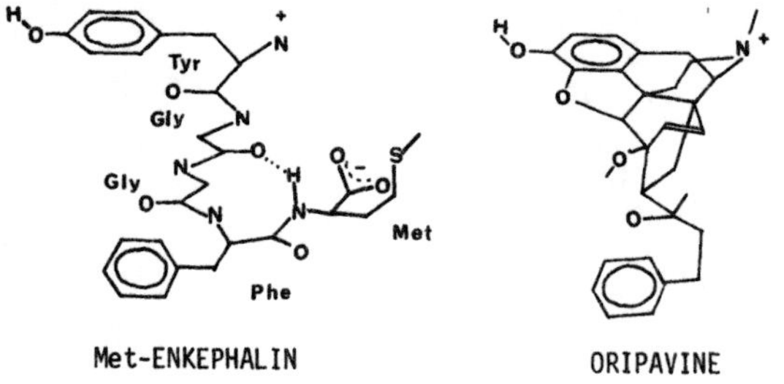

Met-ENKEPHALIN                              ORIPAVINE

FIGURE 36

*Fig. 36. – Analogie de structure entre un opiacé, l'oripavine, et une
« morphine endogène » synthétisée par certaines catégories de neurones,
la met-enképhaline (d'après Roques et coll., 1976).*

11. J. Hugues et coll., 1975.

morphine [12] « entrent » et « tournent » également bien dans le même récepteur-serrure.

Comment l' « ouverture » de cette serrure abolit-elle la douleur? L'hypothèse acceptée est que morphines naturelle et artificielle bloquent le message douloureux au niveau de synapses qui, dans la moelle, emploient la substance P. Nous savons qu'une synapse peut être bloquée de plusieurs manières différentes : au niveau de la terminaison nerveuse par la suppression de la libération du transmetteur, ou bien, de l'autre côté de la fente synaptique, par le blocage du récepteur-serrure. Jessel et Iversen (1977) ont montré que la morphine agit selon ce premier mécanisme, en effet les opiacés inhibent la libération de substance P par les nerfs de la douleur. Dans la moelle épinière, les morphines internes, les enképhalines, jouent ce rôle. Un double étiquetage a lieu : celui de la douleur par la substance P, celui de l'anti-douleur par l'enképhaline [13].

L'angiotensine II renseigne l'hypothalamus sur les pertes d'eau subies par l'organisme et détermine la prise de boisson. Elle agit du « milieu intérieur » vers le système nerveux. La substance P véhicule les messages douloureux reçus par la peau ou les organes vers les centres nerveux, et les enképhalines règlent ce trafic. Chacun de ces exemples met en évidence l'intervention de messagers chimiques propres à l'acte ou à la sensation considérés. L'hypothèse d'un *codage chimique* se vérifie, mais celui-ci n'élimine en rien les deux modes, déjà mentionnés, de codage fondés l'un sur la géométrie des connexions, l'autre sur la succession dans le temps des impulsions nerveuses. Il les complète. Il permet d'abord un type de signalisation additionnel qui ne fait pas intervenir la circulation d'impulsions le long des câbles, mais la diffusion « à distance » de signaux chimiques par l'intermédiaire, par exemple, du sang. Ensuite et surtout, il crée une diversité au sein de connexions qui pourraient présenter une géométrie semblable. Ainsi, seule une fraction des fibres sensorielles qui entrent dans la moelle épinière, celles spécialisées dans la douleur, utilisent la substance P comme neurotransmetteur synaptique. Les autres, engagées dans la perception du chaud, du froid, dans le sens tactile, fonctionnent avec des transmetteurs différents. L'étiquetage chimique diversifie. Il permet d'établir une relation plus

12. B. Roques et coll., 1976.
13. J. Henry, 1980 ; L. Terenius, 1981 ; J. Besson et coll., 1982.

précise et fine entre neurones et, de ce fait, entre une sensation ou un comportement particuliers et un réseau défini de cellules nerveuses.

## Jouir et s'irriter

La faculté de jouir, comme celle de souffrir, est inscrite dans nos neurones et dans nos synapses. Là encore, l'hypothalamus joue un rôle capital. L'ablation d'une région définie et délimitée de celui-ci entraîne, nous l'avons vu, la perte du comportement « boire » chez le rat. La même opération effectuée en d'autres points dérègle ici les battements du cœur, là la température du corps, à tel autre endroit la prise d'aliments, ou encore la copulation. Corrélativement, on s'y attend, la stimulation électrique de ces points précis a l'effet opposé à celui de l'ablation. Sur cette carte de géographie hypothalamique, des signaux chimiques colorent de teintes différentes chacun de ces « départements » bien délimités les uns par rapport aux autres. Le plus souvent, ces signaux sont des peptides : boire avec l'angiotensine II, manger avec la cholecystokinine, faire l'amour avec l'hormone LHRH.

Ces petits groupes de neurones bien étiquetés chimiquement règlent un ensemble de fonctions et de comportements dont l'importance est telle qu'on les qualifie parfois de « vitaux ». L'homme, comme le rat, consacre une part essentielle de son temps (lorsqu'il ne dort pas) à boire, manger, faire l'amour... Une seule cellule, la cellule de Mauthner, permet au poisson d'échapper à ses prédateurs. Quelques milliers de neurones, en un point précis de l'hypothalamus, décident en définitive de l'équilibre énergétique de l'homme et de la perpétuation de l'espèce. Les comportements les plus fondamentaux de la vie de l'homme ne dépendent que de 1 % du volume total de l'encéphale, et le triple codage connectionnel, électrique et chimique, s'applique sans détour à leur déterminisme.

Mais ceux-ci ne se manifestent pas n'importe quand ni n'importe comment. La sensation de soif ou de faim, le désir sexuel ne conduisent pas sur-le-champ à une prise de boisson ou d'aliment, ni à l'accouplement! Il se crée plutôt un état de *motivation* qui pousse à boire, à manger, à faire l'amour, et qui s'efface après la satisfaction de ces désirs. Alexandre Bain, dans son ouvrage *Les Sens et l'Intelligence*, écrivait dès 1855 que

« tout état de plaisir répond à une augmentation, tout état de douleur à une dépression d'une partie ou de la totalité des *fonctions vitales* ». Certes, Bain ne possédait pas nos connaissances sur l'hypothalamus. Replacée dans le contexte actuel, cette phrase prend néanmoins une signification neuve. La soif correspond au désir, qui peut devenir « douloureux », de boire, et boire calme cette soif. Le désir sexuel frustré angoisse : son accomplissement harmonieux apaise. Le « plaisir » réglerait-il ces comportements vitaux ? Existerait-il dans l'hypothalamus un « centre du plaisir » qui matérialiserait ce lien ? Comment l'identifier ?

Les animaux de laboratoire ne répondent pas par la parole au questionnaire de l'expérimentateur sur les sensations de « plaisir » ou de « déplaisir » qu'ils peuvent ressentir. Avec ingéniosité, Olds et Milner (1954) ont cependant réussi à obtenir une réponse du rat de laboratoire. Supposons que l'on implante une électrode de stimulation dans un éventuel « centre du plaisir » : l'envoi d'une décharge électrique par l'électrode créera une sensation de plaisir. Offrons maintenant au rat un dispositif de stimulation tel qu'appuyant sur une pédale il puisse déclencher une impulsion électrique. En explorant sa cage, le rat appuie accidentellement sur la pédale, si l'électrode est placée à l'endroit adéquat, la sensation plaît au rat qui répète l'opération. Il s'autostimule.

Plusieurs points d'autostimulation ont été identifiés chez le rat. On en rencontre d'abord dans l'hypothalamus, précisément à proximité des divers centres « vitaux » qui interviennent dans la prise de boisson, de nourriture ou dans l'accouplement. Mais le rat rassasié ou satisfait dans son désir sexuel persiste à s'autostimuler. Ceux-ci sont donc distincts de ceux-là. Des points d'autostimulation ont également été identifiés en dehors de l'hypothalamus, par exemple au niveau du tronc cérébral. L'analyse fine de leur géographie révèle une coïncidence remarquable. Les points d'autostimulation se superposent aux somas et prolongements de neurones contenant un neurotransmetteur particulier, la *dopamine*. Autre résultat remarquable : le blocage des récepteurs de la dopamine par l'antagoniste adéquat (pimozide, halopéridol) entraîne un arrêt de l'autostimulation. Enfin, certaines drogues qui apportent, chez l'homme, une sensation subjective de plaisir et d'euphorie – cocaïne ou amphétamines – agissent, semble-t-il, de manière similaire à la dopamine. Dans l'hypothalamus et dans le tronc cérébral, les synapses à dopamine ont donc été qualifiées de « synapses du plaisir » ou « synapses hédoniques ». A leur niveau, « la froide information concernant les dimensions physiques d'un stimulus est traduite en expérience chaleureuse de plaisir [14] ».

La signification fonctionnelle de ces synapses du plaisir n'est pas encore totalement comprise. Situées à la croisée des chemins entre voies sensorielles et centres vitaux de l'hypothalamus, elles règlent l'actualisation de ces comportements « vitaux », tantôt en les freinant, tantôt en décidant leur exécution. Elles participent ainsi au développement d' « états de motivation » qui entraînent le « passage à l'acte »

Les émotions, ou ce que l'on convient d'appeler par ce nom, font-elles partie de ces états de motivation? Hebb (1949) distingue parmi les émotions « celles dont la tendance est de maintenir ou d'accroître les conditions originales de stimulation (émotions de plaisir ou intégrantes) de celles dont la tendance est d'abolir ou de décroître le stimulus (rage, peur, dégoût) ». Cette distinction se fonde sur le postulat d'une relation étroite entre émotion et plaisir. L'hypothalamus interviendrait-il là encore? Dès les années 1930, Hess note que la stimulation de régions précises de l'hypothalamus entraîne non pas le plaisir, mais la « colère » du chat. Celui-ci arque le dos, hérisse le poil, dresse la queue, crache et attaque tout ce qui bouge. La stimulation s'arrête-t-elle, la fureur du chat cesse. Certes, cette mise en colère est très artificielle. Elle ne représente qu'une manifestation extérieure et partielle d'un état affectif qui peut prendre des formes très diverses, en particulier chez l'homme. Néanmoins, l'hypothalamus joue encore ici un rôle décisif, tout comme d'autres régions de l'encéphale situées plus haut.

Papez les met en évidence dès 1937 en examinant des malades atteints par le virus de la rage. Ceux-ci présentent de graves troubles émotionnels avec angoisses, colères et terreurs qu'il attribue aux lésions provoquées par la prolifération du virus. Or, le virus attaque principalement la circonvolution de l'hippocampe. Ce « vieux cortex » correspond, nous l'avons vu (chapitre II), aux hémisphères du cerveau de reptiles et des mammifères primitifs, internalisés à la suite de l'expansion du néocortex (figure 14). Il fait partie d'un ensemble de structures appelé *lobe limbique* par Broca, structures étroitement reliées à l'hypothalamus et qui contiennent le noyau de l'amygdale et le

---

14. R. WISE, 1980.

septum. Poursuivant la démarche de Gall ou de Fritsch et Hitzig, Papez (1937) propose de localiser au niveau de cet ensemble ou « système limbique » les groupes neurones qui constituent le substrat anatomique (figure 37).

Au même moment, Klüver et Bucy (1939) effectuent chez le singe une expérience spectaculaire. L'ablation d'une grande partie du système limbique (ainsi que, d'ailleurs, des parties du cortex non limbique) provoque de surprenants changements de comportement. En voici quelques-uns. L'animal, habituellement de caractère craintif et sauvage, devient placide et calme, il s'apprivoise. En même temps, il développe des tendances orales très curieuses : il porte à sa bouche tout ce qu'il trouve, même les aliments qui ordinairement ne lui plaisent pas. Il montre aussi une activité sexuelle débordante, se masturbe sans cesse et s'accouple sans discrimination même avec des individus de son sexe, voire même d'espèces différentes. Des symptômes similaires s'observent chez l'homme du fait principalement d'une lésion de l'amygdale qui, nous l'avons dit, fait elle aussi partie du système limbique.

Certes, la genèse des émotions et leur expression ne relèvent pas de mécanismes aussi simples que les comportements « vitaux ». L'hypothalamus y participe, mais en liaison avec des formations nerveuses plus élevées, comme le système limbique. On ne peut parler de centre des émotions. Une constellation de groupes de neurones, un ensemble de *foyers d'intégration* y contribuent, mais chacun de ces ensembles de neurones est connecté à l'autre d'une manière définie, avec une précision comparable à celle des neurones du chant chez le grillon ou de la cellule de Mauthner du poisson. Reprenant les termes de Diderot [15], les connexions de ce graphe forment « une espèce d'écheveau où le moindre brin ne peut être cassé, rompu, déplacé, manquant, sans conséquence fâcheuse pour le tout ».

## Atteindre l'orgasme

L'orgasme est pour l'homme – et peut-être plus encore pour la femme – l'extase suprême. De sainte Thérèse d'Avila à Simone de Beauvoir, des bibliothèques entières ont été écrites sur la recherche de cette vague intense de plaisir et d'émotion.

---

15. D. DIDEROT, 1769.

Cependant, les descriptions précises de cet état « ineffable » manquent et notre connaissance sur ses mécanismes reste bien médiocre. Les manifestations physiologiques – contractions musculaires locales, changements du rythme cardiaque, flux sanguin – ne nous renseignent guère sur la sensation d'orgasme. Elles nous montrent toutefois que, chez la femme, cette sensation précède de deux à quatre secondes la réponse proprement

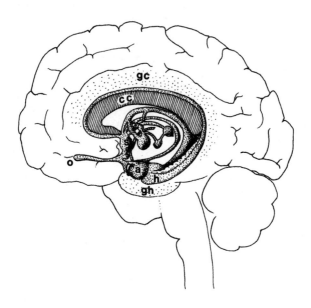

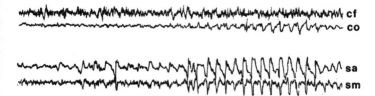

FIGURE 37

physiologique. Chez l'homme, l'orgasme peut même avoir lieu sans éjaculation. L'orgasme est donc avant tout une expérience cérébrale, et c'est au niveau de l'encéphale qu'il faut en rechercher la trace (Davidson, 1980).

Les quelques données que l'on possède sur cette trace matérielle proviennent d'enregistrements électrophysiologiques et de stimulations effectuées (comme beaucoup de travaux relatifs aux fonctions cérébrales) sur des sujets atteints de troubles neurologiques graves que seule la chimie peut soulager. Sur la soixantaine de patients étudiés par Heath (1972), la stimulation électrique de régions définies du tronc cérébral, de l'hypothalamus latéral et du septum, a provoqué une sensation de plaisir. Les synapses hédoniques existent bien chez l'homme. Interviennent-elles au moment de l'orgasme? On ne dispose pour l'instant que de quelques enregistrements effectués pendant l'orgasme sur deux sujets. Ils ne révèlent, contre toute attente, aucun bouleversement majeur de l'activité électrique du cortex cérébral. Chez l'un des sujets (de sexe masculin), des pointes et ondes lentes de grande amplitude, greffées d'oscillations rapides de potentiel, sont apparues au niveau du système limbique, dans le septum, de manière reproductible, *au moment où* était perçue la sensation d'orgasme. Par la forme, ces ondes ressemblent à celles d'une crise d'épilepsie. Elles correspondent à l'entrée en activité synchronisée d'une population importante de neurones (voir chapitre III), et chacune de ces ondes lentes résulte de la somme de milliers (voire de millions) d'impulsions électriques élémentaires. Une mini-crise épileptique se développe donc transitoirement et localement dans le septum. Chez

*Fig. 37. – Système limbique. Hérité des mammifères primitifs, cet ensemble complexe de noyaux et de voies nerveuses, richement relié à l'hypothalamus, au tronc cérébral et, évidemment, au néocortex, intervient dans la genèse des émotions et des conduites qui s'y rattachent. D'où l'importance que lui ont attribuée des auteurs comme Mac Lean (1952, 1970) ou Koestler (1967). S. septum, A, amygdale, H, hippocampe, GC, gyrus cingulaire, GH gyrus hippocampique. En dessous, tracés obtenus par enregistrements électroencéphalographiques profonds au niveau de diverses régions de l'encéphale lors du déclenchement de l'orgasme. CF : cortex fronto-temporal ; CO : cortex occipital ; Sa : septum antérieur gauche ; Sm : septum médium droit. Des ondes lentes et de grande amplitude, semblables à celles enregistrées lors de crises d'épilepsie, apparaissent, principalement, au niveau du septum (d'après Heath, 1972) (longueur de la barre : 1 seconde).*

l'autre sujet (de sexe féminin), le même phénomène rythmique a été enregistré dans le même noyau, débordant toutefois jusqu'à l'amygdale et les noyaux thalamiques, mais jamais cette mini-crise n'envahit totalement le cortex. Elle reste limitée au système limbique et aux aires adjacentes.

La chimie de l'orgasme n'a pas encore connu de développements aussi spectaculaires que celle de la couleur. Une observation importante mérite néanmoins d'être rapportée. Heath (1972) a noté que l'injection d'acétylcholine dans le septum provoquait (chez un sujet de sexe féminin) une intense sensation de plaisir sexuel qui culminait, de manière systématique, par des orgasmes répétés. L'acétylcholine déclencle l'orgasme au niveau du septum. La dopamine et les synapses hédoniques qui la contiennent auraient-elles aussi un effet à ce niveau? Peut-être, mais les données manquent... Les quelques observations additionnelles que l'on possède ne se rapportent pas au déclenchement ou à la sensation d'orgasme, mais à ses conséquences.

Les Hottentots savaient que l'élargissement du vagin chez la vache entraîne la montée du lait. Une hormone libérée dans le sang par l'hypophyse, l'oxytocine, agit sur la glande mammaire et, une fois encore, l'hypothalamus commande ce réflexe [16]. Curieusement, chez la femme (et chez l'homme aussi), un phénomène semblable a lieu au cours de l'acte sexuel. L'orgasme provoque une décharge massive d'oxytocine. Pourquoi? On l'ignore, mais, à cette occasion, d'autres peptides sont libérés dans le sang, dont la signification est plus claire.

Dès 1563, le médecin portugais Garcia d'Orta notait que l'usage de l'opium diminue l'activité sexuelle et va même jusqu'à rendre impuissant. De fait, l'administration d'opiacés de synthèse (méthadone) ou de peptides naturels diminue chez le hamster mâle le nombre d'accouplements et le pourcentage d'intromissions réussies. Les drogues qui bloquent l'effet des opiacés (naloxone, naltrexone) ont l'effet inverse. Elles provoquent en particulier des érections « hors de propos » chez l'homme comme chez le singe. Enfin et surtout, après l'orgasme, le taux sanguin de peptides de type endorphine s'accroît de manière spectaculaire [17], d'au moins un facteur 4 après cinq éjaculations (chez le hamster). Une libération similaire au

16. C. Fox et G. Knaggs, 1969; C. Fox et B. Fox, 1971.
17. M. Murphy et coll., 1979; M. Murphy, 1981.

niveau du tissu nerveux central rend vraisemblablement compte de l'abolition des sensations douloureuses, de la sensation de bien-être qui suit l'orgasme, et, pourquoi pas, des changements d'humeur le plus souvent agréables qui l'accompagnent.

La libération de ces morphines endogènes pourrait aussi expliquer la diminution de l' « appétit sexuel », qui suit (en général) l'orgasme. Une rétroaction des endorphines sur les synapses du plaisir de l'hypothalamus ou du tronc cérébral interviendrait-elle à ce moment? L'hypothèse est séduisante! Nous savons que l'hormone LHRH agit sur un noyau de l'hypothalamus comme déclencheur de la copulation (chez le mâle comme chez la femelle); or, on a récemment découvert que les opiacés bloquent la libération de LHRH, donc la mise en route de l'accouplement. Les opiacés endogènes serviraient alors de régulateurs de la *libido*. Une carence en opiacés entraînerait, au niveau de l'hypothalamus, une sensation de frustration et, par là, un accroissement de la libido. A l'opposé, leur libération consécutive à l'orgasme abolirait temporairement le désir. Le taux en opiacés endogènes libres serait-il une mesure de ce que Freud appelle, bien maladroitement, « énergie psychique »?

L'exemple de l'orgasme a été choisi pour plusieurs raisons. Assurément, cette expérience occupe une place considérable dans la vie quotidienne de l'espèce humaine. Mais là n'est pas notre propos. A la différence des comportements précédemment mentionnés, l'orgasme ne se manifeste pas par une conduite ouverte sur le monde extérieur, mais comme une sensation subjective, une expérience interne. Les données manquent pour décrire avec précision, cellule par cellule et synapse par synapse, les impulsions électriques et potentiels synaptiques divers qui en rendent compte. Les enregistrements au niveau du septum et les effets de l'acétylcholine à ce niveau suffisent néanmoins pour étendre aux expériences intérieures, comme l'orgasme, les conclusions documentées avec soin dans le cas de comportements ou conduites ouverts sur le monde extérieur. Mêmes partiels, ces processus électriques et chimiques suffisent pour notre propos.

Il ne faut cependant pas sous-estimer à nouveau l'importance de la diversité des neurones mis à contribution, même si ceux-ci ne constituent qu'une faible fraction des neurones de l'encéphale. La multiplicité des médiateurs chimiques impliqués l'illustre ici de manière frappante. Acétylcholine, morphines endogènes, dopamine marquent quelques-uns de ces groupes de neurones. Le tableau chimique des cellules qui participent à une sensation aussi définie que l'orgasme ressemble plus à une toile de Seurat qu'à une composition de Mondrian.

Il y a quelques années, la découverte des transmetteurs chimiques a pu un moment laisser croire qu'il serait possible d'assigner à chaque comportement ou sensation une étiquette chimique définie. L'exemple de la chimie de l'orgasme montre que les choses ne sont pas si simples! On ne peut pas dire qu'il existe un transmetteur du chant, de la douleur ou de la « déprime ». On peut seulement dire que le graphe de neurones mobilisé par tel comportement ou telle sensation comprend un ou plusieurs « *chaînon(s)* critique(s) » qui emploie(nt) de manière privilégiée un neurotransmetteur particulier. La dissection chimique de ce chaînon interférera certes avec l'actualisation du comportement. Mais, si le même neurotransmetteur existe dans des neurones qui font partie d'un autre réseau, il y a de grandes chances que le bistouri chimique s'attaque aussi à celui-là. La morphine bloque les messages douloureux de la moelle, mais rend impuissant au niveau de l'hypothalamus. Les critiques adressées par Jackson et Head à la notion trop étroite de centre s'applique au codage chimique. Il n'y a pas de transmetteur de la colère ou du plaisir, pas plus qu'il n'existe de centre unique. Alors, « l'organisation suffirait-elle à tout? Oui, encore une fois », écrivait La Mettrie. A condition évidemment d'y inclure la chimie!

### Analyser

L'encéphale de l'homme se caractérise, nous le savons, par le développement privilégié du néocortex. Au cours de l'évolution des mammifères, sa surface augmente avec le nombre de ses neurones et de ses synapses (chapitre II). Corrélativement, les structures sous-jacentes, en particulier le système limbique, l'hypothalamus, le tronc cérébral, changent peu. Un chat privé de cortex cérébral à la naissance est capable de marcher, courir, grimper, de se nourrir et même d'attaquer des objets qui bougent. De même, un bébé, né sans cortex, s'éveille et dort régulièrement, tète, suce son pouce, se redresse, bâille, s'étire et pleure. Il suit des yeux un stimulus visuel et répond à un signal sonore. Il repousse des objets déplaisants, il est capable de mouvements volontaires. La réalisation des comportements automatiques et même de certains comportements volontaires dépend donc plus des structures « enveloppées » par le néocortex que du cortex lui-même.

L'accès à une description des fonctions du cortex en des termes semblables à ceux employés pour le chant du grillon ou la prise de boisson chez le rat paraît utopique. Cependant, une manière de faire très concrète consiste à prendre à la lettre la proposition de J. Z. Young selon laquelle « l'organisme est une représentation de son environnement ». Si cette proposition s'applique au néocortex, on devrait découvrir cette (ou ces) représentation(s) anatomique(s) en explorant sa surface, et la « lecture de ces signes » (s'ils existent) devrait nous aider à définir son rôle.

Depuis la fin du XIXᵉ siècle, avec Munk, Ferrier, Brodmann et plus récemment Hubel et Wiesel, on sait que les organes des sens se projettent, après le relais thalamique, sur des aires distinctes du cortex (voir figure 6). Celles-ci sont situées dans les régions occipitale pour la vision, temporale pour l'audition, pariétale pour le toucher... Chacune de ces surfaces « représente » donc un paramètre physique auquel l'organe sensoriel considéré est sensible. Une première représentation du monde sur le cortex se compose donc d'un découpage en territoires (en « continents ») correspondant aux grandes catégories de signaux physiques qui pénètrent, indirectement, à l'intérieur de l'organisme *via* les nerfs sensoriels et les impulsions qui y circulent.

La cartographie à grande échelle de ces territoires corticaux a révélé de surprenants détails. Prenons le cas du toucher. Les récepteurs sensoriels concernés se rencontrent sur toute la surface du corps et aussi en profondeur. Stimulons localement, par exemple, le pouce chez le singe, et essayons d'enregistrer une réponse électrique évoquée (voir chapitre III) au niveau du territoire spécialisé dans cette sensibilité (les aires 1, 2 et 3 du lobe pariétal). Les premiers enregistrements déçoivent. Si l'électrode est placée au hasard dans cette région, aucune réponse évoquée ne s'observe, et cela, quelle que soit l'intensité de la stimulation. Déplaçons alors systématiquement l'électrode d'un point à l'autre du territoire cortical. Soudain, le potentiel électrique saute. Quelques millimètres plus loin, la fluctuation disparaît. Plus de réponse du pouce, mais une réponse à l'index la remplace. De proche en proche, une main se dessine. En poursuivant cette exploration, une moitié entière du corps

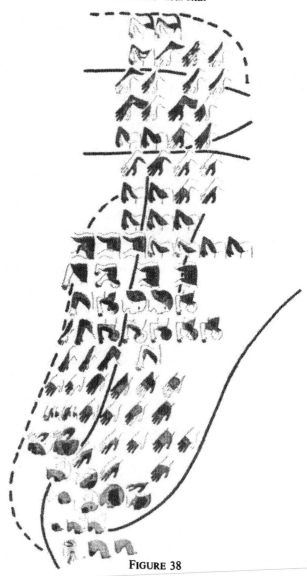

FIGURE 38

apparaît (celle qui correspond au côté opposé de l'hémisphère exploré). La *figurine* ainsi tracée à la surface du cortex se met à ressembler au singe (figure 38 et 39). On reconnaît successivement, remontant de la base du cerveau vers le sommet, la langue, la tête, le membre antérieur et la main, le corps, le membre postérieur et le pied, la queue [18]. Évidemment, la ressemblance n'est pas parfaite. D'abord, le corps occupe les trois dimensions de l'espace, alors que la figurine n'en a que deux. La perte d'une dimension entraîne une déformation de la projection. Des discontinuités entre régions contiguës du corps s'observent aussi. La face, par exemple, se trouve séparée du reste de la tête. Enfin et surtout, la surface relative occupée par certaines régions du corps paraît disproportionnée. La main, par exemple, est gigantesque, sa surface égale presque celle de tout le reste du corps. Passant du singe au rat, la carte ne sera pas envahie par la main mais par le museau, et plus particulièrement par les moustaches (figures 39 A et 57). Chez l'homme, des cartes semblables ont été trouvées par Penfield et Rasmussen (1957) à partir d'un ensemble important d'observations effectuées sur des patients épileptiques ou souffrant de lésions discrètes du cortex. La figurine obtenue ou homoncule sensoriel possède d'énormes lèvres, une main immense, des pieds moins importants, un tronc et un sexe ridiculement petits. Chez le singe, chez le rat comme chez l'homme, l'occupation du cortex paraît sans relation avec la surface réelle du corps, mais souligne l'importance de l'organe représenté dans la vie sensorielle de l'individu : les moustaches chez le rat, la main chez le singe, la bouche et la main chez l'homme. Elle est, en fait, directement proportionnelle à la densité des terminaisons sensorielles présentes à la surface du corps. Elle constitue une *image des points de contact* de l'individu avec le monde extérieur (figures 38 et 39).

L'oreille, la rétine se projettent également sur le cortex, mais

---

18. C. Woolsey, 1958.

---

*Fig. 38. – Carte de l'aire du toucher chez le macaque. Chaque petite figure indique un point d'enregistrement de la surface du cortex. La région du corps reproduite est celle dont la stimulation provoque une réponse à ce point précis d'enregistrement. Ainsi, la stimulation tactile de la queue entraîne une réponse dans la région dorsale (en haut de la carte), celle de la langue dans la partie ventrale (en bas de la carte) (d'après Woolsey, 1958).*

suivant une figure qui ne ressemble en rien à un homoncule. Dans le cas des récepteurs du toucher, tout le corps sert en quelque sorte d'organe sensoriel. Avec la vision, la situation est différente. On ne voit ni avec les mains, ni avec les lèvres. La carte corticale reproduit la distribution des neurones qui tapissent le fond de l'œil et reçoivent exclusivement l'image « réelle » et renversée donnée du monde extérieur par le cristallin. Sur l'aire visuelle primaire (aire 17), la représentation de la rétine est toutefois très déformée. Celle-ci paraît coupée en deux et les relations entre points voisins ne sont conservées que pour chaque demi-rétine. La carte corticale devient difficile à lire. La simplicité du découpage et la régularité « mathématique » de la projection de la rétine à la surface du cortex permettent néanmoins de s'y retrouver.

Poursuivant ces observations sur diverses espèces de mammifères et traçant des cartes de plus en plus précises, Merzenich, Kaas et leurs collaborateurs [19] ont fait une remarquable découverte. Au niveau du territoire que nous savons concerné par la sensibilité du toucher, ils ont constaté chez le singe qu'au lieu d'une seule figurine, il y en avait en fait plusieurs, allongées les unes à côté des autres. Chaque figurine joue un rôle distinct de la voisine. Une première répond à certains récepteurs de la peau, une seconde répond toujours à la peau mais pas aux mêmes récepteurs; sur une troisième se projettent les récepteurs sensoriels présents dans les muscles; une quatrième enfin correspond à des récepteurs profonds d'une autre nature. La même situation s'observe dans le cas du système visuel. On trouve chez le singe *jusqu'à huit* représentations de la rétine qui se répartissent dans le voisinage de l'aire *primaire* (aire 17). Juxtaposées les unes aux autres, elles occupent les aires du cortex dites *d'association.* Ici encore, ce ne sont pas exactement les mêmes « traits » du monde visuel qui se trouvent analysés par chaque représentation. Certaines projections se spécialisent plutôt dans la reconnaissance des orientations, d'autres dans celle des directions, d'autres encore dans l'identification des couleurs (figure 39).

Cette multiplicité des *représentations* corticales se retrouve-t-elle également chez toutes les espèces de mammifères? Tandis que le hérisson, insectivore primitif, ne possède que deux représentations de la rétine, il y en a huit chez le macaque. De

---

19. J. KAAS et coll., 1979, 1981.

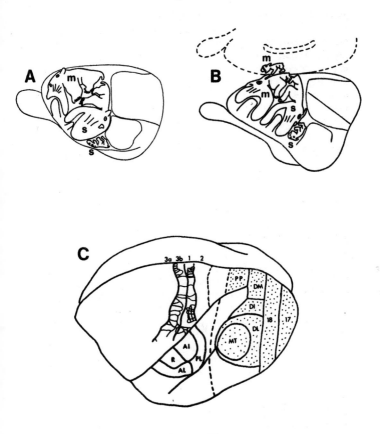

FIGURE 39

*Fig. 39. – Représentation du corps au niveau des aires motrices (m) et de la sensibilité du corps (ou somato-sensorielle) (s) du cortex chez le rat (A) et le lapin (B). La surface occupée par le museau et en particulier les moustaches est considérable chez le rat et se trouve en relation avec l'importance de ce sens dans la vie de l'animal (d'après Woolsey, 1958). Chez un singe évolué l'Aotus (owl-monkey) (C), le nombre de « représentations » sensorielles s'accroît de manière remarquable. Les aires de la région occipitale (en pointillé) étiquetées 17, 18, DL, DI, DM, PP, MT, correspondent chacune à une carte de la rétine (d'après Kaas, et coll., 1979).*

même, l'oreille se projette sur deux emplacements distincts chez l'écureuil, mais on en trouve trois chez un singe primitif, le tupaye, quatre chez l'Aotus, six chez le rhésus. Le *nombre* de représentations s'accroît en même temps que le néocortex augmente de surface. Leur dénombrement n'a pas encore été effectué chez l'homme. On s'attend qu'elles soient encore plus nombreuses que chez le singe. La multiplication de ces représentations coïncide avec une extraction de traits de plus en plus variés et complexes de l'environnement. Elle matérialise, pour reprendre le terme de Pavlov, une *analyse* de plus en plus poussée de celui-ci.

## Parler et faire

Le cortex ne sert pas seulement d'analyseur, il joue aussi un rôle d'acteur. Toutefois, la surface dévolue à la commande motrice proprement dite (aire 4) paraît à première vue faible par rapport à celle dévolue à l'analyse. Elle est du même ordre que celle spécialisée dans la sensibilité corporelle, mais suffit pour faire exécuter contractions et détentes musculaires par lesquelles passe, en définitive, toute action sur l'environnement. Dès 1870, Fritsch et Hitzig avaient noté que des stimulations électriques de cette aire chez l'animal entraînaient, suivant l'emplacement, des mouvements soit de la patte antérieure, soit de la patte postérieure, soit du cou. Des études récentes de « microstimulations » locales effectuées de proche en proche à la surface de cette aire motrice ont confirmé ces premières observations. Mieux, une figurine se dessine, qui ressemble à s'y méprendre à celles mises en évidence sur les aires sensorielles 1, 2 et 3, avec néanmoins quelques différences significatives. Chez l'homme, la surface occupée par la représentation des muscles de la main et par celle de la bouche et du larynx devient démesurément grande. A l'homoncule sensoriel se juxtapose un étonnant homoncule moteur. Le cortex cérébral se couvre de curieux hiéroglyphes qui paraissent sortis d'un codex maya.

Ce système de représentation concerne-t-il aussi la communication sociale? Celle-ci repose pour une grande part sur le langage. Une partie importante de la surface du cortex y est consacrée. L'histoire de la découverte de ces « centres » reprend celle, plus générale, des localisations cérébrales (voir chapitre I). Les travaux qui ont suivi ceux de Broca, en particulier les plus récents effectués par radiographie X à haute résolution suivant des plans successifs (scannographie) (figure 40), confirment leur présence sur *un seul hémisphère,* dans plus de 90 % des cas de gauche. « Nous parlons avec l'hémisphère gauche », écrivait Broca dès 1861. La lésion de l'aire décrite par celui-ci dans la partie inférieure et postérieure du lobe frontal (aire 44) entraîne, nous le savons (voir chapitre I), des troubles caractéristiques de l'élocution. Le patient parle lentement, déforme les mots, emploie surtout des noms, des verbes à l'infinitif. Sa grammaire est rudimentaire. Il écrit avec les mêmes difficultés, mais chante fort bien. L'aire de Broca n'est pas simplement l'aire motrice des muscles de la bouche et du larynx.

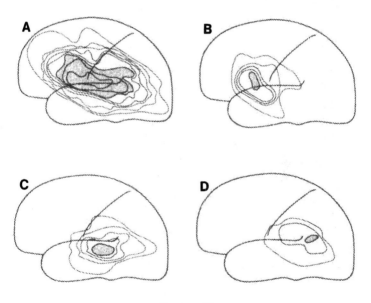

FIGURE 40

*Fig. 40. – Lésions du cortex cérébral entraînant des troubles du langage chez l'homme, repérés ici par scannographie. Les courbes de niveau définissent la superposition des lésions. A, aphasie globale; B, aphasie de Broca; C, aphasie de Wernicke; D, aphasie dite « de conduction » (d'après Vignolo, 1979).*

Quelques années après Broca, Wernicke montrait que la destruction de l'aire 22 située sur le même hémisphère, au niveau du lobe temporal (près de l'aire auditive), provoque des troubles d'une autre nature. Les patients parlent facilement, leurs mots s'enchaînent en phrases parfaitement structurées, mais le discours est vide de sens. L'association des mots en phrases signifiantes ne se fait pas, des troubles surviennent aussi dans l'écriture. Il ne s'agit pas simplement d'un déficit auditif. Toujours sur l'hémisphère gauche, la lésion d'un aire discrète du lobal temporal, le gyrus angulaire (aire 39), crée des troubles de la lecture et de l'écriture sans une perturbation aussi importante du langage parlé. Cette liste n'est pas complète. Un ensemble d'aires corticales, chaque jour plus étoffé, est mis en cause dans la production et la compréhension du langage. Ce « patchwork » envahit des territoires autrefois répertoriés, là aussi, sous la rubrique d'aires d'association. Une part considérable de la surface du cortex cérébral propre à l'homme (aires 44-46, 39, 40) est consacrée à la communication sociale (figure 6).

L'exploration de plus en plus approfondie du cortex cérébral conduit à la découverte de signes nouveaux sur l'*ex-terra incognita* des aires d'association. Les premières cartes de Gall, divisées en 27 territoires, paraissent aujourd'hui bien simples. On y découvre encore des villes entières. La parcellisation du cortex se poursuit [20].

La limite ultime de cette parcellisation fonctionnelle est la *cellule nerveuse* elle-même. L'exploration du cortex cellule par cellule a déjà révélé, par exemple au niveau du cortex visuel (voir chapitre II), une remarquable spécialisation fonctionnelle : certaines cellules répondent à un seul œil, d'autres aux deux; d'autres encore à des barres lumineuses orientées d'une manière particulière, ou à des points se déplaçant dans une direction privilégiée. Sur une même figurine sensorielle, deux neurones qui répondraient « exactement » de la même manière à un même signal sensoriel différeraient encore du fait qu'ils n'ont pas exactement la même position sur la carte et se trouvent donc reliés à des cellules sensorielles topographiquement distinctes à la surface du corps ou de la rétine. Si l'on prend en compte le fait qu'il y a environ 15 millions de neurones par $cm^2$ de surface de cortex, et qu'une même figurine peut atteindre plusieurs $cm^2$

---

20. Voir B. KOLB et I. WISHAW, 1980; H. HECAEN et M. ALBERT, 1978.

chez l'homme, le répertoire des *singularités* (chapitre II) devient gigantesque.

Au niveau du cortex d'association, les choses se compliquent encore. La distinction entre aires motrices et sensorielles s'évanouit. Chez le singe, dans l'aire 5 du lobe pariétal, Mountcastle (1975) a classé 90 % des cellules comme sensorielles. Les 10 % restant sont des cellules motrices insensibles à tout stimulus sensoriel et concernées par la projection du bras vers une cible. Dans l'aire 7, considérée comme aire d'association typique, certains neurones entrent en activité lorsque le singe fixe le regard, d'autres lorsque celui-ci poursuit du regard un spot lumineux dans une direction privilégiée, d'autres encore lorsque l'œil effectue des mouvements rapides de faible amplitude ou saccade (figure 41). Le nombre des cellules échantillonnées est encore très petit. Plus l'exploration se poursuit, plus il apparaît que chaque neurone possède une « singularité » particulière. La redondance vraie est faible.

La corrélation entre l'entrée en activité des cellules corticales et les opérations d'analyse effectuées par les multiples aires sensorielles est, dans un certain nombre de cas précis, bien établie (voir chapitres II et III). C'est le cas aussi des cellules motrices de l'aire 7 du lobe pariétal, qui viennent d'être mentionnées et dont l'activité va de pair avec des mouvements précis de l'œil. La situation n'est plus aussi simple toutefois que dans le cas du chant du grillon ou du comportement de fuite du poisson. Une *rafale* d'impulsions remplace le signal électrique unique; de plus la superposition des tracés obtenus avec un même neurone pour des mouvements répétés de l'œil n'est pas parfaite (figure 41). L'augmentation de fréquence des impulsions reste cependant « en moyenne » la même d'une saccade de l'œil à l'autre.

La connectivité de ces neurones n'est toujours pas établie dans le détail. On connaît mieux celle des neurones du cortex moteur (aire 4) qui commandent les mouvements fins de la main chez le singe. L'axone de ces cellules pyramidables géantes, les cellules de Betz (voir chapitre II), sort du cortex, pénètre dans la moelle épinière et entre en contact avec les neurones moteurs qui forment directement synapse sur le muscle. Leur position « hiérarchique » ressemble en quelque sorte à celle de la cellule de Mauthner du poisson. Evarts (1981) a enregistré chez le singe l'entrée en activité de ces neurones lorsque l'animal effectue des mouvements fins de la main. Fait remarquable, des

rafales d'impulsions non seulement accompagnent ce mouvement, mais le *précèdent*. On ignore pour l'instant la plupart des
neurotransmetteurs intrinsèques au cortex cérébral, mais un
codage chimique semblable à celui mis en évidence dans
l'hypothalamus et dans la moelle y joue très vraisemblablement
un rôle similaire.

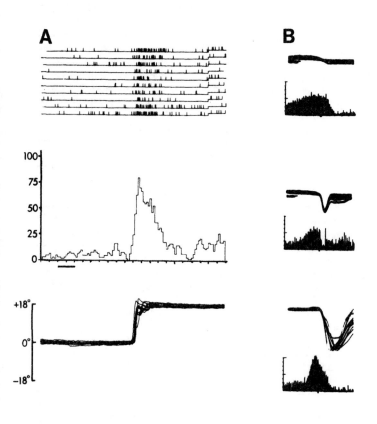

FIGURE 41

*Du stimulus à la réponse*

A la recherche «behavioriste» de règles phénoménologiques pouvant exister entre un stimulus du monde extérieur et une réponse comportementale succède désormais, plus en profondeur, une entreprise de décodage d'impulsions électriques ou de signaux chimiques et de débrouillage de réseaux de neurones et de leurs connexions. Les données déjà obtenues, bien que fragmentaires, suffisent pour nous permettre de conclure avec sécurité que tout comportement, toute sensation s'expliquent par la *mobilisation interne* d'un ensemble topologiquement défini de cellules nerveuses, un graphe qui lui est propre. La « géographie » de ce réseau détermine de manière critique la spécificité de la fonction. L'exemple de l'orgasme ou des émotions montre que les neurones engagés ici dans une sensation appartiennent à la fois à plusieurs centres : hypothalamus, système limbique et, aussi, néocortex (voir chapitre VI). Le passage à l'acte, chez le grillon, ne fait intervenir qu'un réseau de quelques dizaines ou quelques centaines de neurones. Chez l'homme, la plus simple opération motrice engage de vastes ensembles de cellules nerveuses, simultanément, *à plusieurs niveaux*. Dans ces conditions, il paraît bien artificiel de découper l'encéphale en « pelures » successives – reptilienne, paléo-

Fig. 41. – *Activité de neurones du cortex cérébral en relation avec la commande du mouvement des yeux (aire 7 du cortex d'association, figure de gauche) et de la main (aire 4 motrice, figure de droite) chez le macaque. A, l'activité d'un même neurone est enregistrée lors d'un mouvement brusque de l'œil, ou saccade, déclenchée par un signal lumineux. Chaque trait vertical correspond à une impulsion et chaque ligne à un enregistrement effectué lors d'une saccade de l'œil. Il n'y a pas superposition exacte d'un tracé à l'autre. Le total des impulsions enregistrées par seconde est porté en fonction du temps sur la figure du centre (barre horizontale 0,2 seconde). L'entrée en activité du neurone précède et accompagne le mouvement de l'œil : celui-ci est représenté en bas par un trait continu (d'après Mountcastle, 1975). B, entrée en activité d'un neurone de l'aire 4 motrice lors d'un mouvement de la main (tracé continu). Le nombre d'impulsions par seconde est porté en fonction du temps (longueur totale de l'enregistrement 1 seconde) comme en A (figure du centre). Diagramme du haut : mouvement fin de rotation d'une poignée; au centre : le même mouvement perturbé par une rotation imposée de la poignée; en bas : mouvement de grande amplitude ou ballistique. D'une manière générale, l'entrée en activité du neurone précède le mouvement et l'accompagne. Noter une chute d'activité au milieu du mouvement perturbé (d'après Evarts, 1981).*

et néo-mammalienne [21] – ou bien encore de subdiviser le cortex en une mosaïque d'aires distinctes, sauf si l'on considère d'emblée que leurs points se situent aux nœuds critiques de « toiles d'araignée [22] » qui s'étendent à la fois verticalement (de la moelle au cortex) et horizontalement (dans le plan du cortex) et qui sont propres à chaque comportement ou sensation.

Le néocortex, dans ces conditions, permet à l'organisme, et tout particulièrement à l'homme, de s'ouvrir au monde physique et social qui l'entoure, de l'analyser dans la multiplicité de ses détails et dans la diversité de ses schémas d'organisation. L'accroissement au cours de l'Évolution du nombre de représentations physiques, cartes, figurines, homoncules à sa surface témoigne de l'élargissement de ses capacités d'interaction, de l'appréhension de domaines de plus en plus vastes de l'univers.

La mobilisation des neurones qui composent le réseau particulier d'un acte ou d'une sensation peut s'effectuer, suivant le schéma classique, à la réception d'un stimulus par les organes des sens. Le réglage des « oscillateurs » présents dans les récepteurs sensoriels (voir chapitre III) se traduit par des variations de fréquence, de nombre d'impulsions, par des silences, suivant des modalités de codage somme toute très pauvres. S'il était possible de brancher l'œil sur le bout central du nerf auditif, on « entendrait », c'est-à-dire que l'on aurait une sensation sonore avec l'œil. En d'autres termes, une fois franchies les limites de l'organisme, la spécificité du signal physique est codée par la connectivité, son intensité et son évolution dans le temps par les impulsions. Enfin, certains comportements, comme le chant du grillon, se déroulent dans le temps sans que soit requise à chaque instant une interaction avec le monde extérieur. L'entrée en activité *spontanée* d'oscillateurs rend compte de ces automatismes.

La chimie apporte une dimension nouvelle au codage interne. Libérés par des neurones précis en des quantités qui dépendent du nombre d'impulsions, neurotransmetteurs et hormones prennent le relais à la fois du codage connexionnel et du codage par impulsions. Leur diffusion sur de grandes distances peut avoir lieu, mais, le plus souvent, reste confinée à l'espace synaptique.

---

21. W. McLean, 1970.
22. D. Diderot, 1769.

Ici le neurotransmetteur excitera, là il inhibera. Des calculs deviennent possibles, qui s'enchaînent d'un neurone à l'autre.

Cet ensemble d'observations et de réfléxions conduit non seulement à prendre en compte les mécanismes internes du comportement, mais à adopter vis-à-vis d'eux un point de vue déterministe. Rien ne s'oppose plus désormais, sur le plan théorique, à ce que les conduites de l'homme soient décrites en termes d'activités neuronales. Il est grand temps que l'*Homme Neuronal* entre en scène.

# V

## Les objets mentaux

> « C'est parce que quelque chose des objets
> extérieurs pénètre en nous que nous voyons les
> formes et que nous pensons. »
>
> ÉPICURE,
> *Lettre à Hérodote.*

> « Je montrerai non seulement qu'il n'y a pas de
> théorie de l'apprentissage mais que, dans un
> certain sens, il ne peut pas y en avoir. »
>
> J. FODOR (1980).

L'encéphale de l'homme se présente à nous comme un gigantesque assemblage de dizaines de milliards de « toiles d'araignée » neuronales enchevêtrées les unes aux autres et dans lesquelles « crépitent » et se propagent des myriades d'impulsions électriques prises en relais ici et là par une riche palette de signaux chimiques. L'organisation anatomique et chimique de cette machine est d'une redoutable complexité, mais le simple fait que cette machine puisse se décomposer en « rouages-neurones » dont on puisse saisir les « mouvements-pulsions » justifie l'engagement téméraire des mécanistes du XVIIIᵉ siècle. « Tout ce qui se fait dans le corps de l'homme est aussi mécanique que ce qui se fait dans une montre », écrivait Leibniz. Certes, le cerveau humain n'indique pas l'heure, et en ce XXᵉ siècle finissant, l'image de la montre peut paraître naïve et beaucoup trop réductrice. On lui préfère souvent celle de l'ordinateur, aux performances plus spectaculaires. Elle ne lui est pas supérieure : dans l'un et l'autre cas, il s'agit de machines, là est l'essentiel. Mais chacune d'elles possède des propriétés bien à elle, radicalement différentes de celles de la machine cérébrale.

La comparaison avec l'ordinateur-machine cybernétique a été utile pour introduire la notion de « codage interne » du comportement. Elle présente toutefois l'inconvénient de laisser implicitement supposer que le cerveau fonctionne *comme* un ordinateur. L'analogie est trompeuse.

Dans tout ordinateur construit par l'homme à ce jour, on distingue la bande magnétique-programme de la machine construite en « *dur* ». Le cerveau humain, lui, ne peut se concevoir seulement comme exécutant un quelconque programme introduit par les organes des sens. Un des traits caractéristiques de la machine cérébrale est d'abord que le codage interne fait intervenir *à la fois,* nous l'avons vu, un codage topologique de connexions décrit par un graphe neuronique et un codage d'impulsions électriques ou de signaux chimiques. Ici, la distinction classique « hardware-software » ne tient pas. D'autre part, il est évident que le cerveau de l'homme est capable de développer des stratégies de manière autonome. Anticipant les événements, il construit ses propres programmes. Cette faculté *d'auto-organisation* constitue un des traits les plus saillants de la machine cérébrale humaine [1], dont le produit suprême est la pensée.

Celle-ci existe sous forme rudimentaire chez les mammifères non humains. Les grands carnivores développent des stratégies de chasse parfois très élaborées. On sait aussi que le chimpanzé emploie un fétu de paille pour pêcher les termites. La pensée se développe progressivement au cours de l'évolution et ce développement correspond à celui de l'encéphale.

Le cerveau, machine à penser? Bergson, dans *Matière et Mémoire,* écrivait que « le système nerveux n'a rien d'un appareil qui servirait à fabriquer ou même à préparer des représentations ». La thèse développée dans ce chapitre est l'exact contre-pied de celle de Bergson. L'encéphale de l'homme que l'on sait *contenir,* dans l'organisation anatomique de son cortex, des représentations du monde qui l'entoure, est aussi *capable* d'en construire et de les utiliser dans ses calculs [2].

Essayons d'examiner les fondements biologiques de ces

---

1. H. ATLAN, 1979; A. BOURGUIGNON, 1981 b.
2. J. FODOR, 1975, 1981.

facultés considérées traditionnellement comme relevant du « psychisme ».

### Matérialité des images mentales

« La Joconde visite le Japon. » Personne n'hésite sur la signification de cette phrase. Le célèbre tableau de Léonard de Vinci a été transporté jusqu'à Tokyo pour une exposition. Chacun a présent à l'esprit l'image de cette femme (ou éphèbe travesti) au sourire désenchanté, les mains croisées sur le ventre. Il faudra sans doute faire un effort pour se rappeler laquelle des deux mains se superpose à l'autre et si, au second plan, le paysage est de plaine ou de montagne. Il n'en reste pas moins vrai que le mot Joconde évoque une *image mentale,* une « vision intérieure » du tableau de Léonard, des mois, voire même des années, après l'avoir vu au Louvre. L'évocation de cette image est de caractère *privé,* elle fait appel à l'introspection. Néanmoins, personne ne doutera de la reproductibilité de l'expérience. Le dessin du tableau effectué de mémoire, après la visite, par un spectateur un peu doué permet même de communiquer cette expérience intérieure par une réponse graphique qui devrait convaincre les behavioristes les plus obstinés.

Les Anciens avaient déjà pris conscience de l'existence de ces images. Épicure puis Lucrèce les qualifiaient de *simulacres,* et Aristote les comparait à « l'empreinte laissée par un sceau sur une tablette de cire ». L'intérêt pour l'image mentale se poursuit à l'époque classique par la pensée empiriste de Locke, de Hume en Angleterre, de Condillac en France, et jusqu'à la fin du XIXe siècle avec les associationnistes, en particulier Taine, Binet, Ribot en France. C'est l'âge d'or de l'image. Les images sont promues au rang d'unités élémentaires de l'esprit humain.

Mais une réaction anti-image ne tarde pas à se manifester. Watson (1913) exclut de son catéchisme behavioriste « tous les termes subjectifs comme sensation, perception, image... ». Résultat de cette censure : les recherches sur l'imagerie mentale s'arrêteront pendant près d'un demi-siècle. Fort heureusement, la balance penche à nouveau de son côté [3]. On ne doute plus aujourd'hui de l'existence des images mentales. Elles sont désormais soumises à la mesure.

---

3. M. Denis, 1979, S. Kosslyn, 1980.

La méthode employée par Shepard et ses collaborateurs [4] est fort simple. Le sujet est assis devant un écran de télévision, on fait apparaître sur l'écran des objets, des figures géométriques de formes variées, « synthétisés » par un ordinateur, par exemple des assemblages de cubes en perspective (figure 42). On demande au sujet de comparer deux figures placées côte à côte. Il s'agit du même assemblage, mais vu sous des angles différents. En observant attentivement les deux figures, le sujet ne tarde pas à vérifier qu'elles se rapportent au même objet, que l'une se déduit de l'autre par une rotation. Elles sont congruentes. Il prend cependant un certain temps pour effectuer cette opération mentale. L'expérience consiste à mesurer ce temps lorsque l'on fait varier l'angle de rotation entre les deux figures. Un signal sonore retentit, les objets sont présentés au sujet; dès qu'il a vérifié leur congruence, il appuie sur un levier. Résultat : le temps de réaction est bref lorsque l'angle de rotation entre les deux objets est faible, il est long lorsque cet angle est grand. D'une manière générale, ce temps augmente linéairement avec l'angle de rotation. Reprenant les termes de Shepard et Metzler on peut décrire « la détermination de l'identité des formes

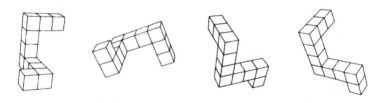

FIGURE 42

*Fig. 42. – Le cerveau de l'homme construit des « représentations ». Les plus étudiées sont les images mentales ou « de mémoire ». Dans une série d'expériences ingénieuses, Shepard et Metzler (1971) et Shepard et Judo (1976) ont tenté d'en mettre en évidence la réalité physique. Par exemple, un objet, ici un assemblage de cubes, est présenté au sujet et on lui demande si oui ou non l'objet voisin s'en déduit par rotation. Le temps mis par le sujet pour prendre cette situation est mesuré (d'après Shepard et Judo, 1976).*

4. R. SHEPARD et J. METZLER, 1971; R. SHEPARD et S. JUDO, 1976.

comme une sorte de *rotation mentale dans l'espace à trois dimensions* qui s'effectue avec une vitesse d'environ 60° par seconde ». Le sujet fait tourner mentalement une *représentation* de l'objet, une « image mentale » qui se comporte *comme si* elle possédait une rigidité physique et même une vitesse de rotation mesurable.

La matérialité de ces représentations est également illustrée de manière frappante par l'expérience d'exploration d'une île imaginaire récemment réalisée par Kosslyn (1980). Celui-ci demande d'abord à ses sujets de dessiner la carte d'une île, par exemple l' « Ile au trésor », avec la plage, la hutte, le rocher, les cocotiers, le trésor, etc., disposés en des points précis de l'île. Puis il enlève la carte et demande au sujet d'effectuer « en imagination » une exploration de celle-ci. D'abord, on se trouve sur la plage. L'expérimentateur énonce le mot « cocotier ». Le sujet cherche mentalement sur la carte l'emplacement des cocotiers et appuie sur un bouton dès qu'il l'a trouvé. Le temps séparant la présentation du mot « cocotier » de la réponse « touché » est mesuré. On répète maintenant l'expérience avec la hutte, le trésor, et, à titre de contrôle, avec des emplacements qui ne se trouvaient pas sur la carte initiale. Fait remarquable, la durée de l'exploration mentale varie de manière linéaire avec *les distances réelles* des points marqués par le sujet sur la carte, de la plage au cocotier, à la hutte, au trésor. La carte mentale contient donc la même information sur les *distances* que la carte réelle.

Enfin, le même auteur a fait effectuer à ses sujets une exploration mentale semblable à celle de l'île déserte, désormais avec un animal connu : un éléphant. Le sujet devra répondre à une question comme « Combien d'ongles à la patte ? » en imaginant l'éléphant dans des cadres de dimensions variant de quelques centimètres à plusieurs mètres. Plus le cadre est petit, plus le sujet met de temps à « voir » la propriété demandée. Souvent, après l'expérience, il mentionne qu'il a dû effectuer un « zoom » mental pour examiner les détails des images les plus petites. Cet espace imaginaire a en outre des *limites*. S'il est déjà occupé par une grande image d'éléphant, seul un lièvre ou un scarabée pourra s'insérer dans l'espace restant.

Toutes ces expériences font certes intervenir l'introspection du sujet, mais elles conduisent à des mesures et celles-ci sont reproductibles d'un sujet à l'autre. La matérialité des images mentales ne peut être mise en doute.

*Percept, concept, pensée*

Les images mentales, telles que nous venons de les définir, surgissent de manière spontanée et volontaire, en l'absence physique de l'objet. Elles mettent en œuvre la mémoire. Par définition, ce sont des images de mémoire, distinctes d'une sensation ou d'une perception qui, l'une et l'autre, ont lieu *en présence* de l'objet. Jusqu'à ce chapitre, le terme « sensation » a été employé, à dessein, pour désigner le résultat immédiat de l'entrée en activité de récepteurs sensoriels, réservant le terme

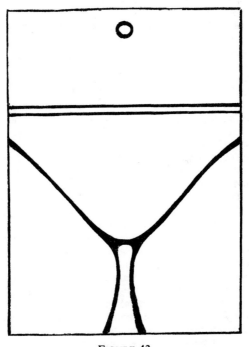

FIGURE 43

*Fig. 43. – Figure ambiguë. Coupe à champagne ou monokini? Le même percept évoque ici deux concepts distincts (d'après Shepard, 1978).*

« perception » pour l'étape finale qui, chez le sujet alerte et attentif, aboutit à la reconnaissance et à l'identification de l'objet. La distinction entre sensation et perception est particulièrement évidente lorsqu'on examine une figure ambiguë comme celle-ci (figure 43). Que représente ce dessin? Une coupe à champagne ou un monokini? La réponse est tantôt l'une, tantôt l'autre. La « sensation visuelle » de l'œil au cortex est unique. Mais elle donne lieu à deux perceptions distinctes, totalement irréductibles l'une à l'autre. A chacune d'elles s'attache un sens différent. Les images mentales évoquent en général, elles aussi, des scènes ou des objets identifiés et « rappellent » une perception plutôt qu'une sensation. S'il en est bien ainsi, l'image mentale conserve-t-elle une quelconque parenté avec le *percept* initial?

L'expérience réalisée par Perky dès le début de ce siècle (1910) le suggère fortement. Celui-ci place le sujet devant un écran translucide marqué d'un point en son centre. Le sujet doit fixer le point et, en même temps, *imaginer* une tomate. Pendant ce temps-là, en cachette, l'expérimentateur projette sur l'autre face de l'écran le contour d'une tomate en lumière rouge, mais avec une intensité inférieure au seuil de perception. Progressivement, on augmente l'intensité lumineuse jusqu'à ce qu'elle dépasse le seuil perceptif. Le sujet continue de déclarer qu'il s'agit d'une tomate imaginaire. Il confond l'image et la perception de l'objet. La parenté entre percept et image est évidente!

Si cette parenté existe, percept et image doivent non seulement pouvoir être confondus, mais, s'ils portent sur des objets différents, entrer en compétition. Reprenant un dispositif semblable à celui de Perky, Segal et Fusella (1970) projettent désormais, au lieu d'une tomate, une tache blanche sur l'écran, dont ils font toujours varier l'intensité lumineuse. Ils demandent maintenant au sujet d'évoquer mentalement l'image d'un arbre au moment précis où l'intensité de la tache lumineuse est progressivement augmentée. Dans ces conditions, la perception de la tache requiert une intensité lumineuse beaucoup plus élevée qu'en l'absence d'évocation d'une image visuelle. Par contre, l'intensité reste la même si on demande au sujet d'évoquer, au lieu d'un arbre, une image sonore comme la sonnerie d'un téléphone. Il y a compétition entre percept et image lorsque l'un et l'autre mobilisent le même canal sensoriel. Il existe une *parenté neurale*, une congruence matérielle entre le percept et l'image de mémoire.

Revenons maintenant à la figure ambiguë alternativement perçue comme une coupe à champagne ou un monokini. A chacune de ces deux perceptions se trouvent attachés une *signification*, un *concept* différents. De fil en aiguille, nous quittons la physiologie pour entrer dans un domaine réservé aux psychologues et aux linguistes. Sur ce sujet, les données biologiques font cruellement défaut. Nous nous trouvons donc réduits à formuler des hypothèses. Ayons-en le courage, avec l'espoir que, tôt ou tard, elles seront soumises à l'épreuve de l'expérience.

Essayons d'abord de préciser ce que l'on entend habituellement par « concept ». Faisons ensemble le chemin suivant : nous nous promenons boulevard Saint-Germain à la recherche de sièges anciens; dans une première boutique, on remarque une caqueteuse d'époque Renaissance; dans une autre, une chaise à haut dossier Louis XIII, ou encore une ponteuse de style Louis XVI. Dans tous les cas, malgré des différences notables de forme et de style, on n'hésitera pas à qualifier ces sièges de *chaises*. Ils possèdent en effet des traits et des propriétés communs, une fonction identique, qui permet de les regrouper sous le même concept. Ce faisant, nous avons évidemment éliminé les fauteuils. Former le concept « chaise » revient ainsi à répartir des objets dans la catégorie « chaise » et à en exclure les fauteuils. Ce classement en catégories nous a conduits à négliger les différences de forme et de décor existant entre la chaise Louis XIII et la ponteuse Louis XVI. La formation du concept « chaise » s'est accompagnée d'une élimination de détails parfois importants, d'une *schématisation*, voire d'une abstraction. Le concept devient ce que Rosch (1975) appelle un *prototype* de l'objet qui rassemble les traits caractéristiques partagés par des chaises différentes.

Ce concept-prototype est mémorisé. Il peut être évoqué, par exemple, par l'audition du mot chaise, mais aussi, spontanément, de manière volontaire, en l'absence d'un stimulus sensoriel. Enfin, il peut être comparé au percept primaire de la ponteuse Louis XVI ou du fauteuil à la Reine, et accepté ou rejeté. Il possède donc plusieurs propriétés des images de mémoire. Le concept apparaît comme une image simplifiée, « squelettique », réduite aux traits essentiels, formalisée, de l'objet désigné. Une *parenté* se dessine entre le percept, l'image et le concept, et en suggère la même matérialité neurale.

Cette manière de voir n'est pas neuve. Elle reprend certains aspects des thèses empiristes et associationnistes classiques sur la nature des idées. Dans son *Traité de la Nature humaine,* Hume écrivait déjà que « toutes les perceptions de l'esprit humain se résolvent en deux catégories distinctes que j'appellerai *impressions* et *idées.* La différence essentielle entre elles consiste dans les degrés de force et de vivacité *[liveliness]* avec lesquelles elles frappent l'esprit... Ces perceptions qui entrent avec le plus de force et de violence, je les appelle impressions... Par idées, je veux dire les images affaiblies *[faint]* ». En d'autres termes, pour Hume, les concepts sont des percepts « affaiblis », ou mieux, schématiques. *L'hypothèse adoptée ici est que percept, image de mémoire et concept constituent des formes ou des états divers d'unités matérielles de représentation mentale, que nous regrouperons sous le terme général d' « objets mentaux ».*

Ces remarques sur la parenté entre percepts, images et concepts s'insèrent dans une réflexion plus générale sur la nature de la pensée. L'intérêt qu'Épicure et Lucrèce attachent à l'image tient à ce qu'ils y voient la « substance » de la pensée. Aristote écrit aussi que « la pensée est impossible sans images », jusqu'à, plus près de nous, Taine (1870) qui compare l'esprit à un « polypier d'images ». A l'opposé, un courant qualifié de rationaliste nie l'importance des images. « Nous devons considérer qu'il y a plusieurs autres choses que les images qui peuvent exciter notre pensée, comme par exemple les signes et la parole qui ne ressemblent en aucune façon aux choses qu'elles signifient », écrit Descartes dans *la Dioptrique.* Celui-ci remarque aussi, à propos d'un morceau de cire : « ... Sa perception ou bien l'action par laquelle on l'aperçoit n'est point une vision, ni un attouchement, ni une imagination et ne l'a jamais été, quoi qu'il semblât auparavant, mais seulement une inspection de l'esprit. » Au début du siècle, l'école de Würzburg défend même la thèse que la pensée, dans certaines de ses formes, se développe sans médiation imagée. C'est la pensée « sans images ». Plus près de nous, Fodor [5] propose de manière extrême qu'il n'y a « littéralement aucune chose comme la notion d'apprendre un système conceptuel plus riche que celui que l'on a déjà ». Les concepts ne s'apprennent pas à la suite d'une expérience sensorielle avec le monde extérieur. Ils sont innés.

La controverse, selon nous, cesse dès que l'on considère les points suivants :

---

5. J. FODOR, 1975, 1981.

D'abord, nous avons montré qu'à côté des images très « concrètes », encore pourvues d'un contenu sensoriel, existent des représentations plus schématiques, plus abstraites : les concepts. Même si ceux-ci peuvent, dans certains cas, paraître totalement abstraits et universels, nous les considérons néanmoins comme des « représentations » et les classons avec les images dans la catégorie unique des objets mentaux. Ensuite, il faut distinguer avec soin les objets mentaux eux-mêmes des *opérations* ou calculs effectués *avec* ces objets. Locke écrivait : « Les deux sources de toutes nos connaissances [sont] l'impression que les objets extérieurs font sur nos sens et les propres opérations de l'âme concernant ces impressions. » Les boules du calculateur chinois ne se confondent pas avec les calculs effectués au moyen de ces boules. Il faut cependant des boules pour faire ces calculs ! Finalement, le cerveau est en permanence spontanément actif (voir chapitre III) et peut donc créer des représentations internes sans aucune interaction avec le monde extérieur.

Les objets mentaux n'existent pas en général « à l'état libre ». Ils apparaissent à la fois indépendants et dépendants, en ce sens que « nous ne pouvons nous représenter aucun objet en dehors de la possibilité de sa liaison avec d'autres [6] ». L'objet possède une *forme* qui limite ses possibilités et impossibilités *combinatoires* relativement aux autres objets [7]. Les objets « s'imbriquent les uns dans les autres comme les éléments d'une chaîne [8] » et le déroulement « irréversible » dans le temps de cette chaîne constitue, en définitive, la pensée.

Dans le *Tractatus,* Wittgenstein va même plus loin : pour lui, la proposition logique, combinaison d'objets mentaux, est image. Pour décider si elle est vraie ou fausse, il faut alors la soumettre « à l'épreuve du réel ». Selon lui, « la proposition ne peut être vraie ou fausse qu'en tant qu'elle est une image de la réalité [9] ». Décider du sens d'une proposition revient donc à comparer, directement ou indirectement, une image – et aussi, pour nous, un concept – avec la sensation et le percept primaires.

La machine cérébrale possède la propriété d'effectuer des

6. L. WITTGENSTEIN, 1921.
7. J. BOUVERESSE, 1981.
8. L. WITTGENSTEIN, 1921.
9. L. WITTGENSTEIN, 1921.

calculs sur les objets mentaux. Elle les évoque, les combine, et de ce fait crée de nouveaux concepts, de nouvelles « hypothèses », pour finalement, les comparer entre eux. Elle fonctionne comme « simulateur », ce qui, comme l'écrit Craik (1943), donne à la pensée « son pouvoir de prédire des événements », d'anticiper le déroulement des événements sur la flèche du temps.

Suivant ce schéma, le langage, avec son système arbitraire de signes et de symboles, sert d'intermédiaire entre ce « langage de la pensée [10] » et le monde extérieur. Il sert à *traduire* les stimuli ou les événements en symboles ou concepts internes, puis, à partir des nouveaux concepts produits, à les *retraduire* en processus externes.

### *Vers une théorie biologique des objets mentaux*

Jusqu'à ce point du chapitre, sauf dans son introduction, le mot « neurone » n'est pas apparu sous forme écrite. Il n'a été question que de « machine cérébrale » et des calculs qu'elle effectue sur les objets mentaux. Comme leur nom l'indique, ces objets appartiennent au mental et se situent à un niveau d'organisation très supérieur à celui de la cellule nerveuse. Faut-il pour autant les considérer comme détachés de celle-ci ? La méthode suivie au cours des chapitres précédents nous conduit à adopter l'attitude exactement inverse. La machine cérébrale est un assemblage de neurones et notre problème consiste désormais à rechercher les *mécanismes cellulaires* qui permettent de passer d'un niveau à l'autre, de disséquer puis de reconstruire les « objets mentaux » à partir des activités élémentaires d'ensembles définis de neurones.

Les images mentales, les concepts sont des objets de mémoire. Depuis Pavlov, le behaviorisme et Skinner, la « réaction conditionnelle » a été retenue comme le meilleur, voire parfois l'unique modèle élémentaire de mémoire. Peut-elle servir de point de départ à notre entreprise de construction des objets mentaux ?

Dickinson (1980) a récemment soumis le schéma de la réaction conditionnelle à un réexamen très critique. Reprenons l'exemple bien connu du rat blanc de laboratoire que l'on expose

---

10. J. Fodor, 1975, 1981.

à un stimulus neutre, par exemple une lumière, associé quelques secondes plus tard à un choc électrique douloureux. Après un nombre répété d'expériences douloureuses,. l'expérimentateur averti constate que le rat change de comportement au moment où la lampe s'allume et *avant* de recevoir la décharge électrique dans les pattes. Il s'immobilise, se ramasse sur lui-même. C'est le comportement de frayeur : le « *freezing behavior* ». Pour le behavioriste, le rat a simplement appris une nouvelle réponse à la lumière.

L'autre interprétation, « *cognitiviste* », dérivée du travail fondamental de Tolman (1948) sur les « cartes cognitives chez le rat et l'homme », diffère radicalement. La réaction de frayeur fait partie du répertoire des conduites naturelles du rat et se manifeste dans n'importe quelle situation aversive. Elle n'est pas apprise. Le rat apprend seulement que la lumière précède le choc électrique. Il anticipe la venue du choc, forme une nouvelle « structure mentale » qui se manifeste indirectement par l'actualisation d'un comportement automatique. Cette interprétation devient évidente dans le cas de l'expérience suivante, réalisée par Rizley et Rescorla (1972).

Le rat est maintenant soumis à des séances d'entraînement où la lumière, au lieu d'être associée à un choc électrique, est appariée à un signal « neutre » pour le rat : un son. Le rat ne change pas de comportement. Pour le behavioriste, il n'a rien appris. Maintenant, on associe la lumière à un choc électrique, puis on déclenche le signal sonore. Le son provoque la réaction de frayeur, bien qu'il n'ait jamais été apparié au choc électrique. Pendant les premières séances d'entraînement s'est mise en place une représentation interne, silencieuse sur le plan comportemental, un *concept* qui couple lumière et son. Lorsque l'un des composants de ce concept est associé au choc électrique, son évocation déclenche l'actualisation de la réaction de frayeur. Les objets mentaux se forment ainsi même chez le rat! Le réexamen de la mémoire animale aboutit à la même conclusion que la recherche sur les images mentales chez l'homme. Il suggère en outre que les schémas classiques de la réaction conditionnelle n'ont pas la généralité espérée. Ils ne peuvent servir de point de départ pour construire les objets de mémoire [11].

Alors, comment aborder concrètement les mécanismes cellulaires de la genèse d'un objet mental? Une manière de faire

---

11. J. Mc Gaugh, 1973.

consiste à revenir à l'hypothèse proposée d'une parenté entre image de mémoire et percept. Le percept « primaire » est plus facile d'accès, car directement lié à l'activation des organes des sens. Chez le singe et l'homme, la lésion de l'aire primaire occipitale, l'aire 17, entraîne la cécité. L'aire visuelle primaire est, chez ces espèces, indispensable à la *sensation*. Mais nous savons (chapitre IV) qu'à côté de celle-ci existent de multiples « représentations » secondaires de la rétine, tant au niveau des aires 18 et 19 du lobe occipital qu'au niveau des aires 20 et 21 du lobe temporal. Le nombre de ces cartes atteint même 8 chez le singe rhésus! Il est bien établi que la lésion de ces aires secondaires affecte directement la perception. L'animal voit, mais ne reconnaît pas. Chez l'homme, Hécaen et Albert (1978) ont cité le cas d'un patient souffrant d'une détérioration des aires 18-19 qui décrivait une bicyclette comme « des barres avec une roue à l'avant, une autre à l'arrière ». Il était incapable de l'identifier, de la nommer. Il souffrait d'une *agnosie,* terme forgé par Freud à l'époque où il était neurologue. Diverses formes d'agnosie visuelle ont été reconnues. Elles résultent principalement de lésions localisées dans les aires secondaires [12] : l'agnosie des objets (aires 18-21 à gauche), des dessins et des visages (partie postérieure de l'hémisphère droit), des couleurs (aires occipitales gauches). La formation du percept « global », qui regroupe l'ensemble de ces traits, résulte donc de la mobilisation de *plusieurs* de ces aires secondaires *à la fois*. Il engage plusieurs cartes.

La manière dont ces aires multiples sont connectées les unes aux autres va maintenant nous aider à comprendre comment le percept peut se former. Suivant le schéma classique, les aires dites secondaires ne sont mises à contribution qu'après l'entrée en activité de l'aire primaire. En d'autres termes, l'aire primaire se trouve *hiérarchiquement* « au-dessus » des aires secondaires dans l'analyse du monde extérieur et on s'attend à un enchaînement anatomique en cascade de l'aire primaire aux aires secondaires, puis entre aires secondaires. Jones et Powell (1970) ont effectivement mis en évidence ce type de connexions. Leurs données anatomiques sur le cortex visuel du singe montrent que la connexion de l'aire primaire aux aires secondaires s'effectue suivant le schéma : œil → aire primaire 17 → aire 20 → aire 21.

---

12. Voir A. Luria, 1978; H. Hecaen et M. Albert, 1978.

Il ne fait pas de doute que cette organisation hiérarchique existe, mais ce n'est pas la seule. Graybill et Berson (1981) ont mis en évidence d'autres routes qui pourraient jouer un rôle particulièrement important dans la genèse du percept. Il a été signalé au chapitre III que les fibres du nerf optique venant de la rétine font relais au niveau du thalamus avant d'entrer dans le cortex. Or, du thalamus partent des voies parallèles qui relient directement et indépendamment les aires 17, 18, 19 et 21 :

Œil  →  thalamus
- aire 17 (aire primaire)
- aire 18
- aire 19 (aires secondaires)
- aire 21

Dans ces conditions, on peut concevoir la formation du percept primaire comme résultant de l'entrée en activité *simultanée,* par ces multiples voies parallèles, des représentations primaires *et* secondaires du cortex, alors que les voies hiérarchiques participent au « bouclage » de ces multiples représentations de l'objet. L'entrée en activité d'aires multiples en interactions réciproques permet donc à la fois analyse et synthèse. Elle assure la « globalité » du percept.

La conception du percept à laquelle on aboutit est donc *à la fois* topologique, car elle concerne des ensembles définis de neurones, et dynamique, puisqu'elle se fonde sur leur entrée en activité (électrique et chimique). Elle se situe donc dans la suite logique des conclusions du chapitre « Passage à l'Acte ». Un nouveau pas est ainsi franchi par la prise en considération d'entités à caractère « global » et « unitaire » comme les percepts, relevant traditionnellement du psychologique ou du mental.

La poursuite et la généralisation de ces réflexions débouchent sur des *propositions théoriques* qui, bien qu'encore très hypothétiques, se présentent comme une tentative de « passerelle » au-dessus du fossé qui, pour beaucoup, sépare encore le mental du biologique. Elles se situent dans la continuité des travaux de Hebb (1948), Edelman (1978), Thom (1980), von der Malsburg (1981) [13], Pellionisz et Llinas (1982) et nous-même [14], et en

---

13. C. von der MALSBURG et D. WILLSHAW, 1981, C. von der MALSBURG, 1981.

14. J.-P. CHANGEUX, P. COURRÈGE et A. DANCHIN, 1973; J.-P. CHANGEUX, 1981 b, 1983 a, b.

reprennent plusieurs aspects. Les voici très brièvement formulées :

*L'objet mental* est identifié à l'état physique créé par l'entrée en activité (électrique et chimique), *corrélée* et *transitoire*, d'une large population ou « assemblée [15] » de neurones distribués au niveau de plusieurs aires corticales définies. Cette assemblée, qui se décrit mathématiquement par un *graphe*, est « discrète », close et autonome, mais n'est pas homogène. Elle se compose de neurones possédant des singularités (chapitre I) différentes qui ont été mises en place au cours du développement embryonnaire et post-natal (chapitre VII). La carte d'identité de la représentation y est initialement déterminée par la « mosaïque » (graphe) des singularités et par l'état d'activité (nombre, fréquence des impulsions qui y circulent).

Le *percept primaire* est un objet mental dont le graphe et l'activité sont déterminés par l'interaction avec le monde extérieur. Le graphe neuronique qui lui est associé doit son existence au fait qu'il est « en prise directe » avec l'objet extérieur. Les neurones mis à contribution sont principalement localisés au niveau des cartes ou homoncules des cortex primaire et secondaire où se projettent les organes des sens et, bien entendu, préexistent à l'interaction avec le monde extérieur.

L'*image* est un objet de mémoire autonome et fugace dont l'évocation ne requiert pas une interaction directe avec l'environnement. Son autonomie ne se conçoit que s'il existe un *couplage* des neurones du graphe, *stable dans le temps* et qui préexiste à son évocation. La coopérativité [16] de ce couplage entre neurones assure le caractère invasif, de tout-ou-rien, ou encore « global », de l'entrée en activité des neurones du graphe lors de l'évocation de l'image.

Le *concept* est, comme l'image, un objet de mémoire mais ne possède qu'une faible composante sensorielle, voire pas du tout, du fait qu'il résulte du recrutement de neurones présents dans des aires d'association aux spécificités sensorielles ou motrices multiples (comme le lobe frontal), ou parmi un très grand nombre d'aires différentes. Le passage de l'image au concept suit deux voies distinctes mais complémentaires : l'élagage de la

15. D. HEBB, 1949.
16. C. von der MALSBURG et D. WILLSHAW, 1981, C. von der MALSBURG, 1981.

composante sensorielle et l'enrichissement dû aux *combinaisons* qui résultent du mode d'enchaînement des objets mentaux.

Les *propriétés associatives* des objets mentaux leur permettent de s'enchaîner, de se « lier » de manière spontanée et autonome. Reprenons l'analogie que Russell (1918) propose entre objets mentaux et atomes. La liaison chimique entre atomes consiste en une mise en commun d'électrons. On peut aussi imaginer que les objets mentaux s'enchaînent par la mise en commun non plus d'électrons, mais de neurones. Cela suppose qu'un même neurone puisse faire partie de plusieurs graphes d'objets mentaux différents [17], tout en conservant une singularité (voir chapitre II) qui préexiste à la formation de l'objet mental. Toutefois, la liaison chimique entre atomes est statique, l'enchaînement des objets mentaux est dynamique. Une sous-population, un contingent de neurones communs, pourra alors servir de « germe [18] » et déterminer l'invasion brutale par les impulsions nerveuses d'une autre assemblée « coopérative », et ainsi de suite. De nouvelles combinaisons dynamiques pourront « germer » spontanément, de proche en proche, avec une composante aléatoire qui se fera d'autant plus importante que l'on s'éloignera du percept. L'enchaînement s'accompagnera d'une combinaison s'il y a stabilisation du couplage des neurones recrutés au cours de l'enchaînement. Les règles de ces enchaînements, combinaisons, interconversions, seront évidemment contraintes par le mode de câblage de la machine cérébrale qui, de ce fait, impose sa « grammaire » à l'enchaînement des objets mentaux.

La mise en mémoire d'un objet mental sous forme de trace stable, en d'autres termes, *apprendre,* a lieu de manière indirecte (10, 12). Elle ne résulte pas de l' « impression » d'un percept dans le réseau de neurones, comme un sceau dans la cire. L'interaction avec le monde extérieur ne provoque pas non plus l'entrée en activité d'une assemblée de neurones entièrement précâblée. Le postulat essentiel de la théorie est que le cerveau produit spontanément des représentations transitoires, « mal dégrossies », dont le graphe varie d'un instant à l'autre. Ces objets mentaux particuliers, ces ébauches ou *pré-représentations,* existent avant l'interaction avec le monde extérieur. Elles résultent de la recombinaison de groupes pré-câblés de

17. G. Edelman, 1978.
18. R. Thom, 1980.

neurones ou d'assemblées de neurones et de ce fait leur diversité est très grande. Mais elles sont labiles et transitoires. Seules quelques-unes d'entre elles sont mises en mémoire et cette mise en mémoire résulte d'une sélection! Darwin permet de concilier Fodor et Épicure!

L'*épreuve de la réalité* consiste en la *comparaison* d'un concept ou d'une image avec un percept. Le test pourra être réalisé par l'entrée « en résonance [19] », ou au contraire « en dissonance », de deux assemblées de neurones confrontées. La résonance se manifestera par une potentialisation d'activité, la dissonance par l'extinction de celle-ci. La *sélection* du concept « résonnant », adéquat au réel, donc « vrai », pourra alors en résulter. Il va de soi que ce comparateur fonctionnera aussi de manière « interne » entre objets de mémoire, percepts et images.

La ressemblance de forme, ou *isomorphie,* du percept avec l'objet extérieur résulte du fait (chapitre IV) que son graphe se compose de neurones pris sur des cartes ou homoncules qui sont déjà une « représentation » de l'organe des sens et, par-là, du monde. Supposons, d'autre part, que l'on marque les neurones actifs en noir, les autres en blanc : une « photographie » de traits particuliers de l'objet apparaîtra sur chaque carte. La mise en mémoire d'une pré-représentation sous forme d'image a lieu dans la mesure où les graphes du percept et de la pré-représentation possèdent des neurones en commun. Il en résulte un élagage de la composante sensorielle qui entraîne la perte de « vivacité » de l'image, atténue son réalisme, son isomorphie vis-à-vis de l'objet représenté. Du fait de la diversité et du caractère transitoire des pré-représentations, seulement quelques traits de l'objet extérieur sont mis en mémoire et ces traits peuvent varier d'une expérience à l'autre. L'isomorphie peut se perdre complètement avec la formation du concept. La composante isomorphe de l'objet se trouve remplacée par l'*algèbre* des combinaisons de neurones qui participent à l'assemblée propre au concept considéré. La création de concepts nouveaux, l'imagination, naît de l'enchaînement, de la combinaison des concepts et des images et de leur sélection. En outre, le caractère « délocalisé » du concept par rapport au percept ou à l'image et le fait qu'il puisse se former à partir de neurones

---

19. R. THOM, 1980.

présents dans des aires « associatives » accroissent ses *possibilités de liaison* avec d'autres objets mentaux.

Le *langage* intervient comme véhicule dans la communication des concepts entre individus du groupe social. L'arbitraire du système de signes [20] implique un couplage percept-concept de type « neutre », qui fait l'objet d'un long apprentissage au cours du développement (voir chapitre VII). Au contraire, le « langage de la pensée », en permanence branché sur le réel, contiendra beaucoup moins d'arbitraire que le langage des mots.

## Assembler les neurones

Une théorie biologique n'a de sens que si elle part de l'observation des objets naturels et y retourne rapidement. Une première manière d'éprouver sa solidité consiste à examiner la plausibilité des mécanismes élémentaires sur lesquels elle se fonde.

L'entrée en activité d'un ensemble défini de neurones a déjà été proposée comme « explication » d'un comportement ou d'une sensation à l'occasion du chapitre IV (« Passage à l'acte »). Il n'y a donc aucune difficulté de principe à étendre ce schéma à des assemblées de neurones du cortex cérébral. Toutefois, la fonction associée à ces assemblées différera. La description détaillée de divers modes de connexions intrinsèques et extrinsèques des neurones du cortex cérébral (chapitre II) permet d'envisager concrètement la « manière d'être » de ces assemblées-objets mentaux.

Revenons à la description de la cellule pyramidale, unité de base du cortex. Celle-ci, par ses dendrites, en particulier sa dendrite apicale, reçoit plusieurs milliers, voire des dizaines de milliers de contacts synaptiques de neurones qui convergent vers elle. Par son axone et ses branches collatérales divergentes, elle est elle-même en contact avec des milliers d'autres neurones. L'organisation du cortex cérébral en cristaux cellulaires superposés (chapitre II) permet d'établir des contacts locaux à l'échelle du millimètre. Ces affinités locales se superposent à des contacts à distance à l'échelle du centimètre ou du décimètre. Des collatérales axoniques vont jusqu'à relier un hémisphère à l'autre. Une des caractéristiques du « graphe » neuronique de

---

20. F. de SAUSSURE, 1915.

l'objet mental est d'avoir une organisation *à la fois locale et délocalisée*. L'objet mental se situerait, pour reprendre les termes d'Atlan (1979), « entre le cristal et la fumée ». Il y a liaison coopérative d'activités entre neurones, comme dans un cristal, mais ces cellules se trouvent dispersées en de multiples points du cortex, sans géométrie simple, comme dans la fumée.

Cette disposition tentaculaire d'objets mentaux suggère un mode d'enchaînement par ces « tentacules » qui serviraient de « germe » au recrutement coopératif de nouvelles assemblées. Elle permet aussi d'évaluer les possibilités de diversité des assemblées qui peuvent se former dans le cortex cérébral de l'homme. Le nombre de neurones recrutés par un objet mental particulier n'est évidemment pas connu. A titre d'exemple, examinons le cas du percept. Il mettra en branle une fraction significative des neurones présents dans quelques centimètres carrés d'aires sensorielles. S'il y a de l'ordre de dix millions de neurones par centimètre carré de surface corticale (chapitre II) et que seulement 10 % de ces cellules contribuent au percept, on tombe dans des nombres de l'ordre du million de neurones (proche du nombre d'axones présents dans le nerf optique). Le nombre de combinaisons possibles de millions de neurones pris parmi des dizaines de milliards est gigantesque. Il suffit bien pour rendre compte de la diversité des concepts...

On ignore les mécanismes cellulaires et moléculaires précis de stabilisation et d'évocation de ces assemblées de neurones. Dans l'état actuel des connaissances, nous sommes réduits à nous inspirer de systèmes plus simples, mieux connus au niveau neuronal ou synaptique que le cortex cérébral.

Le mécanisme le plus anciennement mentionné [21] est celui des « circuits réverbérants ». Supposons que le neurone A envoie son axone vers B et que B lui rende la pareille. Le circuit A → B se ferme et un potentiel d'action peut, une fois lancé, se propager le long de ce circuit qui devient, de ce fait, oscillant. On sait que de telles boucles fermées existent entre le thalamus et le cortex (voir chapitre II) et qu'elles interviennent dans la genèse des ondes rythmiques α (voir chapitre III). Il est plausible qu'elles participent à la formation des objets mentaux, rendant ainsi solidaires cortex et thalamus. Des connexions réciproques existent également entre aires du cortex. Des circuits réverbérants

---

21. E. Hilgard et D. Marquis, 1940 ; R. Lorente de Nó, 1938.

de ce type peuvent aussi participer à la genèse des percepts.

Les circuits réverbérants sont de courte durée et ne donnent pas lieu au processus de croissance « coopérative » caractéristique des objets de mémoire. Il faut donc chercher d'autres mécanismes de stabilisation des graphes de neurones qui composent les objets mentaux. Ceux-ci ne seront discriminatifs que s'ils font intervenir les contacts synaptiques, ce qui élimine d'emblée des hypothèses trop simplistes comme celle des « substances de mémoire » (acides nucléiques ou peptides) qui pourront transformer des populations entières de neurones quelle que soit la mosaïque des singularités neuronales composant l'objet mental. Le transfert de « mémoire » d'un extrait de cerveau expérimenté à un cerveau naïf, que ce soit chez la planaire ou chez le rat, est un non-sens. Le mécanisme de la trace doit donc être recherché au niveau des connexions elles-mêmes, c'est-à-dire de synapses.

Dès 1949, Hebb a proposé un mécanisme « synaptique » de couplage qui, malgré son succès sur le plan théorique, n'a pas encore reçu de démonstration expérimentale indiscutable. Il mérite toutefois d'être examiné avec beaucoup d'attention à la lumière de nos connaissances actuelles sur la synapse. Selon les termes de Hebb, « quand une cellule A excite par son axone une cellule B et que, de manière répétée et persistante, elle participe à la genèse d'une impulsion dans B, un processus de croissance ou un changement métabolique a lieu dans l'une ou dans les deux cellules, de telle sorte que l'efficacité de A à déclencher une impulsion dans B est, parmi les autres cellules qui ont cet effet, accrue ». En d'autres termes, « la répétition de l'excitation simultanée » de deux cellules modifierait l'efficacité des synapses qui les relient. *La coopération des deux cellules crée une coopérativité au niveau de leurs liaisons.*

Si l'on met provisoirement de côté le « processus de croissance » (il sera examiné au chapitre VI), les « changements métaboliques » susceptibles d'accroître l'efficacité d'une synapse chimique peuvent s'envisager à au moins trois niveaux :

### 1. – *La libération du neurotransmetteur*

L'arrivée de l'impulsion électrique dans la terminaison nerveuse provoque la libération d'un ou plusieurs « quanta » (ou pilules) de neurotransmetteur. Chez l'Aplysie, cette limace de mer au système nerveux très simple (chapitre III), Kandel (1979) a enregistré les variations d'efficacité d'une synapse située entre une paire de neurones bien identifiés : les neurones sensoriels du siphon et le muscle rétracteur de la branchie. Lorsque cette synapse est stimulée de manière répétée, elle se fatigue : le nombre de quanta de transmetteur libéré diminue. Kandel a découvert que si l'on gratte la tête de l'Aplysie, cette synapse se « défatigue ». La libération de quanta reprend. Cette remise en route est déclenchée par des neurones dont le corps est situé sur la tête de l'Aplysie et dont l'axone entre en contact directement avec la terminaison nerveuse « fatigable ». Cette « réactivation synaptique » est due à une chaîne de réactions chimiques dans lesquelles interviennent l'AMP cyclique (chapitre II) ainsi que le calcium qui stimule la libération du transmetteur. L'entrée de calcium réglerait l'efficacité de la synapse au niveau de la terminaison nerveuse en augmentant la probabilité de libération du ou des quanta de transmetteur.

### 2. – *La concentration du transmetteur dans la fente synaptique*

Dans certaines synapses, mais pas dans toutes, la fente synaptique contient une enzyme qui détruit le neurotransmetteur. L'exemple le plus connu est celui de l'acétylcholinestérase qui coupe l'acétylcholine en deux et règle la concentration transitoire du neurotransmetteur dans la fente, lors de la transmission du signal nerveux. Le blocage de l'enzyme provoque un accroissement de la concentration d'acétylcholine dans la fente et prolonge la réponse électrique. Aucun composé produit par le système nerveux ne modifie l'activité de l'enzyme, mais l'homme a inventé des gaz de combat qui ont cet effet, et tuent à cause de cela.

### 3. – *L'action du transmetteur sur le récepteur*

Sur la face postérieure de la synapse, le récepteur du neurotransmetteur est l'objet de multiples régulations qui modifient l'efficacité de la transmission synaptique. L'une d'elles a attiré l'attention des pharmacologistes depuis de nombreuses années : il s'agit de la désensibilisation. Elle a été analysée en détail au niveau de la jonction nerf-muscle [22] dont le transmetteur est l'acétylcholine. Mais sa présence a été aussi reconnue au niveau du système nerveux central. L'application d'acétylcholine concentrée sous forme d'impulsions brèves d'une millise-

---

22. B. Katz et S. Thesleff, 1957.

conde provoque l'ouverture du canal ionique associé au récepteur (chapitre III), mais si l'acétylcholine, même à faible concentration, est mise en contact avec le récepteur pendant plusieurs fractions de seconde ou plusieurs secondes, l'ouverture du canal ionique cesse d'avoir lieu, le récepteur ne répond plus au neurotransmetteur, il se « désensibilise ». Le mécanisme moléculaire de cette régulation est désormais bien connu [23]. En présence de concentration même très faible d'acétylcholine, la molécule de récepteur se convertit lentement et de manière réversible d'une forme « activable » en une forme « non activable ». Le calcium présent à l'intérieur de la cellule accélère cette conversion allostérique. Les variations dépolarisantes du potentiel électrique ont l'effet opposé. Le changement du rapport entre forme activable et forme non activable du récepteur constitue un moyen très puissant de régulation de l'efficacité de la synapse [24].

L'un ou l'autre de ces modes de régulation peut participer à un « couplage » entre neurones et intervenir dans un mécanisme du type de celui proposé par Hebb. Bien qu'elle n'ait pas encore été démontrée lors de la mise en place d'un objet de mémoire, la mise à contribution de la « désensibilisation » du récepteur paraît particulièrement attrayante par sa simplicité. Considérons deux synapses voisines A et B touchant la même cible. L'entrée en activité de la synapse B peut moduler le rapport des formes « activables » et « non activables » du récepteur présent dans la synapse A, et donc modifier son efficacité dans un laps de temps de quelques dixièmes de seconde à quelques secondes, au moins de trois manières différentes :

Première possibilité : supposons que A et B emploient le même neurotransmetteur; de faibles concentrations de celui-ci pourront diffuser, *à l'extérieur* du neurone, de B vers A et faire basculer le récepteur présent en A en faveur de la forme non activable. Le fonctionnement de B entraînera une inactivation de A. Le même résultat s'observera si, à présent, le calcium intervient comme signal de communication *interne* entre B et A. Lorsque B fonctionne, le canal ionique s'ouvre dans la membrane post-synaptique, du calcium peut y entrer et pénétrer dans la cellule. De là il diffusera à l'intérieur du neurone jusqu'à A. Si, comme dans le cas du récepteur de l'acétylcholine, le

23. J.-P. CHANGEUX, 1981.
24. T. HEIDMANN et J.-P. CHANGEUX, 1982.

calcium accélère la « désensibilisation », il stabilisera là encore le récepteur dans un état non activable. Enfin, le potentiel de membrane peut aussi affecter la désensibilisation. Au niveau de la jonction nerf-muscle, les diminutions de potentiel électrique la ralentissent. Ainsi, comme le veut Hebb, la genèse des impulsions dans un neurone pourra modifier l'efficacité des synapses qu'il reçoit [25].

Le signe de l'effet global sur le neurone – le départ du potentiel d'action – sera aussi déterminé par le caractère excitateur ou inhibiteur des synapses A ou B. Si, par exemple, A est inhibitrice, son « inactivation » par B facilitera le départ d'un potentiel d'action. Une combinatoire de modes de couplage pourra se développer au niveau de chacun des neurones qui constituent les « nœuds » de l'assemblée.

Des schémas semblables pourront également être construits sur la base de régulations autres que la désensibilisation. Dans tous les cas, l'échelle de temps des processus moléculaires mis à contribution déterminera la stabilité du couplage. Il s'agira de couplages à court terme – dixièmes de seconde, secondes, voire minutes – si des mécanismes réversibles du type désensibilisation interviennent. Ils deviendront à plus long terme lorsque, par exemple, l'interconversion entre états activables et non activables sera figée dans une des deux formes, du fait d'une réaction chimique qui modifiera le récepteur pendant des jours, voire des semaines. La stabilité de la modification sera elle-même limitée par la stabilité des molécules qui composent la synapse comme le récepteur du neurotransmetteur. La molécule de récepteur n'est pas éternelle (voir chapitre VII). Elle pourra, après sa « mort », être remplacée par une autre aux propriétés différentes, déterminée éventuellement par un autre gène. Ces changements pourront être réglés par l'activité du neurone, par exemple par le calcium. Il s'ensuivra une régulation à long terme des propriétés synaptiques. Un graphe stable se mettra alors en place, parfois pour la vie...

Les connaissances actuelles sur la chimie de la synapse rendent plausibles plusieurs mécanismes de stabilisation à court et à long terme des assemblées de neurones (voir chapitre VII).

Finalement, la discussion théorique sur la genèse des objets mentaux et sur leur enchaînement a mis en relief une opération

25 T. HEIDMANN et J.-P. CHANGEUX, 1982.

critique qui donne aux « calculs » cérébraux leur sens : l'épreuve de la réalité. Il a été proposé que l'entrée en résonance (Thom, 1980) d'objets mentaux, ou leur « dissonance » pouvaient en rendre compte. Peut-on imaginer un mécanisme cellulaire d'entrée en résonance des assemblées de neurones ?

Au chapitre III, il a été montré que la cellule nerveuse possède des propriétés d'oscillateur. Deux catégories de canaux ioniques « lents » suffisent pour créer des oscillations du potentiel de membrane. Cette activité spontanée, bien entendu, pourra être à l'origine de l'évocation « interne » des objets mentaux et de leur enchaînement en l'absence d'interaction avec le monde extérieur. Toutefois ces oscillations peuvent ne pas atteindre le seuil de déclenchement de l'influx, elles restent en quelque sorte latentes. Il va de soi que la convergence de deux oscillations de ce type au niveau d'un même neurone s'accompagnera, si celles-ci sont « en phase », d'une amplification ; dans l'alternative, d'une atténuation. L'entrée en résonance pourra dès lors se manifester par des rafales d'impulsions, leur dissonance par l'absence d'impulsions.

## Problèmes de conscience

L'évocation d'une image comme celle de la Joconde donne lieu à une « expérience intérieure » dont nous sommes avertis. Bien éveillés et attentifs, nous apprécions et conduisons la formation des percepts et des concepts, la mise en mémoire et le rappel des objets mentaux, leur enchaînement, leur entrée en résonance. Nous en sommes conscients, et cela, dans un dialogue incessant avec l'extérieur, mais aussi avec notre monde intérieur, notre moi.

Au niveau d'intégration où nous nous situons désormais, ce qu'il est convenu d'appeler la « conscience » se définit comme un système de régulation global qui porte sur les objets mentaux et sur leurs calculs. Une manière d'aborder la biologie de ce système de régulation consiste à en examiner les divers *états* et à identifier les mécanismes qui font passer d'un état à l'autre.

Le premier exemple que nous choisirons sera celui des *hallucinations*. Le sujet éveillé « éprouve une modification de ses rapports avec le monde extérieur en l'absence de stimuli adéquats [26] ». Il perçoit des images mentales qui se produisent de manière spontanée en dehors de sa volonté et en l'absence d'objet extérieur. Les hallucinations surviennent fréquemment chez les schizophrènes, elles servent même de critère de diagnostic [27]. Le sujet « entend des voix » qui lui parlent à la troisième personne, ou qui commentent ses pensées, les lui répètent, les jugent. C'est aussi « l'écho de la pensée » où le malade entend ses propres pensées sous forme parlée. Les héros de l'Iliade, les prophètes de l'Ancien Testament, plus près de nous Jeanne d'Arc et de nombreux mystiques furent la proie d'hallucinations auditives dont le symbolisme a marqué la culture occidentale de traces parfois très profondes. A côté du dérèglement de l'imagerie auditive s'observent, mais plus rarement chez le schizophrène, des hallucinations visuelles, des « visions » du ciel et de l'enfer. Du Buisson Ardent aux plus récentes apparitions de la Vierge, les religions ont souvent retenu ces « faits de conscience » comme révélation de forces surnaturelles. Les hallucinations ont, en réalité, une solide base biologique.

Chez le sujet non schizophrène éveillé, la stimulation électrique de points précis du cortex cérébral, par exemple de l'aire visuelle primaire 17, fait apparaître des hallucinations très simples : des points lumineux scintillants, des flashs de lumière, le patient voit « trente-six chandelles ». Si l'on stimule non plus l'aire primaire, mais les aires secondaires, comme l'aire visuelle, des hallucinations plus complexes se forment. « Le patient croit voir un papillon et essaie de l'attraper ». Ou bien encore, « il voit surgir son chien, le siffle et s'irrite contre les chirurgiens qui ne s'en rendent pas compte [28] ». L'entrée en activité par électrisation (ou parfois à la suite d'une lésion) d'aires du cortex que nous savons engagées dans la formation des percepts entraîne des hallucinations. Des images mentales peuvent donc être évoquées spontanément par stimulation directe du tissu cérébral dans des conditions où elles échappent totalement à la volonté du sujet. Le sujet a la vision intérieure des images, mais leur rappel et même leur enchaînement ne sont plus soumis à la composante intentionnelle de sa conscience.

Certaines drogues hallucinogènes, comme la mescaline ou le

26. F. Morel, 1947.
27. C. Pull et M.-C. Pull, 1981.
28. H. Hécaen et M. Albert, 1978.

LSD, produisent aussi des hallucinations, surtout visuelles. Depuis des siècles, les Indiens Huichol des hauts plateaux du Mexique connaissent les vertus « transcendantales » d'un cactus, le Peyotl. Ils le consomment à l'occasion d'un pèlerinage annuel sur le Wirikuta où ils « retrouvent le paradis », « redeviennent des dieux ». Les hallucinations qu'ils éprouvent ne sont que rarement transmises verbalement. Ils préfèrent les représenter par de splendides tableaux de laine ou des tapis aux dessins géométriques, aux flèches, plumes et ombres sans objet, aux multiples flammes toujours vivement colorées de bleu, de jaune, de rouge. Dès 1888, Louis Lewis isole le principe actif du Peyotl. C'est un alcaloïde, la mescaline. Mais celle-ci agit à des doses beaucoup plus élevées que le produit synthétisé plus tard par Hoffmann : le diéthylamide de l'acide lysergique, le LSD, dont il fait involontairement l'expérience le jour de sa synthèse. Mescaline et LSD provoquent des hallucinations visuelles toujours très colorées, mais peu figuratives. Prises à des doses massives et répétées, ces drogues créent des troubles qui ressemblent à ceux de la schizophrénie aiguë. La chimie des hallucinations rejoint, on s'y attendait, celle de la schizophrénie.

La cible du LSD est, comme dans le cas de la morphine, un récepteur synaptique de neurotransmetteur (chapitre IV). Il n'est pourtant pas identifié avec autant de certitude que celui des opiacés. Le LSD se fixe sur les mêmes sites que la *sérotonine* [29], mais il se lie aussi au récepteur d'un autre transmetteur cérébral déjà mentionné à propos des « synapses du plaisir » (chapitre VI) et dont il sera à nouveau question à la fin de ce chapitre la *dopamine* [30]. Le rappel des images de mémoire est donc sujet à une régulation « neurale » qui met à contribution une ou plusieurs catégorie(s) particulière(s) de synapses chimiques qui véhiculent les messages de la « conscience intentionnelle » du sujet.

Le « scalpel chimique » des drogues hallucinogènes dissèque cette composante intentionnelle de la composante perceptive de la conscience. D'autres régulations affectent sélectivement celle-ci. Hésiode, au VIIIᵉ siècle avant notre ère, qualifiait le sommeil de « frère de la mort ». C'est le « devenir inconscient sans perte de toute conscience [31] » qui s'accompagne d'une « suspension des

---

29. S. Peroutka et S. Snyder, 1979.
30. D. Burt et coll. : P. Whitaker et P. Seeman, 1978.
31. H. Ey et coll., 1975.

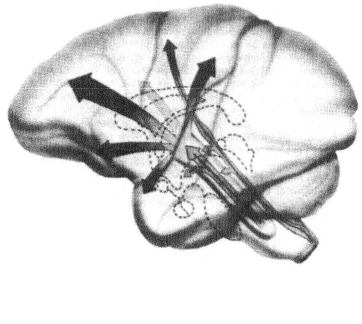

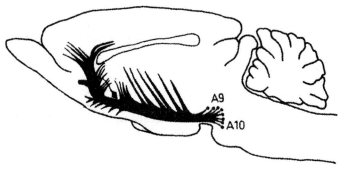

FIGURE 44

rapports sensitivo-moteurs complexes qui unissent l'être à son milieu [32] ». Le sommeil entraîne une chute de la conscience, mais qui n'a rien à voir avec la mort. C'est un processus actif [33] qui se compose d'une séquence complexe d'états cérébraux révélés par l'électroencéphalogramme (chapitre III). Lors de l'endormissement, les rythmes rapides α et β caractéristiques de l'état de veille disparaissent progressivement pour laisser place à des ondes lentes et de grande amplitude, les ondes δ, caractéristiques du sommeil « lent » (chapitre II). A intervalles réguliers, environ toutes les 90 minutes, de brefs « orages cérébraux », ou sommeil paradoxal, s'accompagnent de mouvements rapides des yeux et d'une vive érection chez l'homme.

Dès 1893, Goltz constatait que l'ablation massive des hémisphères cérébraux chez le chien n'interfère pas avec l'alternance veille-sommeil. De même, les bébés anencéphales dépourvus de cortex cérébral s'endorment et s'éveillent comme des enfants normaux. Le cortex cérébral ne commande pas les rythmes du sommeil. Une constellation de *noyaux* situés à la racine de l'encéphale, dans le tronc cérébral (qui va de la moelle épinière au thalamus), joue ce rôle. Certains de ces groupes de neurones activent le sommeil lent, d'autres le sommeil paradoxal, d'autres encore déclenchent l'éveil. Ils font anatomiquement partie d'un réseau complexe de neurones et de connexions qui occupe l'axe du tronc cérébral, la *formation réticulée* [34] (figure 44 haut). Ces neurones possèdent une très curieuse morphologie. Leurs corps cellulaires sont toujours présents dans le tronc cérébral, par groupes de quelques milliers, mais leurs axones n'y restent pas, ils envahissent des territoires immenses de l'encéphale (voir figures 11 et 44 bas). Certains envoient leurs branches axonales

---

32. H. Piéron, 1912.
33. M. Jouvet, 1979.
34. G. Moruzzi et H. Magoun, 1949 ; H. Magoun, 1954.

---

*Fig. 44. – La « formation réticulée » du tronc cérébral commande des états « globaux » du fonctionnement cérébral. On pensait, vers les années 50 (haut chez le singe) qu'il s'agissait d'un ensemble diffus de neurones (d'après Magoun, 1954). On sait aujourd'hui (bas chez le rat) que l'on a affaire à une constellation de noyaux discrets qui se distinguent, en particulier, par le neurotransmetteur synthétisé. Ici sont représentés les noyaux $A_9$ et $A_{10}$ dont les neurones synthétisent la dopamine (d'après Lindvall et Björklund, 1974) et envoient des axones dans diverses régions de l'encéphale et en particulier dans le cortex frontal (Thierry et coll., 1973).*

pratiquement dans l'ensemble du cortex. Il y a *divergence*, « en éventail », à partir d'un très petit groupe de cellules qui exerce de ce fait des « pouvoirs exceptionnels » sur une grande partie du cortex, sinon sur la totalité de l'encéphale.

Nous savons, depuis le travail du groupe suédois [35] (voir chapitre I), que chacun de ces petits groupes de neurones est étiqueté par un transmetteur particulier. Le *locus coeruleus* éveille le cortex avec la noradrénaline, en compagnie d'un groupe de cellules qui libère l'acétylcholine. Un autre noyau, qui contient la sérotonine, l'endort. Un autre encore déclenche l'orage du sommeil paradoxal. Toutefois, comme nous l'avons dit à propos de l'hypothalamus (chapitre V), il est toujours difficile d'associer un neurotransmetteur particulier à une fonction. La noradrénaline n'est pas « le » transmetteur de l'éveil, ni la sérotonine celui du sommeil. Chacun balise une voie qui comporte souvent plusieurs relais. Le dernier-né de ces relais met à contribution une fois encore des neuropeptides.

Henri Piéron, en 1913, ignorait tout des neurotransmetteurs et des peptides, mais fit une expérience aujourd'hui d'une grande actualité. Voici son hypothèse. Une substance chimique, une « hypnotoxine », s'accumule pendant la journée; le soir, elle atteint une concentration suffisante pour entraîner le sommeil, puis est détruite pendant la nuit. Mettant cette idée à l'épreuve, Piéron maintient des chiens éveillés pendant plusieurs jours, les enchaînant haut pendant la journée, et les promenant la nuit. Puis il ponctionne le liquide céphalo-rachidien de ces chiens épuisés d'insomnie et l'injecte dans les ventricules cérébraux d'autres chiens bien éveillés. Ceux-ci s'endorment instantanément et pour plusieurs heures, en pleine journée. Cette expérience a été répétée depuis chez le lapin et chez le chat [36]. Les hypnotoxines existent donc bien. Plusieurs neuropeptides, distincts des endorphines et des enképhalines, sont mis en cause. L'action divergente des neurones du tronc cérébral se poursuit ainsi par un effet hormonal : un « bain » de neuropeptides achève la régulation des états de conscience du cortex.

Comment le cortex s'éveille-t-il ou s'endort-il sous l'effet de ces systèmes régulateurs? On pourrait croire que, pendant le sommeil lent, l'activité des neurones du cortex diminue et

35. B. Falk et coll., 1962; A. Dahlstrom et K. Fuxe, 1964; T. Hökfelt et coll., 1980.

36. M. Monnier et L. Hösli, 1964; M. Sallanon et coll., 1981.

qu'elle reprend lors de l'éveil ou pendant les brefs épisodes de sommeil paradoxal. Il n'en est rien. Livingstone et Hubel (1981) ont réussi l'exploit d'enregistrer chez le chat la même cellule du cortex visuel pendant des minutes, voire des heures entières, lorsque l'animal s'endort et s'éveille (figure 45). Première

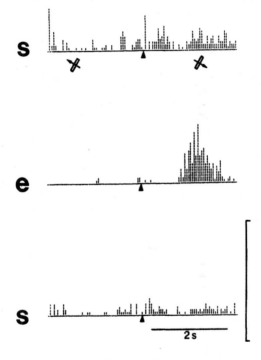

FIGURE 45

*Fig. 45. — Conséquences de l'éveil sur l'activité de neurones individuels du cortex visuel chez le chat. De haut en bas, les tracés ont été obtenus successivement : pendant le sommeil lent(s), lorsque le chat est éveillé(e), et, à nouveau, pendant le sommeil lent(s). Pour chacun de ces états, l'activité du neurone enregistré est figurée à droite. Chaque trait vertical indique la fréquence des impulsions (échelle 100 impulsions par seconde). L'éveil supprime le « bruit de fond » et met en relief la réponse au déplacement d'une barre lumineuse de gauche à droite vers le bas (flèche) (d'après Livingstone et Hubel, 1981).*

constatation : pendant le sommeil lent, les neurones ne sont pas électriquement silencieux. Bien au contraire, ils présentent une forte activité spontanée, le plus souvent par rafales régulières qui coïncident avec le pic des ondes lentes δ. L'éveil fait disparaître ces rafales, les désynchronise, il réduit aussi la fréquence des impulsions électriques. Seconde observation : il est possible d'enregistrer, *pendant le sommeil lent,* une réponse des neurones du cortex visuel à un signal lumineux envoyé dans l'œil maintenu artificiellement ouvert. Mais la fréquence des impulsions recueillies est en général moins élevée que lorsque le chat est éveillé. De plus, elle se trouve mélangée à une forte activité spontanée. *L'éveil du cortex améliore le rapport signal/bruit,* il augmente le contraste, met les cellules dans un état d'« attente calme », dans l'expectative d'une interaction avec le monde extérieur, et assure ainsi à chaque neurone l'opportunité d'exprimer sa singularité, de participer à la formation de percepts conscients, de *s'intégrer* à une assemblée de neurones.

Le devenir conscient correspond donc à une régulation d'ensemble de l'activité des neurones du cortex et, d'une manière générale, de l'encéphale. Celle-ci est sous le pouvoir de quelques petits groupes de neurones du tronc cérébral, très centralisés, qui, par la divergence de leur axone et par effet d'imprégnation, exercent une action *globale.* La régulation *unitaire* des états de vigilance tient à des dispositions anatomiques et chimiques d'une grande simplicité.

## Attention!

Comme l'illustre l'exemple des hallucinogènes, la production d'objets mentaux peut se libérer, dans des conditions pathologiques ou artificielles, de la régulation imposée par la volonté consciente. D'autre part, celle-ci s'abolit, ainsi que la composante perceptive de la conscience, lors du passage de la veille au sommeil. Le « tout » global et cohérent de la conscience se *décompose* en régulations élémentaires. Jusqu'ici, la formation des images et des concepts, leur enchaînement n'ont été pris en considération que chez le sujet alerte et vigilant. Lors du passage de la veille au sommeil, l'activité d'imagerie ne cesse pas. Au contraire, elle prend la forme exubérante du rêve, « pensée déréelle et imaginaire ». Une fois de plus, les deux composantes de production intentionnelle et de perception des objets mentaux se trouvent dissociées.

Dans le but d'identifier les signes objectifs du rêve, William Dement (1965) a réveillé des dormeurs aux différents stades électroencéphalographiques du sommeil en leur demandant : « Rêviez-vous ? ». Il a pu constater qu'au cours du sommeil paradoxal la majorité des réponses était positive, mais qu'un nombre important de celles-ci l'étaient encore lors du sommeil lent. Toutefois, les rêves du sommeil lent ont un contenu plausible (déclaration d'impôts, problèmes scientifiques !) proche de la réflexion consciente. Ils ne ressemblent pas à ceux du sommeil paradoxal, animés d'images colorées et d'épisodes narratifs. Comme dans le cas des hallucinations, images et concepts s'actualisent et s'enchaînent pendant le rêve en l'absence d'interaction notable avec le monde extérieur, mais cette imagerie se développe dans le « brouillard » du sommeil lent et n'accède qu'occasionnellement à la conscience. Cette activité mentale fait donc bien partie du *non*-conscient, ou, si l'on veut, de l'inconscient. Toutefois, dire avec Freud que le rêve est « libération de l'inconscient » ou « accomplissement déguisé d'un désir réprimé » ne nous apprend que peu de chose sur ses « fonctions » et, surtout, sur les mécanismes qui règlent cette production spontanée d'objets mentaux.

Une remarquable expérience, réalisée récemment par Jouvet et ses collaborateurs (1979), est à cet égard instructive. L'orage du sommeil paradoxal est d'une violence telle que l'on s'attend à ce qu'il touche les centres moteurs et, par voie de conséquence, cause des mouvements chez le dormeur. En fait, ceux-ci n'apparaissent pas. Ils sont bloqués dans la moelle épinière, au niveau des neurones moteurs qui commandent la contraction des muscles. Un noyau spécialisé (le *locus coeruleus α*), présent là encore dans le tronc cérébral, paralyse les neurones moteurs. Si l'on détruit ce centre, l'activité paradoxale « libérée » doit désormais pouvoir s'extérioriser sous forme de comportement. Les chats vont-ils se mettre alors à gesticuler de manière désordonnée comme dans le « grand mal » épileptique ? Il n'en est rien. Jouvet, au contraire, a observé que, tout en dormant, le chat présente des comportements organisés. Il explore son territoire, fait sa toilette, se lèche, attaque une proie imaginaire, pique une crise de rage. Mais tout cela a lieu sans ordre fixe. L'enchaînement de ces comportements élémentaires n'a « ni queue ni tête ». Il y a expression de séquences automatiques que nous savons déterminées par des centres situés en dessous du cortex (chapitre IV), mais cette expression a lieu « au hasard », sans coordination qui lui donne sens. Le générateur de l'activité paradoxale qui est responsable de ces comportements joue donc le rôle d'*évocateur* d'objets mentaux ainsi que d'enchaînements déjà enregistrés sous forme de graphes stables, mais il ne suffit pas pour les organiser. Une régulation supplémentaire, qui requiert l'éveil du chat, est nécessaire pour qu'ils s'enchaînent de manière *signifiante*.

La raison d'être de l'intrusion périodique de l'activité paradoxale pendant le sommeil n'est pas connue. Elle a déjà suscité beaucoup d'hypothèses. Son développement au cours de l'évolution suit de près celle du cortex et il paraît raisonnable de relier l'existence de celle-là aux fonctions de celui-ci. Aurait-elle un rôle dans le traitement des objets mentaux par le cortex cérébral? Servirait-elle à « répéter » objets et schèmes mentaux pour éviter leur effacement pendant la nuit? Poursuivrait-elle pendant le sommeil la stabilisation des graphes amorcée pendant la journée?

De la signification de l'activité paradoxale à l'interprétation des rêves, le pas est grand. Des différences majeures existent évidemment entre les « comportements actualisés » du chat opéré et les rêves. En particulier, le chat opéré ne présente jamais de signes d'activité sexuelle, alors que celle-ci occupe une bonne part des rêves de l'homme. Cependant, les associations souvent saugrenues du rêve rappellent les « collages » en apparence aléatoires des séquences de comportements actualisés par le chat opéré. Doit-on pour autant mettre en cause l'idée de Lacan que le rêve, comme l'inconscient, est « structuré comme un langage »? Mais, après tout, de quel langage s'agit-il? Celui de l'homme normal ou du fou?

Déjà Cabanis signalait en 1824 que « la manière dont l'état de sommeil occasionne ces images ressemble parfaitement... à celle dont se produisent les fantômes propres au délire et à la folie ». Quelques années plus tard, Moreau de Tours (1855) écrit cette phrase lapidaire : « La folie est le rêve de l'homme éveillé. » Dans la pensée délirante, les composantes perceptive et intentionnelle de la conscience, comme dans les hallucinations, persistent, mais le « dialogue » avec le monde extérieur ainsi qu'avec le « moi » paraît perturbé. Le délirant poursuit un discours autonome qui, comme dans le rêve, n'est pas directement couplé à l'interaction avec l'extérieur. Il devient imperméable à la persuasion. Il est « en proie à une imagerie interne qui lui tient lieu de représentation du monde réel ». La composante régulatrice de la conscience qui a la charge de comparer objets perçus et objets conçus ne fonctionne plus, ou mal. Comprendre les causes organiques de ce déficit devrait nous instruire sur les composantes essentielles de la conscience. Les données sont encore trop fragmentaires pour nous autoriser à apporter une réponse définitive.

Examinons cependant quelques-uns des traits qui caractérisent le, ou plutôt *les* discours délirants [37]. Ceux-ci paraissent d'emblée désorganisés, l'enchaînement des idées et des mots y est décousu. Dans une même phrase se retrouvent des thèmes contradictoires ou des mots dont le sens ne convient pas au contexte. Les concepts ne sont plus utilisés convenablement comme outils du raisonnement. Une *composante aléatoire* s'insère dans le discours comme dans la formation des mots. L'analogie avec le comportement du chat opéré de Jouvet et avec les enchaînements du rêve est flagrante. Mais à quel niveau se situe la perturbation? La pensée est-elle au départ désorganisée de sorte que le délirant ne peut plus la comparer avec le réel ou, au contraire, le déficit de comparaison laisse-t-il la pensée se désorganiser? Sans doute existe-t-il plusieurs réponses à cette irritante question!

Quoi qu'il en soit, le « comparateur » cérébral ne fonctionne plus normalement. Cette comparaison avec le monde extérieur passe par le canal des organes des sens. En suivant ce canal, nous accédons aux mécanismes régulateurs mis en cause, en particulier à l'*attention* qui gère l'économie des relations du cerveau avec l'environnement.

Observons un chat explorer la pièce dans laquelle on vient de le lâcher. Il se promène calmement, regarde autour de lui, bouge ses oreilles de droite et de gauche, renifle, puis, s'il ne découvre rien de particulier, s'assied, continuer d'examiner la pièce du regard et finit par s'assoupir. On apporte une souris dans une boîte transparente. Soudain le chat se redresse, tourne la tête vers la boîte, s'immobilise, les oreilles droites, les yeux fixés sur la souris. C'est la réaction d'*orientation*. Pavlov (1910), puis Sokolov (1963) l'ont décrite comme la « première réponse du corps à n'importe quel type de stimulus », qui conduit l'animal à « accorder l'analyseur correspondant pour assurer les conditions

---

37. P. Boyer, 1981 ; S. Schwartz, 1982.

optimales de la perception du stimulus ». Toutefois, s'il s'agit d'une souris en peluche, la réponse du chat ne tarde pas à évoluer. Enlevons la souris pendant quelques minutes, puis présentons-la de nouveau au chat. La réponse est moins intense que la première fois. Le chat finit par ne plus répondre. Il *s'habitue*. Si on lui présente maintenant une *vraie* souris, il réagit à nouveau comme la première fois. Il se *déshabitue*. L'ensemble de ces réactions assure une exploration très efficace de l'environnement : examen de détail par la réaction d'orientation et la focalisation initiale de l'attention, tour d'horizon en perpétuel renouvellement par le cycle habituation-déshabituation.

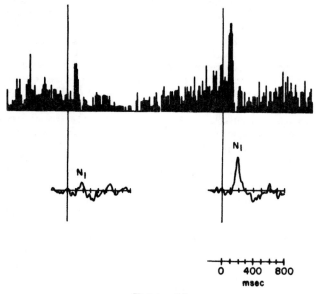

FIGURE 46

*Fig. 46. — Effets comparés de l'attention sur l'activité de neurones individuels du cortex (pariétal postérieur) chez le singe (tracés du haut) et sur les potentiels évoqués enregistrés au même niveau chez l'homme (tracés du bas) en réponse à un flash lumineux. A gauche sujet inattentif, à droite sujet attentif. La fixation de l'attention accroît l'amplitude de la réponse évoquée et améliore le rapport « signal sur bruit ». Sur les tracés du haut, chaque barre verticale correspond à une fréquence d'impulsions (d'après Hillyard, 1981).*

Ce schéma s'applique évidemment à l'homme. On le met à l'épreuve quotidiennement, depuis la traversée d'une rue jusqu'à l'écoute d'une fugue de Bach où l'alternance des tonalités, des voix, du sujet et de la réponse « déshabitue » constamment. Mais il ne s'extériorise pas nécessairement par un comportement ou une attitude ouverte. Il peut néanmoins être mis à l'épreuve de la mesure par l'enregistrement électroencéphalographique. On sait déjà (chapitre III) que les ondes régulières α laissent la place aux ondes « désynchronisées » β lorsque le sujet fixe globalement son attention. S'habitue-t-il ? Les ondes α alors réapparaissent.

Mais l'attention peut se diriger de manière plus *sélective* sur une modalité sensorielle particulière. Hillyard et ses collaborateurs [38] ont enregistré les variations de potentiel ou potentiels évoqués (chapitre III), qui affleurent sur la peau du crâne lorsque l'on stimule par exemple l'oreille avec un « clic », ou bien l'œil avec un flash lumineux. On demande à présent au sujet de *fixer* son attention sur *un* œil ou *une* oreille au moment où l'on envoie le clic ou le flash. On constate un remarquable changement de forme de l'onde enregistrée lorsque le sujet fixe son attention sur une oreille ou sur un œil, droit ou gauche. La fixation de l'attention augmente l'amplitude des ondes majeures et lentes de manière très significative. Elle crée un *hyper-éveil sélectif* de l'aire du cortex choisie par le sujet (figure 46).

Le mécanisme de cette facilitation, de ce « coup de projecteur » sur une aire sensorielle particulière, a pu être abordé chez le chat au niveau cellulaire. Une fois de plus, la formation réticulée joue un rôle critique. Singer (1979) a suivi la propagation des impulsions électriques du nerf optique au cortex visuel *via* le thalamus. Chez le chat éveillé, les impulsions passent. Mais si, au moment où elles passent, on stimule la formation réticulée (à proximité du noyau *locus coeruleus* α qui envoie les décharges du sommeil paradoxal), la traversée des signaux jusqu'au cortex est *facilitée* de manière spectaculaire. Comme dans le cas du potentiel évoqué, l'amplitude de la réponse électrique au niveau du cortex augmente (voir figure 46). Cette augmentation correspond à la levée d'une inhibition intrinsèque qui, lors du repos, met le régime du canal au niveau le plus bas. L'acétylcholine sert de neurotransmetteur. Elle inhibe une inhibition, donc elle active. Le noyau de la formation

---

38. S. HILLYARD et coll., 1978 ; R. GALAMBOS et S. HILLYARD, 1981.

réticulée qui la contient agit comme « régulateur » du canal visuel.

Les noyaux de la formation réticulée règlent la circulation des messages sensoriels. Ils participent aussi à des régulations plus globales, comme la réaction d'orientation et la fixation de l'attention. Un noyau particulier, qui contient la *dopamine* ($A_{10}$) (figure 44), joue à cet égard un rôle essentiel [39]. Revenons à l'exemple du chat attentif. Enlevons ce noyau $A_{10}$ et, quelques mois après l'opération, examinons le comportement du chat opéré [40]. Lâché dans une pièce, il ne l'explore plus avec son calme habituel. Il va, vient, se déplace dans tous les sens sans s'arrêter sur un détail, un objet; il a totalement perdu l'attitude attentive. Il est devenu hyper-actif et distractible. Si on lui présente maintenant la souris dans sa boîte de plastique transparent, au lieu de s'immobiliser pour la fixer du regard, il se met à tourner sans arrêt autour de la boîte. L'injection de DOPA, précurseur de la dopamine, ou d'une drogue qui agit comme la dopamine, réduit ce symptôme; elle calme le chat qui adopte à nouveau des attitudes d'attente. Les neurones à dopamine du tronc cérébral interviennent donc dans la régulation de l'attention, en plus de leur engagement dans les « synapses hédoniques » (voir chapitre IV) qui contrôlent les motivations. Comme l'acétylcholine sur le canal visuel, la dopamine servirait de neurotransmetteur *inhibiteur* au niveau du cortex cérébral. Il est possible que cette inhibition agisse elle aussi sur une inhibition, donc au total facilite, « hyper-éveille » sélectivement les aires du cortex sur lesquelles se projettent ces neurones. Quoi qu'il en soit, les neurones à dopamine du noyau $A_{10}$ interviennent dans la régulation du *contact sélectif* du cerveau avec le monde extérieur.

Cela nous ramène légitimement à la pensée délirante. Les premiers psychiatres qui découvrirent la schizophrénie, Kraepelin (1896) et Bleuler (1911), attribuaient déjà une grande importance aux défauts d'attention, et surtout d'orientation de l'attention, qui affectent certains de ces malades. Des recherches récentes [41] ont confirmé ce point de vue. Soumis à divers

39. Références dans U. UNGERSTEDT, 1971, A. THIERRY et coll., 1973; H. SIMON, 1981.

40. J. BOUYER et coll., 1980; P. BUSER, 1980.

41. J.-P. MIALET, 1981.

tests, le schizophrène présente en général des déficits significatifs d'attention, son temps de réaction est plus long et plus variable, il est plus sensible à la distraction et le balayage exploratoire du monde extérieur comme du monde *intérieur* paraît chez lui ralenti. Les troubles de la pensée et du langage [42] qui l'accablent peuvent même s'interpréter comme un défaut de l'attention portant tant sur sa sélectivité (impuissance à exclure des stimulations internes ou externes non pertinentes) que sur une fixation excessive de celle-ci. Enfin, la plupart des médicaments qui atténuent les symptômes de schizophrénie ont une relation avec le récepteur de la dopamine.

Certes, le chat opéré et le schizophrène diffèrent sur bien des points. Un dysfonctionnement du noyau $A_{10}$ du tronc cérébral, à lui seul, n'explique pas la maladie. Néanmoins, ces travaux mettent en relief les fonctions critiques de « régulateur » exercées par les noyaux du tronc cérébral. Ici, les neurones à dopamine commandent l'orientation de l'attention; là, des neurones à acétylcholine règlent le débit du canal visuel; ils exercent un contrôle très sélectif sur les échanges du cerveau avec le monde extérieur, et maintiennent le dialogue permanent entre le cheminement interne de la pensée et le réel qui lui est extérieur. D'autres groupes de neurones, encore mal identifiés, interviennent dans la focalisation « interne » de l'attention vers une image de mémoire ou un concept. On s'attend à ce qu'ils imposent leurs règles, leur « grammaire » aux opérations effectuées sur les objets mentaux, à leur enchaînement et, bien entendu, à leur échange avec l'environnement.

Les divers groupes de neurones de la formation réticulée reçoivent des signaux des organes des sens. Ils se trouvent en relation avec les nerfs crâniens et sont directement branchés sur le monde extérieur. Appréciant ce qui se passe « dehors », ils allument ou éteignent tantôt des domaines considérables de l'encéphale, tantôt des aires très précises du cortex, voire des points particuliers de celui-ci. Ces noyaux du tronc cérébral n'effectuent pas l'analyse de détail, c'est le cortex qui s'en charge, mais ils règlent les canaux qui permettent cette analyse. Ils jouent en quelque sorte le rôle de « pilotes » ou, si l'on préfère, de console du « grand orgue » cortical, mettant en action tel clavier ou tel jeu plus particulièrement adéquat à *l'actualité* de production et de traitement des objets mentaux.

---

42. P. Boyer, 1981; S. Schwartz, 1982.

Pour que ce pilotage confère à l'organisme l'autonomie qui lui est propre, il faut que les neurones du tronc cérébral soient eux-mêmes informés des calculs effectués par le cortex sur les objets mentaux. Or, précisément, des voies d'entrée en retour du cortex vers le tronc cérébral existent. Ces *réentrées* [43] ferment la boucle. La confrontation devient possible entre monde extérieur et monde intérieur. Le système de régulations mis en place évalue, apprécie résonances et dissonances entre concepts et percepts. Il devient mécanisme de perception des objets mentaux, de « surveillance » de leur enchaînement. Les divers groupes de neurones de la formation réticulée s'avertissent mutuellement de leur action. Ils forment un « système » de voies hiérarchiques et parallèles en contact permanent et *réciproque* avec les autres structures de l'encéphale. Une *intégration* entre centres se met alors en place. Du jeu de ces régulations emboîtées naît la *conscience*.

### Le calcul des émotions

« Les motivations sociales les plus fondamentales, écrit Harlow, sont les diverses formes de l'amour ou de l'affection. » Passant par le canal des attitudes ou des gestes, et plus encore par les mouvements du visage, les émotions se communiquent au sein du groupe social sans se soumettre nécessairement au pouvoir des mots. Ces émotions, nous le savons (chapitre IV), engagent les neurones de l'hypothalamus et du système limbique qui agissent eux-mêmes sur les *motivations* de l'individu à rechercher nourriture, partenaire sexuel, mais aussi à « être ensemble ». Si l'on suit Sartre, « l'émotion serait un mode d'existence de la conscience, ... un état de conscience ». De fait, les émotions sont perçues intérieurement par le sujet conscient ; mais les percepts reçus de « l'extérieur » créent également des émotions. Un va-et-vient incessant s'instaure entre le cortex cérébral, le système limbique et l'hypothalamus.

La mise en cause du cortex frontal (partie la plus antérieure du cortex : voir figure 6) dans les conduites émotionnelles remonte à une observation contemporaine de celle de Broca. Il s'agit du célèbre cas de Philéas Gage, cheminot de Nouvelle-

---

43. G. EDELMAN, 1978, 1981.

Angleterre que le Dr Harlow soigna et dont il s'occupa de longues années jusqu'à sa mort [44]. Gage avait vingt-cinq ans lorsque, bourrant un trou de mine avec une barre de fer pointue, la charge explosa, projetant violemment la pièce de métal dont la pointe « pénétra par l'angle gauche de la mâchoire, traversa net le sommet du crâne, dans la région frontale, près de la suture sagittale, et fut ramassée à quelque distance couverte de sang et de cervelle ». Moins d'une heure après l'accident, Gage gravissait un escalier et racontait au chirurgien ce qui lui était arrivé! Il survécut douze ans, mais avec de graves troubles du comportement que Harlow décrivit avec beaucoup d'exactitude et qui servent encore de critères au diagnostic de lésions définies du lobe frontal : « Il est nerveux, irrespectueux, et jure souvent et de la façon la plus grossière, ce qui n'était pas dans ses habitudes auparavant; il est à peine poli avec ses égaux; il supporte impatiemment la contrariété et n'écoute pas les conseils des autres lorsqu'ils sont en opposition avec ses idées; à certains moments, il est d'une obstination excessive, bien qu'il soit capricieux et indécis; il fait des plans d'avenir qu'il abandonne aussitôt pour en adopter d'autres qui lui semblent plus praticables... » Depuis le début du siècle, d'autres cas de lésions du lobe frontal sont venus s'ajouter à celui de Gage. Plusieurs types d'effets ont été notés. La perturbation va soit dans le sens « psychopathe », comme pour Gage, soit dans le sens « dépressif » : le patient devient alors apathique, indifférent, il n'exprime aucune émotion et parle peu ou pas du tout. Le lobe frontal, c'est clair, prend part à la régulation des états émotionnels; les liens anatomiques très étroits qui l'unissent au système limbique le lui permettent.

Toutefois, la description du cas Gage le montre, les lésions du lobe frontal n'entraînent pas seulement des troubles émotionnels. S'y mêlent, en plus du cas très particulier de l'aphasie (l'aire de Broca appartient à la partie très postérieure du lobe frontal – voir chapitre v et figures 6 et 40), des troubles de la mémoire à court terme. Le patient « oublie de se rappeler ». Il présente une prédisposition à la distraction, un défaut de concentration, d'*attention,* un manque de perspective tant pour le passé que pour le futur, une incapacité à former des projets et à les réaliser. Lieu de convergence d'un grand nombre de territoires corticaux (en particulier, de multiples aires sensoriel-

---

44. Voir D. FERRIER, 1880; B. KOLB et I. WISHAW, 1980.

les secondaires s'y projettent), le lobe frontal se projette sur des centres moteurs non corticaux comme les ganglions de la base (figure 13). Il peut désormais intervenir dans l'exécution des projets de mouvements et dans leur adaptation aux circonstances extérieures, mais également intérieures. Les lésions du lobe frontal entraînent aussi des perturbations dans l'orientation de l'individu vis-à-vis de son propre corps, de son *moi*.

Territoire aux multiples compétences, il participe à l'élaboration et à l'exécution de l'activité mentale la plus élaborée : « l'activité constructive, l'intelligence verbale, la pensée discursive et le raisonnement logique [45] ». Il se développe de manière tout à fait exceptionnelle chez l'homme où il occupe 29 % de la surface du cortex, contre 17 % seulement chez le chimpanzé et 7 % chez le chien (figure 6). A son niveau, pour employer les termes introduits dans la partie théorique de ce chapitre, s'enchaînent et se combinent les objets mentaux, se construisent les images-programmes de l'espace moteur où seront exécutés les mouvements à venir. Ces *intentions* s'échafaudent sous la forme matérielle d'images ou concepts, eux-mêmes « compositions » d'autres images ou concepts où figurent les stratégies des futurs comportements. « Organe de la civilisation », le cortex frontal calcule, anticipe, prévoit.

Cette fonction d'anticipation a pu récemment être mise en évidence au niveau cellulaire chez le singe. La démonstration se fonde sur un test d'apprentissage relativement simple développé par Jacobsen [46] chez le chimpanzé : la *réponse différée*. On place devant le singe attentif deux bols identiques renversés. Un morceau de pomme est introduit sous l'un des deux bols devant le singe, mais celui-ci ne peut l'atteindre. On attend quelques secondes ou minutes, les deux bols restent renversés, puis on laisse le singe choisir. Si, au premier essai, il indique le bol qui cache la pomme, la réponse est positive, il peut alors la manger. Évidemment, d'une séance à l'autre, la pomme est placée indifféremment sous l'un ou l'autre bol. Au bout de plusieurs séances, le singe apprend à donner systématiquement la bonne réponse. Jacobsen montrait que l'ablation du lobe frontal entraîne un déficit majeur dans le succès de ce test. Fort de ce résultat, Fuster (1981) a enregistré l'activité électrique de neurones individuels du lobe frontal chez le macaque pendant la

45. A. Luria, 1978.
46. C. Jacobsen, 1935 ; C. Jacobsen et H. Nissen, 1937.

réalisation du même test. Il a pu distinguer plusieurs catégories de réponses cellulaires. Certains neurones entrent en activité au moment de la présentation des bols ou de l'exécution de la réponse, d'autres envoient les impulsions pendant toute la durée de l'expérience. Les plus intéressantes diminuent d'activité pendant la présentation du stimulus et l'exécution de la réponse, et montrent un accroissement remarquable de la fréquence de décharge *pendant le délai*. Elles ne répondent pas si les bols sont présentés sans le morceau de pomme, si le singe n'a pas appris le test, ou si on le distrait pendant le test. La réponse est donc en relation avec la mise en mémoire d'une information visuelle et avec l'élaboration d'un acte moteur approprié. Certes, il ne s'agit encore que de la réponse d'un très petit nombre de neurones, comparé au nombre total des cellules du lobe frontal. Le simple fait que l'on puisse les enregistrer lors d'une descente de micro-électrodes indique cependant qu'ils ne sont pas rares. Une neurophysiologie de l'anticipation devient possible.

Revenons aux patients présentant une lésion du lobe frontal. Presque tous souffrent d'une « réduction appréciable de leur faculté critique : ils sont incapables d'évaluer correctement leur comportement et de juger leurs propres actions [47] ». La fonction de *comparateur* de l'encéphale requiert l'intégrité du lobe frontal : elle lui est associée. Nous avons déjà souligné l'importance du rôle que l'*attention* joue dans le dialogue que le cerveau maintient en permanence avec le monde extérieur, qu'il soit physique ou social. La surprise ne sera pas grande lorsqu'on réalisera que le pilotage du cortex frontal est sous la commande du noyau $A_{10}$ du tronc cérébral qui contient la dopamine et dont il a déjà été longuement question dans la régulation de l'attention. Le rat privé de ce noyau ne réussit plus le test de réponse différée, comme si le lobe frontal manquait. Le noyau $A_{10}$ sert donc de « régulateur » du lobe frontal, il permet la focalisation interne de l'attention vers celui-ci et lui donne la possibilité, entre autres, d'assumer son rôle de comparateur.

Le résultat immédiat de la mise en route du comparateur va être, pour reprendre les termes de nos propos théoriques, de laisser résonances et dissonances se produire entre objets mentaux. Quelles en seront les conséquences? Il a déjà été souligné que les lésions du lobe frontal entraînent *à la fois* des perturbations émotionnelles et des troubles cognitifs. Même si des

---

47. A. LURIA, 1978.

régions différentes bien qu'étroitement mêlées de ce lobe sont préférentiellement engagées dans l'une ou l'autre de ces conduites, un lien peut désormais s'établir entre elles à ce niveau. Pourquoi ne pas imaginer que l'entrée en résonance d'objets mentaux au niveau de l'élément « cognitif » se communique au proche voisin « émotionnel » du cortex frontal, y déclenche des rafales d'impulsions qui se propagent jusqu'au système limbique et à l'hypothalamus, et y déterminent une tonalité affective positive de plaisir ou, au contraire, en cas de dissonance, un effet dépressif ? On comprend la gravité des perturbations émotionnelles que subira le délirant si ces entrées en résonance ne se produisent pas ou se produisent de manière inadéquate. On comprend aussi comment un seul mot pourra résonner ou dissonner avec une image de mémoire (et susciter joies ou détresses).

Enfin, le dialogue entre cortex et système hypothalamo-limbique ne va pas toujours dans le même sens. Certes, la résonance des concepts rationnels réjouit. Mais « le cœur a ses raisons que la raison ne connaît pas », ce qu'on peut traduire par : le système hypothalamo-limbique (le « cœur ») est doué d'une autonomie connexionnelle suffisante vis-à-vis du cortex pour que, sous la pression de stimulations sensorielles particulièrement fortes, le niveau de motivation monte, voire déclenche le passage à l'acte même si les résonances corticales disent *non* à l'acte en question.


## Voir les objets mentaux

Les émotions se propagent d'un individu à l'autre par les mouvements du visage ou par des attitudes corporelles. Le contenu conceptuel ou imagé de cette communication reste néanmoins limité. Il n'existe pas de « télé-vision » entre individus qui renverrait directement images mentales ou concepts d'un cerveau à l'autre. La transmission des objets mentaux passe le plus souvent par la symbolique des signes du langage, système de codage lourd et encombrant qui véhicule tant bien que mal le « langage de la pensée ».

L'organisation du cortex reflète cette difficile tâche de communiquer les objets mentaux d'un individu à l'autre avec les moyens dont ils disposent : bouche, oreilles, mains, yeux. Nous savons déjà que l'hémisphère gauche contient les représentations du langage parlé (chapitre v), mais, comme l'écrivait Jackson dès 1868, « les deux cerveaux ne peuvent pas être simplement en double ». Les patients ayant une aphasie de Broca chantent parfaitement bien, mais des lésions de l'hémisphère droit ont été décrites chez des musiciens professionnels qui entraînent une perte de l'aptitude à percevoir et produire de la musique. Les lésions du même hémisphère s'accompagnent aussi de déficits majeurs dans la performance des tests d'imagerie mentale tels que ceux décrits au début de ce chapitre.

La spécialisation de chaque hémisphère dans des tâches de communications différentes est également illustrée par les célèbres recherches de Sperry [48] sur des sujets ayant subi une section du faisceau de fibres ou *corps calleux* qui réunit les deux hémisphères. Après l'opération, chacun des deux hémisphères reste réuni aux organes des sens, mais, du fait du croisement des nerfs optiques, l'hémisphère droit « verra » avec l'œil gauche et l'hémisphère gauche avec l'œil droit. On pourra donc communiquer séparément avec chaque hémisphère. Sperry demande à N.G., mère de famille californienne, de lui parler de ce qu'elle voit sur un écran divisé verticalement en deux et sur lequel on projette des images différentes à droite et à gauche. Il lui demande de fixer un point situé au centre de l'écran, puis l'image d'une tasse lui est présentée à droite; elle répond : « j'ai vu une tasse ». Une cuiller apparaît ensuite sur l'écran à gauche. On lui demande ce qu'elle a vu : « rien », dit-elle. Cependant, avec sa main gauche, elle choisit une cuiller parmi d'autres ustensiles pour désigner ce qu'elle a vu. On lui demande alors de désigner verbalement ce qu'elle tient : « un crayon », dit-elle. Le dialogue se poursuit. Une photographie de femme nue lui est maintenant présentée *à gauche*. Elle rougit un peu, puis se met à rire en cachant sa bouche. « Qu'avez-vous vu ? » demande Sperry. « Un éclair de lumière », répond-elle. « Alors, pourquoi riez-vous ? – Ah, Docteur, vous avez une de ces machines !... » La patiente est capable de *nommer verbalement* un objet comme la tasse, présenté sur l'hémisphère gauche (par le canal de l'œil droit); elle ne peut le faire pour l'image qui accède seulement à l'hémisphère droit. Cependant, elle reconnaît la cuiller et réagit par un changement apparent d'état émotionnel à la photo de nu féminin. L'hémisphère droit analyse et produit préférentielle-

48. R. Sperry, 1968; M. Gazzaniga, 1970; S. Springer et G. Deutsch, 1981.

ment des images, alors que l'hémisphère gauche se spécialise dans des opérations à la fois verbales et « abstraites ».

Revenons aux considérations théoriques présentées en début de chapitre. Ces résultats suggèrent que les objets mentaux à composante réaliste, comme les images, mobilisent de préférence des neurones de l'hémisphère droit, tandis que ceux à contenu plus verbal ou abstrait, les concepts, recrutent plutôt des neurones de l'hémisphère gauche. Il ne s'agit cependant que d'un « dosage », car chacun des deux hémisphères possède des aires sensorielles fonctionnelles (par exemple, les aires visuelles des deux hémisphères contribuent *à la fois* à la vision d'un objet dans l'espace et à la formation d'un percept spatial). Les assemblées coopératives de neurones doivent donc chevaucher sur chacun des deux hémisphères : elles en ont la possibilité par le canal des 200 millions de fibres du corps calleux. L'incessant va-et-vient percept-concept correspondra alors à l'oscillation de la balance *droite-gauche*. Ce recrutement de masses de neurones actifs s'accompagnera, pour la « logique » des enchaînements et pour leur charge émotionnelle, de « mouvements » dans une autre direction : par la mise à contribution des lobes frontaux, les assemblées de neurones actifs évolueront alternativement *d'avant en arrière*.

Ces mouvements d'activités d'ensembles importants de neurones ne sont pas purement « imaginaires » ! Des progrès récents de la technique d'exploration cérébrale, aux conséquences encore incalculables, permettent déjà de les *voir* à travers la paroi du crâne. La méthode se fonde sur la mise en évidence des dépenses d'énergie qui résultent de l'activité nerveuse. La production d'une impulsion électrique, nous le savons (chapitre III), coûte de l'énergie et entraîne donc une consommation accrue de glucose, l'aliment énergétique par excellence. Sa dégradation par la respiration produit du gaz carbonique. Libéré dans le sang, celui-ci le rend plus acide et cette acidification entraîne un accroissement du diamètre des capillaires sanguins. Plus le sang circule, plus le *débit* des vaisseaux sanguins microscopiques situés dans le voisinage des neurones actifs augmente [49]. Sur la peau, cela se manifesterait par une rougeur. Sur le cortex cérébral, l'accroissement du débit sanguin local ne se voit pas sans utiliser une lumière qui traverse les tissus et en particulier la paroi du crâne. On la connaît : c'est le rayonne-

---

49. S. KÉTY et C. SCHMIDT, 1945 ; N. LASSEN, 1959.

ment X, et des isotopes radioactifs en produisent. Injectés dans le sang qui va au cerveau, ceux-ci donneront, là où les neurones sont très actifs, non pas des taches de couleur rouge, mais des taches de couleur « X », visibles avec une caméra sensible aux rayons X (figures 47 et 48).

Les isotopes employés – Xénon 133, Carbonne 11, Fluor 18 – n'émettent pas eux-mêmes de rayons X, mais des électrons chargés positivement ou *positrons* qui, une fois émis, se propagent sur des distances de quelques millimètres, rencontrent un électron négatif et, à ce moment, « explosent » en deux grains de lumière, deux photons qui partent en directions diamétralement opposées. La caméra employée détecte ces deux photons simultanément grâce à une multitude de cellules photosensibles qui enveloppent l'objet étudié, en l'occurrence le crâne du sujet. Un ordinateur branché sur la caméra effectue les calculs de triangulation requis pour localiser le point d'émission des deux photons. Il présente le résultat point par point sur un écran de télévision, sous la forme d'une *image* à deux dimensions. Les régions les plus riches en isotopes apparaissent colorées en X sur les tranches successives du cerveau. Ce sont celles où le débit sanguin est maximal, celles qui respirent le plus et donc, au départ, les plus actives électriquement. La caméra à positrons permet de *voir l'état d'activité* des neurones à l'intérieur du crâne. Ingvar (1977) a en conséquence baptisé cette méthode : *idéographie.*

Très récente, celle-ci a encore des limites techniques. Dans l'espace d'abord : le réseau de capillaires sanguins a des dimensions bien supérieures à celles de la cellule nerveuse. La mesure d'un débit sanguin local ne peut atteindre la résolution du neurone. C'est pourquoi d'autres procédés ont été imaginés. Ainsi, Sokoloff [50] a montré qu'une molécule voisine du glucose, le désoxyglucose, était, comme celui-là, pompée par les cellules actives. Mais, à la différence du glucose, il n'est pas brûlé par la respiration. Il s'accumule à l'intérieur du neurone. En principe, il permet de suivre l'état d'activité d'un seul neurone. Marqué au fluor 18 et examiné avec la caméra à positrons, il donne des images splendides (figure 47). Malheureusement, le positron parcourt quelques millimètres avant de produire les deux photons X. Il donne ainsi un « grain » irréductible aux images

---

50. L. SOKOLOFF et coll., 1977.

d'idéographie; en conséquence, leur résolution est encore très faible (centimètre carré). Enfin, des limites temporelles contraignent elles aussi l'analyse. Les produits employés mettent un certain temps pour atteindre les tissus nerveux et s'y distribuer

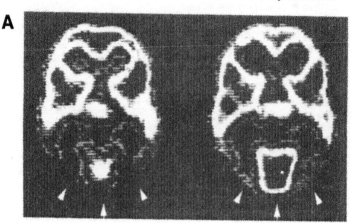

FIGURE 47

avec le maximum de contraste. L'enregistrement et l'analyse par ordinateur prennent eux aussi du temps. Il faut encore des minutes pour obtenir une image lisible d'idéographie.

Néanmoins, les résultats déjà recueillis sont spectaculaires. Test de la validité de la méthode, le « paysage radioactif » diffère lorsque le sujet est éveillé et conscient et lorsque son niveau de conscience diminue. L'état vigile se caractérise par un débit sanguin (ou une utilisation de glucose) plus élevé(e) au niveau du cortex frontal qu'à celui du reste de l'ensemble du cortex cérébral. La distribution est *hyper-frontale*. Lors de la perte de conscience, cette différence diminue ou disparaît.

La stimulation d'un organe sensoriel particulier provoque l'accumulation de traceur radioactif dans l'aire sensorielle concernée. Dans le cas de la vision, Phelps et ses collaborateurs (1981, 1982) ont noté des différences très remarquables dans la distribution du désoxyglucose sur le cortex en fonction de la scène observée par le sujet. Si l'œil est stimulé avec de la lumière blanche, la réponse s'observe principalement au niveau de l'aire visuelle primaire 17. Par contre, lorsqu'on lui demande de regarder un échiquier de carrés noirs et blancs, une accumulation plus importante a lieu au même endroit, mais surtout aussi au niveau des aires visuelles secondaires 18 et 19. Enfin, s'il observe l'environnement complexe du parc boisé situé au voisinage du laboratoire, l'intensité devient maximale *à la fois* au niveau des aires primaires et des aires secondaires. Ces

Fig. 47. – *États d'activité « interne » de l'encéphale humain observés à travers la paroi du crâne, avec la caméra à positrons et le traceur radioactif* $^{18}$*F-fluoro désoxyglucose. A, le sujet a les yeux fermés (à gauche) puis il les ouvre (à droite) : les aires visuelles situées dans la région occipitale « s'allument » (flèches) (d'après un cliché en couleur sur fond noir de Phelps et al 1981). B, effet de la « complexité » de la scène examinée par le sujet sur l'activité des aires visuelles (flèches) : à gauche, le sujet ferme les yeux, au centre il les ouvre mais ne voit qu'un fond blanc uniforme, à droite il observe le parc boisé voisin du laboratoire (sur ce cliché l'intensité du noir est directement proportionnelle à l'activité) (d'après Phelps et coll., 1982). C, effets d'une stimulation auditive. A gauche, le sujet a les oreilles bouchées, au centre il écoute une histoire de Sherlock Holmes, à droite un Concerto Brandbourgeois de J.-S. Bach. Il y a, à la fois, augmentation d'activité des lobes temporaux où se situent les aires de l'audition et des lobes frontaux (d'après un cliché en couleur de Mazziotta et coll., 1982).*
*NB. Lorsque les photos en noir et blanc sont prises à partir de clichés en couleurs il n'y a plus une relation linéaire entre l'intensité du noir et l'activité.*

résultats consolident la thèse présentée au début de ce chapitre selon laquelle la formation du percept visuel engage les aires secondaires (18, 19) en plus de l'aire primaire 17.

Ingvar (1982) a également montré que lorsque le sujet parle, le débit sanguin augmente au niveau des aires motrices de la bouche et du cortex auditif, et de manière plus prononcée (mais pas exclusive) sur l'hémisphère gauche. Une activité *purement mentale* qui ne s'accompagne ni de stimulation sensorielle, ni de performance motrice, change le paysage radioactif du cortex avec principalement un accroissement du débit sanguin au niveau – on s'y attendait! – du lobe frontal.

Enfin, plusieurs séries de recherches convergentes effectuées dans trois laboratoires différents (aux États-Unis et en Suède) révèlent une différence nette de la distribution des débits sanguins entre sujets normaux et schizophrènes chroniques. Chez ces derniers, la répartition hyper-frontale n'apparaît pas. Au contraire, les débits sanguins enregistrés au niveau du cortex frontal sont faibles, la distribution est *hypo-frontale*, tandis que des pics apparaissent au niveau des aires temporales et pariétales. Conformément à l'interprétation proposée, le schizophrène a son cortex frontal « en veilleuse » (mais d'autres anomalies s'observent également) (figure 48).

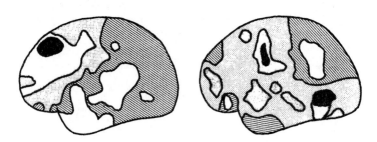

FIGURE 48

*Fig. 48. – Différences de débit sanguin cérébral mises en évidence à l'aide de la caméra à positrons (isotope $^{133}$Xénon) chez les sujets ne présentant pas de troubles mentaux apparents (à gauche) et chez des sujets psychotiques schizophrènes (à droite). Le « paysage » radioactif dénote au repos une hyperactivité relative des aires frontales (en noir) chez le sujet normal qui ne se manifeste pas chez le sujet schizophrène (d'après Ingvar, 1982).*

L'idéographie permet d'accéder au fonctionnement *interne* du cerveau. Ses applications cliniques sont déjà importantes. La résolution dans le temps et dans l'espace – encore modeste – s'améliorera vraisemblablement dans les années à venir. D'autres méthodes d'observation se développent. Il n'est pas utopique d'envisager que l'image d'un objet mental apparaisse un jour sur un écran.

Une question essentielle reste toutefois en suspens. L'idéographie révèle des états d'activité d'ensembles de neurones. Qu'en est-il de la *trace* ou *engramme* qui persiste entre deux évocations d'une image mentale? Existe-t-il un « organe » cérébral qui conserve des éléments de celle-ci qui serviront de germe au développement coopératif de l'assemblée? Ou, au contraire, la totalité du cortex cérébral participe-t-elle à la mise en mémoire des objets mentaux? Certaines lésions cérébrales affectent sélectivement *l'usage* de la mémoire chez l'homme. Le lobe temporal, le « vieux » cortex de l'hippocampe jouent certainement un rôle. Aucune preuve n'existe cependant de la localisation de l'engramme à ce niveau. Et sa surface restreinte suffirait-elle pour rendre compte de la très grande capacité de la mémoire humaine? En accord avec la manière dont nous avons envisagé la genèse et la stabilisation des assemblées de neurones, il paraît au contraire plus raisonnable d'envisager que la « trace » des objets de mémoire se trouve distribuée *sur l'ensemble du cortex* et, pourquoi pas, sur une grande partie de l'encéphale. Comme l'écrit Oakley : « L'aptitude à l'apprentissage est une propriété fondamentale du système nerveux des mammifères qui n'est pas limitée à une seule de ses parties. »

## La « substance » de l'esprit

Le propos de ce chapitre – détruire les barrières qui séparent le neural du mental et construire une passerelle, aussi fragile soit-elle, permettant de passer de l'un à l'autre – comporte des risques et peut se contester. Il se fonde sur l'identification d'unités mentales à des états d'activités physiques d'ensembles de neurones. Le terme d'objet mental qui a servi de titre à ce chapitre concrétise cette notion en associant le nom objet à l'adjectif *mental*. Le risque principal de cette entreprise est de rester trop simple, de ne pas rendre compte de l'ensemble des processus mentaux, d'être partielle. Soit, les données d'expérience sont encore trop fragmentaires pour aller beaucoup plus loin. Il ne s'agit d'ailleurs pas de tout expliquer, mais de jeter une échelle contre les murs de la « Bastille » du mental. L'alternative « spiritualiste » a été maintes fois proposée. Notre choix, contrairement à celle-ci, s'ouvre sur l'expérience, suscite une recherche.

L'hypothèse ou « modèle » proposé présente l'avantage de prendre en considération à la fois les données de l'introspection et celles de l'observation anatomique ou de la mesure physique (électrophysiologique et chimique). D'où ce passage constant, en cours de chapitre, de ce que l'on convient d'appeler le « subjectif » à l'objectif. D'où la critique de la tentative elle-même, que l'on aura toujours loisir de constester sur le plan méthodologique, sauf si, un beau jour – il faut l'espérer proche – elle conduit à un progrès réel des connaissances sur le cerveau et ses fonctions.

Le postulat d'« assemblées » ou d'ensembles coopératifs de neurones fait d'emblée sauter d'un niveau d'organisation à un autre : du neurone individuel à la population de neurones. Le nombre de neurones engagés dans le graphe d'un objet mental n'est pas connu : centaines de mille, millions ? On conçoit que si ces ensembles possèdent une quelconque autonomie, des propriétés nouvelles apparaissent. Celles-ci s'expliqueront sur la base de propriétés propres au neurone, au même titre que les propriétés des molécules s'expliquent à partir de celles des atomes. Des mécanismes synaptiques et moléculaires bien identifiés rendent plausible la formation de ces ensembles de neurones, conduisent à l'intégration des neurones individuels en assemblées « unitaires », et permettent donc le passage d'un niveau à l'autre.

Les états d'activité corrélés qui composent un graphe d'objet mental défini n'ont, pour l'instant, jamais été mesurés. Seuls des états d'activité de *régions* du cortex cérébral, et plus généralement de l'encéphale, ont été observés avec la caméra à positrons chez l'homme. L'espoir est grand que cette technique, ou d'autres à venir, permette de suivre les objets mentaux eux-mêmes en dépit de leur fugacité et de leur topologie distribuée.

Il faudra, pour ce faire, repérer des populations importantes de neurones dispersés dans de très nombreux territoires du cortex et vraisemblablement en d'autres régions de l'encéphale. Tels que nous les avons définis, les objets mentaux se recruteront plutôt parmi les figurines d'aires sensorielles primaires ou secondaires si elles sont images, ou parmi les aires d'association sans vocation sensorielle ou motrice, comme le cortex frontal, si elles sont concepts. Le caractère figuratif-abstrait de ces représentations dépendra donc du *dosage* des neurones pris dans les figurines déjà tracées sur le cortex par rapport à ceux présents en d'autres aires du cortex. Le caractère à la fois dispersé et multimodal (ou a-modal) des neurones participant aux assemblées des concepts devrait leur conférer des propriétés *associatives* très riches, permettre leur enchaînement et surtout leur combinaison. Il apparaît dès lors plausible que ces assemblées, composées de neurones oscillateurs à forte activité *spontanée,* puissent se *recombiner* entre elles. Cette activité recombinante, « génératrice d'hypothèse », représenterait à ce niveau un mécanisme de diversification essentiel pour comprendre la genèse de nouveaux concepts : en un mot, l'imagination et, bien entendu, la « simulation » d'un comportement à venir devant une situation nouvelle. Pour qu'un système s'auto-organise, il va de soi qu'il ne saurait y avoir seulement création de diversité. Une *sélection* pourra avoir lieu, nous l'avons dit, par la *comparaison* des objets mentaux entre eux, par leur entrée en résonance ou leur dissonance.

Les opérations sur les objets mentaux et surtout leurs résultats, seront « perçus » par un *système de surveillance* composé de neurones très divergents, comme ceux du tronc cérébral, et de leurs réentrées [51]. Ces enchaînements et emboîtements, ces « toiles d'araignée », ce système de régulations fonctionneront *comme un tout.* Doit-on dire que la conscience « émerge » de tout cela? Oui, si l'on prend le mot « émerger » au pied de la lettre, comme lorsqu'on dit que l'iceberg émerge de l'eau. Mais il nous suffit de dire que la conscience *est* ce système de régulations en fonctionnement. L'homme n'a dès lors plus rien à faire de l' « Esprit », il lui suffit d'être un Homme Neuronal.

---

51. L'existence de boucles régulatrices fermées avec réentrées à plusieurs niveaux d'organisation de l'encéphale pourra donner lieu à des oscillations de grande ampleur. L'alternance de phases de manie et de dépression, l'intrusion périodique d'états délirants... caractéristiques de certaines affections mentales pourraient s'expliquer sur cette base.

# VI

# Le pouvoir des gènes

« L'hérédité est la loi. »

C. DARWIN.

La machine cérébrale construit des représentations mentales parce qu'elle est représentation du monde qui l'entoure. Son organisation anatomique, c'est-à-dire l'assemblage de ses neurones et de ses synapses, contient ces représentations et cette organisation caractérise l'espèce. La description de l'espèce qui, suivant Linné (1770), porte sur les « parties qui ne sont point sujettes à varier », en inclut les traits caractéristiques. Son nom même souvent s'y réfère, sous forme abrégée et symbolique. Ainsi, l'homme moderne s'est désigné sous le nom d'*Homo sapiens sapiens,* sans doute pour insister sur une propriété qu'il juge caractéristique de son cerveau...

La forme de l'encéphale contribue à définir l'espèce *H. sapiens sapiens,* au même titre que celle du crâne, des mains ou de la colonne vertébrale. Regardons les reproductions du cerveau humain que nous donnent Vésale à la Renaissance (figure 2), Willis à l'âge classique (figure 3), Leuret et Gratiolet au XIXᵉ siècle (figure 5), enfin les atlas photographiques contemporains. Ces images diffèrent plus par la manière dont elles sont reproduites que par la forme propre du cerveau. Au-delà de la main de l'artiste et du procédé de reproduction, l'objet encéphale paraît *invariant* du XVIᵉ siècle à nos jours, en dépit d'une formidable évolution de l'environnement social et culturel.

La stabilité des principaux traits de l'anatomie du cerveau, qui conduit en quelque sorte à une définition neurobiologique de l'espèce (figure 49), se retrouve au niveau des détails histologiques. Les étudiants en médecine doivent apprendre la riche nomenclature désormais bien codifiée des noyaux, faisceaux ou circonvolutions de l'encéphale humain. L'existence même de cette nomenclature atteste la présence systématique des détails qu'elle désigne. Et lorsque Ramon y Cajal dessine les neurones ou fibres nerveuses qui composent ces centres cérébraux, il se préoccupe peu de prélever les échantillons qu'il examine sur des individus différents. Cette insouciance serait grave si l'organisation cellulaire du cerveau variait de façon majeure d'un individu à l'autre. A l'œil nu comme au microscope, l'anatomie du système nerveux paraît, dans ses grandes lignes, *reproductible à l'intérieur de l'espèce et d'une génération à l'autre.* Quelles en sont les raisons?

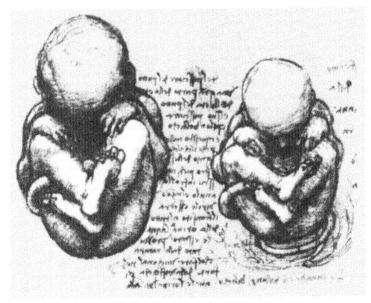

FIGURE 49

*Fig. 49. – Dessins de fœtus humain par Léonard de Vinci (vers 1510). L'homme possède un cerveau dont le nombre de neurones et les grands traits anatomiques sont fixés à la naissance. Le pouvoir des gènes assure « l'unité cérébrale » de l'espèce (d'après Léonard de Vinci, P. Huard, 1961).*

*Mutations de l'anatomie*

Une manière de comprendre comment s'exerce un pouvoir est de s'attaquer à ce pouvoir, d'essayer de le mettre en échec, d'analyser comment il réagit à ces attaques. L'invariance du système nerveux présente-t-elle des failles? Son organisation est-elle sujette à des *variations* qui se perpétuent d'une génération à l'autre, autrement dit qui sont inscrites dans le *génome*? Ou, au contraire, s'effacent-elles au fil des générations, font-elles partie du *phénotype*?

La disparité du poids de l'encéphale dans les populations humaines a déjà été discutée (voir chapitre II). Récemment, Hickey et Guillery (1979) ont réexaminé la variabilité de l'histologie du cerveau humain sur un échantillon assez large (59) d'individus morts d'affections ne touchant pas le système nerveux. Leurs prélèvements *post mortem* ont porté sur le corps genouillé latéral, que l'on sait servir de relais entre la rétine et le cortex visuel (voir chapitre IV). Ils ont constaté que la disposition en couches stratifiées de ce noyau varie de manière très significative d'un sujet à l'autre. Certains segments disparaissent, d'autres fusionnent. Une variabilité anatomique jusque-là insoupçonnée se rencontre d'un individu à l'autre. Est-elle héréditaire, est-elle inscrite dans le génotype? Ou, au contraire, s'efface-t-elle d'une génération à l'autre, fait-elle partie du phénotype?

La réponse peut être apportée dans un cas précis parmi les 59, celui d'un individu *albinos* mort d'anémie [1]. La réorganisation du corps genouillé latéral est spectaculaire. Le feuilletage régulier en couches superposées se trouve dispersé en amas cellulaires, en « satellites » qui fusionnent grossièrement ici ou là (figure 50). Cette importante variation anatomique se rencontre également chez diverses espèces de mammifères sujettes à l'albinisme : chez le chat siamois, la souris blanche, le lapin russe ou le tigre blanc [2]. Elle est donc liée au caractère albinos.

L'albinisme atteint environ un individu sur 17 000 et son hérédité est bien connue. Cette maladie se transmet de génération en génération sur le mode récessif en suivant les lois simples

---

1. R. GUILLERY et coll., 1975.
2. R. GUILLERY, 1974.

de Mendel. Elle apparaît aussi spontanément, mais plus rarement, au sein de populations qui ne possèdent pas le gène « albinos ». Le caractère *albinos* résulte d'une variation brutale de propriété génique, héréditairement transmissible, d'une *mutation*[3].

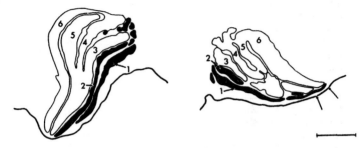

FIGURE 50

*Fig. 50. – La mutation* albinos *entraîne chez l'homme et chez plusieurs espèces de mammifères une réorganisation majeure du noyau du thalamus (le corps genouillé latéral), relais des voies visuelles en route vers le cortex. A gauche, individu normal, à droite individu albinos : il y a fragmentation de la couche 2 ainsi que fusion et fragmentation des couches 3, 4 et 5 (longueur de la barre : 2 mm) (d'après Guillery et coll., 1975).*

On connaît bien la cible primaire de cette mutation. Curieusement, la molécule touchée n'a, de prime abord, rien à voir avec le système nerveux central. Il s'agit d'une (ou de plusieurs) enzyme(s) responsable(s) de la synthèse d'un pigment de la peau, la mélanine. Sa perte entraîne la couleur blanche de la peau, des poils et des cheveux, caractéristique des albinos, mais aussi la couleur *rouge* de l'œil, qui n'est plus tapissé par un fond noir de cellules pigmentées. L'examen attentif de la lésion anatomique au niveau du système nerveux central a montré que celle-ci n'est pas restreinte au corps genouillé latéral. Elle débute en effet au niveau de l'œil; plus précisément, du nerf optique. Chez l'individu normal, ses fibres se divisent en deux faisceaux dont l'un « croise », c'est-à-dire qu'issu par exemple de l'œil gauche il se projette sur le corps genouillé droit, tandis que l'autre poursuit son chemin du même côté du corps. Chez

---

3. H. de VRIES, 1901.

l'albinos, la règle de croisement n'est plus suivie. Une partie des fibres qui ne devraient pas croiser, en fait, continuent vers le corps genouillé opposé, s'y « mélangent » avec celles qui s'y projettent normalement, d'où allure fragmentée du corps genouillé. Les choses n'en restent d'ailleurs pas là. Les neurones du corps genouillé latéral envoient normalement leurs axones vers le cortex visuel. Ils le font encore chez l'albinos, quelle que soit l'origine des fibres reçues de la rétine, mais l'information qu'ils véhiculent n'est plus correcte. Il s'ensuit une réorganisation *en cascade* de toute la voie visuelle, de l'œil au cortex cérébral en passant par le corps genouillé.

La mutation albinos est, à bien des égards, exemplaire des mutations qui affectent le système nerveux. L'altération ponctuelle d'un seul gène provoque la modification simultanée de *plusieurs* caractères aussi différents que la couleur de la peau ou du fond de l'œil, et l'organisation des voies visuelles. De plus, un déficit anatomique constaté à l'origine en un point précis du système nerveux s'accompagne d'effets secondaires, se propage sur d'autres centres directement ou indirectement reliés à celui-ci. En génétique, on emploie le terme d'origine grecque *pléiotrope* pour désigner la multiplicité d'effets d'une mutation. Les mutations qui affectent le système nerveux sont très fréquemment pléitropes.

Les cibles neurales touchées par les mutations géniques varient de manière considérable d'une mutation à l'autre. Cas extrême, l'anencéphalie, qui entraîne chez l'homme comme chez la souris l'absence du cortex cérébral. Relativement fréquente, elle affecte 1 à 5 naissances sur mille.

L'impact de mutations géniques définies a été analysé avec beaucoup de soin au niveau du cervelet [4]. Celui-ci, nous le savons (chapitre II), se compose d'un petit nombre de catégories cellulaires disposées de manière très régulière en couche de cellules des grains, couche de cellules de Purkinje, couche des arborisations et des synapses des cellules des grains et de Purkinje (figures 21 et 51). La mutation *reeler* affecte cette stratification : la plupart des cellules de Purkinje restent groupées en « masse cellulaire » informe, au cœur du cervelet. Elles ne se disposent plus en « cristal cellulaire » régulier. La mutation *nervous*

---

4. C. SOTELO et A. PRIVAT, 1978 ; J.-P. CHANGEUX et K. MIKOSHIBA, 1978 ; V. CAVINESS et P. RAKIČ, 1978 ; P. RAKIČ, 1979.

entraîne la mort de la quasi-totalité des cellules de Purkinje du cervelet. La mutation *weaver* provoque la disparition des cellules des grains. Dans tous les cas, la lésion touche l'ensemble des représentants d'une même *catégorie* cellulaire. Enfin, la mutation *staggerer* interfère avec la mise en place des *synapses* qui, dans le cervelet normal, unissent les cellules des grains aux cellules de Purkinje. Ces quelques exemples, pris chez la souris, se retrouvent également chez l'homme. Ils illustrent sans ambiguïté que les grands traits de l'anatomie de l'encéphale comme la distribution des principaux types cellulaires, leur différenciation en catégories ainsi que la mise en place des principales connexions et voies qui les relient, varient à la suite

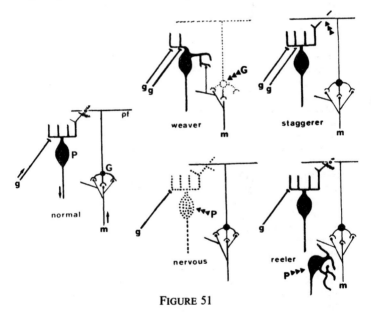

FIGURE 51

*Fig. 51. — Représentation très schématique de l'effet de mutations géniques sur l'organisation du cervelet chez la souris. La mutation* nervous *entraîne la mort des cellules de Purkinje (P), la mutation* weaver *celle des cellules des grains (G), la mutation* reeler *la migration des cellules de Purkinje, enfin la mutation* staggerer *la formation des contacts synaptiques entre cellules des grains et cellules de Purkinje (d'après Changeux et Mikoshiba, 1978).*

d'une mutation génique et sont donc soumis au pouvoir des gènes.

Un nombre important de mutations a été répertorié chez l'homme : 2 336 résultent d'altérations de gènes différents. Parmi celles-ci, 300 au moins concernent le système nerveux central et se manifestent par des lésions anatomiques variées. A ces mutations « ponctuelles » s'ajoutent des changements plus importants d'organites cellulaires, supports matériels de l'hérédité, les *chromosomes*. Leur nombre peut changer, comme leur longueur. Un fragment se perd (délétion) ou est transporté d'un chromosome à un autre (translocation). Un exemple très connu de maladie du système nerveux associée à un changement de formule chromosomique est le mongolisme; il résulte chez l'homme et chez le singe de la présence du chromosome 21 en trois exemplaires au lieu de deux (trisomie 21) [5]. Néanmoins, réarrangements chromosomiques et mutations sont des événements rares. En moyenne, un gène particulier mute, à chaque génération, entre 1 fois sur 100 000 et 1 fois sur un million. La rareté de leur occurrence et leur tout aussi rare réversion font qu'au fil des générations, en général, la grande majorité des gènes se conserve sans modification. La stabilité du matériel héréditaire assure l'invariance des caractères de l'espèce, en particulier l'anatomie de son système nerveux.

*Hérédité des comportements*

Les individus qui portent des lésions anatomiques héréditaires du type de celles qui viennent d'être décrites présentent, cela va de soi, d'importantes modifications du comportement. Les chats siamois louchent, les souris *Purkinje cell degeneration reeler, weaver* ou *staggerer*, ont, comme leur nom l'indique (« étourdi », « tibubant » ou « hésitant »), de graves troubles de la locomotion. Ces individus se déplacent avec lenteur et hésitation, tombent sur le côté, se redressent avec difficulté. Ce sont les symptômes caractéristiques des lésions du cervelet. Celles-ci régressent peu avec l'âge. En fait, si on enlève le cervelet à la naissance, l'adulte présente moins de troubles du comportement que si son cervelet a « muté », comme dans les cas du *weaver* où les cellules

---

5. J. Lejeune et coll., 1959; J. Lejeune, 1977; F. Gullotta et coll., 1981.

des grains manquent. Les synapses qui se forment chez ces animaux se branchent sur des circuits aberrants que « l'usage » ne permet ni de réorganiser, ni de compenser. La dictature des gènes est lourde.

Plus subtils sont les troubles du comportement qui apparaissent à la suite d'une mutation, sans que se manifeste de perturbation *évidente* de l'anatomie du système nerveux, des organes des sens ou de l'appareil moteur. Un premier exemple, simple à interpréter, sera pris chez la Drosophile, cette petite mouche avec laquelle Morgan [6] a établi les fondements de la génétique moderne. Les mutations, nous l'avons dit, sont rares et le généticien se trouve de ce fait confronté à une difficulté expérimentale majeure : isoler, *sélectionner* des mutants sur une fonction particulière.

Benzer [7] a mis au point une méthode fort ingénieuse pour « concentrer » des mutants de comportement chez la mouche. Il procède avec les populations de Drosophile comme avec des solutions de protéines. Il met le mélange de mouches normales et mutantes « en suspension » dans un tube à essais, les tasse au fond du tube, puis les laisse se déplacer, en orientant le goulot du tube vers une source lumineuse. Les drosophiles bien portantes se dirigent spontanément vers la lumière et tentent de s'échapper, les autres restent au fond du tube. On fractionne ainsi progressivement la population de mouches. Celles qui, systématiquement, ne se déplacent pas vers la lumière sont recueillies. On y rencontre évidemment de nombreux handicapés, des aveugles, des paralytiques... Parmi ceux-ci, plusieurs mutants nous intéressent. Ils ne présentent pas une réorganisation majeure de l'anatomie. Cependant, les troubles du comportement sont manifestes. Le mutant *shaker* bat vigoureusement des ailes lorsqu'on l'anesthésie, le mutant *nap* tombe paralysé lorsqu'on le porte à 35 °C, le mutant *bang-sensitive* meurt en quelques secondes après un choc mécanique. Quelle peut être l'origine de ces troubles?

L'analyse électrophysiologique de la propagation de l'influx nerveux et de sa transmission au niveau de la jonction nerf-muscle apporte la réponse [8]. Dans le cas du mutant *shaker*,

6. T. Morgan et coll., 1923.
7. S. Benzer, 1967, 1973.
8. Y. Jan et L. Jan, 1978 ; J, Hall, 1978.

l'onde post-synaptique est anormalement longue du fait d'une libération prolongée de neurotransmetteur, elle-même provoquée par une altération du canal sélectif pour le potassium. Chez le mutant *nap,* la propagation du potentiel d'action dans le nerf est perturbée, à cause d'un déficit du canal sélectif pour le sodium. Enfin, il paraît vraisemblable (mais pas encore définitivement établi) que la mutation *bang-sensitive* touche l'enzyme-pompe responsable des différences de concentration de sodium et de potassium établies entre l'intérieur et l'extérieur de la cellule nerveuse (chapitre III).

Chacune de ces mutations a donc pour cible une des protéines engagées de manière critique dans la propagation de l'influx nerveux (canaux sélectifs pour le sodium ou pour le potassium, enzyme-pompe). Elles concernent vraisemblablement les gènes de « structure » qui les codent. Leurs effets sur le comportement s'expliquent donc soit par une anomalie dans la propagation des signaux nerveux, soit, tout simplement, par l'absence de ces signaux (voir chapitre III).

Ce premier exemple ne satisfera sans doute pas éthologues et psychiatres qui trouveront le comportement de ces mutants de drosophile totalement dépourvu d'intérêt. La paralysie générale est, de fait, un modèle bien simple de comportement pathologique. Peut-être seront-ils plus intéressés par la génétique du chant chez le grillon [9]. On sait (chapitre IV) que le chant d'appel du mâle de *Teleograllys oceanicus* se compose de phrases successives qui consistent en un « cri » suivi de deux « trilles » de deux notes (figure 33). Aucune différence ne se remarque lorsqu'on élève la larve en isolement total, et même après l'avoir assourdie. Il est totalement inné. Par contre, il diffère d'une espèce de grillon à l'autre (figure 52). Chez le grillon australien *T. commodus,* le nombre de notes par trille est beaucoup plus élevé que chez *T. oceanicus.* Si l'on croise ces deux espèces en laboratoire, les hybrides de première génération chantent de manière différente de chacun des deux parents. Il y a bien une hérédité du chant chez les grillons [10]. Si l'on accouple ces hybrides avec l'un des deux parents (par exemple la mère *T. oceanicus*), les nouveaux hybrides obtenus chantent de manière remarquable : leur trille a *exactement* et *systématiquement* une

---

9. Y. Le Roy, 1964 ; D. Bentley, 1971 ; D. Bentley et R. Hoy, 1974.

10. Y. Le Roy, 1964 ; D. Bentley, 1971 ; D. Bentley et R. Hoy, 1974.

note de plus (soit trois) que le trille du mâle *T. oceanicus* (figure 52). D'où vient une différence aussi subtile? Des neurones oscillateurs commandent, nous le savons, la composition des trilles. On sait aussi que quelques protéines seulement déterminent le rythme de ces horloges (chapitre III). Les quelques gènes qui codent la structure de ces protéines suffisent donc pour les régler et entraîner des différences notables dans la structure du chant.

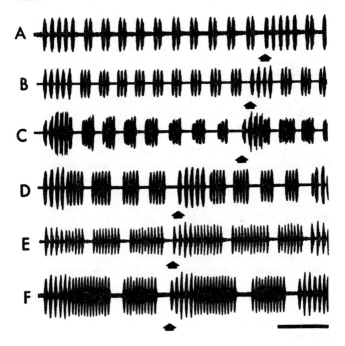

## FIGURE 52

*Fig. 52. – L'hérédité du chant chez les grillons du genre* Teleogryllus. *A et F, chants d'appel des mâles de* T. oceanicus *et* T. commodus, *espèces interfécondes. B à E, chants de divers hybrides obtenus en croisant les deux espèces et leurs descendants. Le cas de l'hybride B est particulièrement intéressant. Chaque trille se compose systématiquement de trois notes au lieu de deux (longueur de la barre : 100 millisecondes) (d'après Bentley, 1971).*

Le grillon n'apprend pas à chanter; la drosophile, elle, est capable d'apprendre (mais pas à chanter!). Elle sait, de manière innée, distinguer deux odeurs. Si, au cours de séances d'entraînement, une odeur est associée à un choc électrique et pas l'autre, elle apprend progressivement à ne pas se laisser piéger par l'odeur associée à cette décharge électrique. Benzer et ses collaborateurs ont réussi à isoler des mutants « inconditionnables » au couple stimulus olfactif + choc électrique. Ils n'ont pas perdu l'odorat ni ne sont devenus insensibles au choc électrique. Ils ne sont pas non plus paralysés. Ils apprennent mal ou pas du tout [11]. Le mutant *amnesiac* perd la mémoire quatre fois plus vite que la mouche normale (la demi-vie de sa mémoire n'est que de quinze minutes). Le mutant *dunce,* apparemment, ne peut pas stocker l'information alors que *rutabaga* l'emmagasine mais ne peut pas l'utiliser. On ignore encore la nature exacte des déficits biochimiques entraînés par ces mutations. Cependant, chez le mutant *dunce,* une enzyme qui dégrade l'AMP cyclique manque [12]. Ce résultat s'accorde avec celui des expériences d' « apprentissage cellulaire » effectuées chez l'Aplysie (chapitre v). Chez cet animal l'AMP cyclique interviendrait dans la modification durable de propriétés synaptiques. Il réglerait l'efficacité des terminaisons nerveuses à libérer le neurotransmetteur. Les mécanismes élémentaires de ce « couplage » entre neurones sont chez la Drosophile, l'Aplysie et en toute vraisemblance chez l'homme, soumis au déterminisme de quelques gènes de structure, au même titre que la propagation de l'influx nerveux et la transmission synaptique.

Le dernier exemple sera pris chez l'homme. Le pas est difficile à franchir. Sauter de la génétique du comportement de la Drosophile à celle de l'homme suscitera des réticences, voire des réactions d'opposition violentes. La férocité de ces réactions se comprend pour de multiples raisons. D'abord idéologiques : l'exploitation politique de la génétique sous une forme qui a conduit au racisme a discrédité *de facto* l'objet de cette discipline. D'autre part, sur le plan de la méthode, l'importante hétérogénéité génétique des populations humaines, jointe à l'impossibilité d'expérimenter, rend difficiles à la fois la collecte des faits et leur interprétation. Emprisonnée malgré elle dans des conflits idéologiques qui la détournent de son objet, techni-

11. W. Quinn et coll., 1974; Y. Dudai, 1981.
12. D. Byers et coll., 1981.

quement difficile, la génétique humaine poursuit néanmoins sa progression [13].

Quelques maladies mentales qui, à première vue, ne paraissent pas associées à une perturbation évidente de l'anatomie cérébrale ont fait l'objet d'une analyse génétique. Des résultats sûrs n'ont été obtenus, pour l'instant, que dans peu de cas. L'exemple le plus documenté est celui de la psychose maniaco-dépressive dite bipolaire. Dès le XIX⁰ siècle, Esquirol, puis Kraepelin soulignaient le caractère héréditaire de la maladie, mais des preuves objectives de cette héritabilité n'ont été apportées que récemment [14]. Premier type de preuves : on compare l'état mental de « vrais » jumeaux issus du même œuf, donc identiques sur le plan génétique, à celui de « faux » jumeaux. Cette comparaison fait ressortir une concordance des signes de la maladie de 50 à 92,5 % (moyenne 69,3 %) dans le premier cas, contre 0 à 38 % (moyenne 20 %) dans le second. Le deuxième groupe de preuves provient d'études génétiques familiales. Les risques de maladie atteignent 20 % chez les parents de premier rang, ce qui constitue un risque dix fois plus grand que dans la population normale. Ce risque est le même, que l'enfant soit élevé dans sa famille ou adopté. Dans une même famille, on peut suivre l'apparition de la maladie d'une génération à l'autre, mais aussi l'hérédité de « marqueurs » génétiques qui déterminent des caractères sans relation aucune avec la psychose, comme l'absence de vision des couleurs, un déficit en glucose-6-phosphate déshydrogénase, ou le groupe sanguin X. Ces marqueurs se trouvent à proximité les uns des autres sur la « carte » du chromosome X et se transmettent ensemble, avec une haute fréquence, d'une génération à l'autre : ils sont liés (le *linkage* des auteurs anglo-saxons). L'analyse d'un nombre désormais important d'arbres généalogiques montre la « liaison » d'au moins un type bien défini de psychose maniaco-dépressive avec les marqueurs précédents dans la transmission familiale. La contribution de facteurs héréditaires dans la prédisposition à cette grave maladie mentale ne fait pas de doute. L'interprétation la plus plausible des données génétiques est qu'un (ou plusieurs?) gène dominant situé sur le chromosome X intervient. Les perturbations de la physiologie et de la biochimie cérébrale

13. W. Bodner et L. Cavalli-Sforza, 1976.
14. J. Mendlewicz et coll. 1979, 1980 ; J. Mendlewicz, 1980.

entraînées par ce (ou ces) gènes(s) ne sont pas encore bien identifiées. La norépinéphrine paraît impliquée, ainsi bien entendu qu'hypothalamus et système limbique (chapitre IV). Aucune lésion anatomique majeure n'est apparente. S'agit-il, là encore, du réglage d'une horloge située, par exemple, au niveau des noyaux « régulateurs » du mésencéphale (chapitre v)?

Ces quelques exemples nécessairement limités dans leur choix et dans leur portée illustrent l'importance de facteurs génétiques dans l'organisation anatomique du système nerveux, dans la genèse et la propagation de l'activité nerveuse, enfin dans la réalisation de comportements aussi évolués que l'apprentissage ou les états affectifs. La toute-puissance des gènes est là.

*Simplicité du génome et complexité cérébrale*

Reconnaître le pouvoir des gènes ne signifie en aucune manière se soumettre à cette autorité suprême. Que Darwin écrive : « l'Hérédité est la loi », que Chomsky (1979) affirme qu' « une capacité de langage génétiquement déterminée spécifie une certaine classe de grammaires humainement accessibles », n'implique pas une allégeance inconditionnelle à ce point de vue. D'abord, qui détient les Tables de cette Loi, qui la fait respecter? Et puis, après tout, n'est-on pas en droit de se demander si ce pouvoir suprême possède tous les moyens de faire appliquer sa loi?

Depuis les expériences d'Avery, McLeod et McCarthy (1944), on sait que le support matériel de l'hérédité est l'acide désoxyribonucléique ou ADN. Composé par l'enchaînement de « perles » ou nucléotides en deux fibres complémentaires elles-mêmes associées en double hélice, il est copié à l'identique lors de la division cellulaire et constitue, de ce fait, l' « invariant biologique fondamental [15] ». La séquence des nucléotides qui la composent définit intégralement la séquence des acides aminés de *toutes* les protéines de l'organisme, que celui-ci soit colibacille ou homme. Un gène de structure code pour chaque protéine de l'organisme. Les Tables de la Loi sont inscrites dans l'ADN des chromosomes.

---

15. J. MONOD, 1970.

Comprendre le déterminisme génétique de l'organisation cérébrale passe par le déchiffrage de l'ADN et de son expression en protéines. Le neurobiologiste doit se convertir en biologiste moléculaire. Mais la génétique moléculaire du cerveau est encore dans les limbes. Nous nous contenterons d'exemples choisis parmi des systèmes plus simples : cellule bactérienne, oviducte de poule, ganglion abdominal d'Aplysie. Ils serviront à définir le niveau d'analyse où se situe aujourd'hui la biologie moléculaire de l'organisation cérébrale.

Les recherches menées sur le colibacille par Jacob, Monod, Gros et leurs collaborateurs [16] ont montré que l'ADN des gènes ne code pas *directement* la séquence d'acides aminés d'une protéine. Une autre molécule sert d'intermédiaire. Fibreuse comme l'ADN, elle en diffère chimiquement. Elle se compose d'acide *ribonucléique* ou ARN. Au niveau du chromosome, l'ADN est copié en ARN « messager », qui passe dans le cytoplasme et, là, est traduit en séquence d'acides aminés [17].

A un moment donné de la vie d'une cellule, tous les gènes ne sont pas copiés en ARN messager et traduits en protéines. Il existe une « gestion » de l'expression des gènes. Cette « économie » est soumise à une *régulation* qui sera illustrée par deux exemples pris l'un chez le colibacille, l'autre chez la poule.

Le colibacille vit dans le tube digestif de l'homme. Il sait digérer le sucre du lait, le lactose, en produisant l'enzyme adéquate, la β-galactosidase. Or, on ne boit pas du lait en permanence, et le colibacille *s'adapte* à ce régime. Il ne synthétise l'enzyme d'utilisation du lactose qu'au moment où le lactose est présent. Entre les repas, la synthèse de l'enzyme est réprimée. Au moment des repas, le sucre du lait déclenche la synthèse de l'enzyme chez le colibacille. Cette mise en route fait intervenir le chromosome. Le gène de structure de la β-galactosidase, « silencieux » en l'absence de sucre, devient *actif* en sa présence. Le lactose entraîne la *copie* du gène de structure en ARN messager. Mais le lactose ne se fixe pas directement *sur* le gène. Une protéine qui ressemble au récepteur de l'acétylcholine, un *répresseur*, intervient. Cette molécule-serrure reconnaît le sucre au même titre que le récepteur reconnaît le neurotransmetteur, mais elle n'est pas membranaire et n'ouvre pas un canal ionique. Elle s'associe au chromosome en un point

16. F. JACOB et J. MONOD, 1961 ; F. GROS et coll., 1961.
17. Références dans J. WATSON, 1976.

précis de celui-ci. Lorsqu'elle s'y lie ou s'en détache, elle
réprime ou induit la copie du gène en messager. Le répresseur
sert donc de personnage intermédiaire, d'agent d'exécution
entre le milieu extérieur, représenté par le lactose, et les gènes
chromosomiques. Il joue le rôle de « régulateur » du fonctionnement des gènes. Les réactions de cette protéine « allostérique »,
comme celles du récepteur de l'acétylcholine, sont d'ailleurs
totalement prévisibles. Elles sont déterminées par la séquence
de cette protéine elle-même, codée par un gène particulier qui,
du fait de sa fonction, sera désigné sous le nom de *gène de
régulation* [18].

Un autre mode de régulation est propre aux organismes
supérieurs. Ceux-ci se composent d'ensembles cellulaires grou-
pés en tissus. Chaque tissu est spécialisé dans une fonction,
elle-même déterminée par un certain nombre de protéines
critiques. Par exemple, le tissu sanguin produit de l'hémoglobine, la peau un pigment dont il a déjà été question, la mélanine.
Nous avons déjà mentionné le fait que, dans le système nerveux,
ici un neurone synthétise l'acétylcholine comme neurotransmetteur, là la norépinéphrine, là encore un neuropeptide. C'est sur
cette base que la notion de « catégorie » de neurone a été définie
comme l'ensemble minimum de cellules possédant le même
répertoire de gènes « ouverts », c'est-à-dire susceptibles d'être
exprimés en protéines (chapitre II). Ce répertoire comprend
évidemment des protéines « d'entretien » communes à tous les
types cellulaires, car indispensables à la vie cellulaire : la
respiration, la production d'ATP, la construction de la membrane... A ces protéines d'entretien s'ajoutent des protéines qui sont
propres à un tissu ou à un type cellulaire particulier. L'« ouverture » de leur gène de structure constitue une régulation,
mais d'un type distinct de celle de la synthèse de la β-
galactosidase par le colibacille [19].

Chez la poule, les protéines du blanc de l'œuf sont synthétisées par l'oviducte lorsque l'œuf proprement dit, ou jaune,
descend des ovaires dans le cloaque. Ces protéines « enrobent »
l'œuf au cours de sa descente. Elles ne sont produites qu'en
période de ponte. Des hormones (œstrogène, progestérone)
règlent cette production comme le lactose règle la synthèse de
β-galactosidase chez le colibacille. Elles provoquent une aug-

---

18. F. Jacob et J. Monod, 1961 ; F. Gros et coll., 1961.
19. Voir J. Gurdon, 1974 ; L. Hood et coll., 1975.

mentation du contenu en ARN messager d'environ 3 000 fois. Toutefois, l'hormone n'agit que sur un « terrain » préparé. Sur un autre tissu comme le muscle squelettique ou le foie, elle n'aura pas d'effet ou règlera la synthèse de protéines différentes. Chaque tissu possède une « sensibilité » à l'hormone qui le caractérise. En d'autres termes, dans un tissu donné, certains gènes sont *prêts à répondre* à l'hormone [20].

L'« ouverture » des gènes qui permet à un tissu ou à un groupe de cellules de répondre à l'hormone est un mécanisme encore mal connu au niveau du chromosome. On sait seulement que cette ouverture s'accompagne de modifications de l'état physique de groupes de gènes, de « domaines » chromosomiques. Cela se manifeste, par exemple, par la vulnérabilité de l'ADN à certaines attaques enzymatiques. Une enzyme qui dégrade l'ADN attaquera le gène de structure de l'ovalbumine lorsque l'ADN provient de l'oviducte, mais pas celui de l'hémoglobine. Il clivera par contre les gènes de l'hémoglobine, mais pas ceux de l'ovalbumine si l'ADN est préparé à partir de la moelle osseuse. On pense que l'« empaquetage », peut-être même la structure chimique des gènes, change lorsque, au cours du développement, une cellule embryonnaire devient ici un globule rouge ou une fibre musculaire, là un neurone.

Le cerveau est certes plus complexe qu'un oviducte. Toutefois, comme lui, il se compose de cellules différenciées. Peu de variations majeures ont à ce jour été notées d'un tissu à l'autre au niveau des mécanismes élémentaires de cette différenciation. Il est vraisemblable que l'ouverture des gènes suit des règles semblables, sinon les mêmes, dans l'oviducte, dans les ganglions nerveux de l'Aplysie [21] ou le cerveau de l'homme.

On a souvent répété, à la suite de Jacques Monod, que « ce qui est vrai pour le colibacille l'est aussi pour l'éléphant ». Des travaux récents sur la structure des gènes chez les organismes supérieurs conduisent à modérer cette proposition. Il ne s'agit pas de mettre en doute que l'ADN est le support matériel de l'hérédité ou que le code génétique est universel. La surprise néanmoins fut grande lorsqu'on s'est rendu compte que, chez les organismes supérieurs, la taille de certains gènes de structure chromosomiques paraissait démesurément longue par rapport à

---

20. P. KOURILSKY et P. CHAMBON, 1973; R. BREATHNACH et P. CHAMBON, 1981.

21. R, SCHELLER et coll., 1982.

celle de la protéine codée par ces gènes. Par exemple, la chaîne de l'ovalbumine se compose de l'enchaînement de 386 acides aminés, et, comme trois nucléodites codent pour un acide aminé, on s'attendait à une longueur de gène de 1 158 nucléotides pour coder la totalité de la chaîne de l'ovalbumine. Or, le gène chromosomique de l'ovalbumine atteint en fait près de *sept fois* cette longueur (7 900 nucléotides) [22]. Comment expliquer cette énorme différence? La comparaison des séquences du gène d'ADN chromosomique et de la protéine révéla que des fragments seulement de celui-là se retrouvent dans celle-ci. Les séquences qui codent pour la protéine sont morcelées, dispersées entre des séquences de l'ADN qui ne codent pour aucune protéine connue. Le nombre de ces séquences intercalaires peut être élevé. Il y en a 7 dans le gène de l'ovalbumine, mais on en trouve jusqu'à 51 dans le gène d'autres espèces de protéines. Une partie importante de l'ADN des gènes chromosomiques n'intervient pas dans le codage de protéine connue. Pourquoi un tel gaspillage?

Là encore, l'interrogation subsiste. On sait seulement que dans le cas d'un gène morcelé comme celui de l'ovalbumine, la plus grande part de l'ADN (codant et non codant) du gène se trouve copiée en ARN messager. Celui-ci fait ensuite l'objet d'un découpage, puis d'un assemblage des fragments codants bout à bout (à une base près et sans erreur) pour donner l'ARN messager « mûr » qui sera traduit directement en protéine. Récemment, Hamer et Leder (1979) ont montré que si l'on interfère avec le découpage-assemblage du premier messager, celui-ci devient très instable, disparaît de la cellule et ne peut donc plus être traduit. Une hypothèse séduisante est donc que ce découpage-assemblage du messager intervient dans un troisième type de régulation. Il réglerait la *stabilité* du premier messager. Dans ces conditions, l'expression d'un gène de structure chez un organisme supérieur serait soumise à une cascade d'étapes régulatrices affectant d'abord l'ouverture du gène, puis sa transcription en premier messager, son découpage-assemblage en messager final, enfin la traduction de celui-ci en séquence d'acides aminés.

L'ARN messager stable présent dans le cytoplasme de la cellule différenciée sert d' « indicateur » de la population de

22. P. KOURILSKY et P. CHAMBON, 1973; R. BREATHNACH et P. CHAMBON, 1981.

gènes ouverts et traduits en protéines. On peut s'en servir pour identifier cette population. A cet égard, comment se compare le cerveau avec les autres organes? Quelle est l'ampleur de son répertoire de gènes ouverts? Diffère-t-il de manière significative de celui de l'oviducte ou du cristallin de l'œil? Les résultats obtenus manquent encore de précision. Ils sont cependant très suggestifs. Les techniques employées informent à la fois sur la « diversité » et sur l' « abondance » des messagers. En principe, la diversité donne une image du nombre de gènes ouverts et transcrits en messagers stables, l'abondance serait en relation avec l'état d'activité d'un gène ouvert. Plus le gène est actif, plus il produit de protéines et plus son messager est abondant. Le cristallin de l'œil produit un très petit nombre de protéines, mais en énorme quantité. La diversité des messagers est chiffrée à 3 000 et leur abondance est grande. Dans l'oviducte de poule, la diversité est plus grande encore, au moins 13 000, et l'abondance moyenne. Le foie et le cerveau ont en commun au moins 20 000 espèces différentes d'ARN messagers. D'après Hahn et collaborateurs, il y en aurait encore 40 000 de plus propres au cerveau, mais il semble que ce soit là une sous-estimation[23]. Le nombre d'ARN messagers produits dans l'encéphale et propres à cet organe atteindrait des chiffres voisins de 150 000. Leur abondance, par contre, serait médiocre. En d'autres termes, un très grand nombre de gènes sont ouverts, mais leur état d'activité, toutes proportions gardées, faible. Ces chiffres s'accordent avec la très grande diversité de catégories cellulaires présentes dans le cerveau et avec celle de leurs neurotransmetteurs.

Donc, le cerveau tient la première place parmi tous les organes du corps pour la richesse de ses ARN messagers et pour le nombre de ses gènes ouverts. On s'y attendait. Mais que vaut cette « fortune », comparée au nombre total de gènes présents dans le génome? Le cerveau capitalise-t-il, à lui seul, la quasi-totalité de l'ADN disponible dans les chromosomes?

La quantité totale d'ADN chromosomique donne une limite maximale du nombre de gènes. Chez la souris, on trouve par noyau 6,0 millionnièmes de millionnième de gramme d'ADN. Si on découpe arbitrairement cet écheveau d'ADN en segments de taille moyenne (correspondant par exemple à un gène codant

23. W. Hahn et coll., 1978; J. Van Ness et coll., 1979.

pour une protéine de masse moléculaire 40 000), on trouve approximativement *2 millions* de ces segments. Le nombre maximal de gènes que l'on puisse espérer tirer de l'ADN chromosomique ne peut pas être supérieur à ce nombre. En fait, le nombre de séquences codantes est bien moindre. Nous avons déjà mentionné les séquences intercalaires qui ne sont pas traduites en protéine (les 4/5 de l'ADN des gènes de structure sont déjà perdus à ce niveau). Ensuite, une fraction importante de l'ADN est faite de séquences répétées en nombre parfois très élevé. Cette fraction est redondante, et ne peut raisonnablement être comptée parmi les gènes de structure. Enfin, le gène de structure d'une même protéine se trouve fréquemment répété plusieurs fois. Le capital de gènes de structure disponibles ne représente donc qu'une fraction minime du total de l'ADN chromosomique.

Les estimations, encore très approximatives, du nombre maximal de gènes de structure se situent chez la souris entre 20 000 et 150 000. Cette dernière valeur paraît vraisemblable. Elle est d'ailleurs de l'ordre de grandeur de la « diversité » des ARN messagers rencontrés dans le cerveau. Dans ces conditions, le cerveau exploiterait la plupart des gènes de structure disponibles dans les chromosomes.

Ce capital considérable suffit-il néanmoins pour « encadrer » la complexité du cerveau et rendre compte du déterminisme génétique de son organisation? La réponse doit évidemment être oui. Mais cela soulève un problème gigantesque. Comparé à l'extrême diversité et complexité de l'anatomie du cerveau, ce capital paraît très bas. Pour commencer, examinons comment évolue le contenu total d'ADN par noyau cellulaire des bactéries à l'homme :

| | | |
|---|---|---|
| Colibacille | $0,01 \times 10^{-6}$ | µg |
| Drosophile | $0,24 \times 10^{-6}$ | µg |
| Poulet | $2,5 \ \ \times 10^{-6}$ | µg |
| Souris | $6,0 \ \ \times 10^{-6}$ | µg |
| Homme | $6,0 \ \ \times 10^{-6}$ | µg |

Ce contenu s'accroît raisonnablement des bactéries à la souris. L'œuf de drosophile contient 24 fois plus d'ADN que le colibacille, la souris 27 fois plus que la drosophile. Cela ne choque pas. Très approximativement, le système nerveux de drosophile se compose de 100 000 neurones, celui de souris au moins de 50 à 60 fois plus. Le paradoxe surgit lorsque l'on passe de la souris à l'homme. Le nombre de cellules cérébrales saute de quelque 5 à 6 millions à plusieurs dizaines de milliards. L'organisation et les performances du cerveau augmentent de manière spectaculaire, alors que la quantité totale d'ADN présente dans le noyau de l'œuf fécondé ne change pas de manière significative. A 10 % près, elle est la même chez la souris, le bœuf, le chimpanzé et l'homme. Une *remarquable non-linéarité* existe entre le contenu en ADN et la complexité du cerveau. Le paradoxe est encore plus manifeste lorsque l'on s'arrête à l'homme : qu'est-ce que 200 000 ou même 1 000 000 de gènes devant le nombre de synapses du cerveau humain, ou même devant le nombre de singularités neuronales en principe repérables dans le cortex cérébral de l'homme ? Il ne peut exister de correspondance simple entre la complexité d'organisation du génome et celle du système nerveux central. L'aphorisme : « un gène – un enzyme », de Beadle et Tatum (1941), en aucune manière ne devient : « un gène – une synapse ». Alors, comment expliquer que l'organisation si complexe du système nerveux central des vertébrés se construise, de manière reproductible, à partir d'un si petit nombre de déterminants géniques ? La réponse est à chercher dans la manière dont cette complexité se construit au cours du développement embryonnaire, dans l' « *Entwicklungsmechanik* » de Wilhelm Roux (1895).

## La cellule-automate

Lorsque l'on parcourt sous le microscope une tranche de cortex cérébral cellule par cellule, ou même, courageusement, synapse par synapse, on oublie vite que ces dizaines de milliards de neurones et leurs synapses dérivent d'une seule cellule, l'œuf, avec ses 2 *n* chromosomes. En prendre conscience pose un sérieux problème. Quel mécanisme guide, planifie, dirige l'évolution de générations de cellules à partir de cet œuf unique vers l'organe le plus complexe du corps ? La tentation est grande d'y reconnaître l'intervention de forces obscures mais toutes-puissantes qui en commandent l'exécution. Échapper à ce piège impose une tâche colossale de description et d'analyse. Comprendre le cerveau ne suffit plus. Il faut y ajouter l'enchaînement, dans le temps, de tous les états successifs qui conduisent de l'œuf à l'adulte (figure 53).

Tout commence avec la rencontre de l'ovule vierge et du spermatozoïde dans les trompes de la mère. Ce contact conduit au doublement du stock de chromosomes puis, au bout de trente-six heures, chez l'homme, à la première division en deux cellules (figure 53 A). Celles-ci poursuivent leurs divisions pour donner, quatre jours après la fécondation, une sorte de « framboise » creuse de 58 cellules (figure 53 B). Toutes ces cellules ne vont pas participer à la formation de l'embryon humain. Après l'implantation dans la paroi de l'utérus, celles qui se trouvent en surface serviront à établir le contact et participeront aux échanges alimentaires avec la mère; les autres s'agglutineront à l'intérieur de la « framboise » et proliféreront pour donner l'embryon proprement dit [24].

L'embryon n'a toujours pas de système nerveux. Il forme une boule compacte de cellules qui, rapidement, se creuse de cavités et se délamine en feuillets concentriques. Le feuillet le plus interne participera à la formation du tube digestif, le plus externe aura un avenir plus noble. Vers la fin de la troisième semaine après la fécondation, ce feuillet, d'abord composé d'une seule couche de cellules, s'épaissit et s'individualise dans la région dorsale en une plaque qui sera à l'origine de l'ensemble du système nerveux. C'est la « plaque neurale » (figure 53 C). La formation de cet organe embryonnaire se trouve liée à deux événements majeurs qui décident de l'orientation des cellules embryonnaires vers la lignée nerveuse : d'abord, rester à la surface de l'embryon, puis se trouver dans la région dorsale de celui-ci. La position relative des cellules dans l'embryon détermine donc leur avenir, en particulier l'engagement dans la voie royale qui mène au cerveau.

Une fois bien individualisée, la plaque neurale se creuse en gouttière puis se referme en tube (figure 53 D). Au 25e jour de vie embryonnaire, le tube est encore ouvert aux deux extrémités, puis il se clôt. A l'avant, il s'enfle en trois vésicules successives qui forment l'encéphale; à l'arrière, le tube neural devient la moelle épinière. Entre quatre et six semaines après la fécondation, le système nerveux du fœtus humain ressemble grossièrement à celui d'un poisson (voir figure 13).

La mécanique des transitions cellulaires qui, de la cellule-

_____

24. Voir F. JACOB, 1979.

œuf, conduisent aux neurones, est encore trop mal connue pour qu'on la décrive de manière objective. On fera donc appel au « modèle » théorique pour mieux cerner une réalité difficile à approcher par l'expérience.

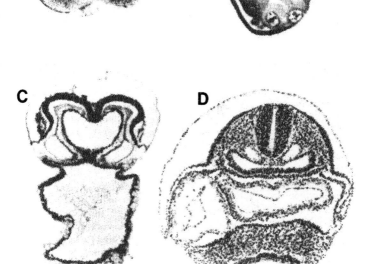

FIGURE 53

*Fig. 53. – Divers stades du développement de l'œuf humain en fœtus. A : un jour et demi après la fécondation, l'œuf effectue sa première division. B : après quatre jours, il a 58 cellules qui se disposent soit à l'extérieur, soit à l'intérieur (seules les cellules « internes » donneront le fœtus) ; quelques jours après, il s'implante dans l'utérus. C : dans la région dorsale, l'épiderme embryonnaire s'épaissit et forme une « plaque » qui sera à l'origine du système nerveux (19-21 jours). D : la plaque nerveuse se ferme en tube neural (32-34 jours) (d'après O'Rahilly, 1973 et Streeter, 1951).*

La proposition de Wolpert et Lewis (1975) est que le comportement d'une cellule embryonnaire ressemble à celui d'êtres mathématiques décrits par Von Neumann sous le nom d' « automates ». La propriété principale de ces automates est de pouvoir exister sous plusieurs états « discrets » entre lesquels ils évoluent. Cette évolution se présente sous la forme de choix successifs

entre un petit nombre seulement de ces états, par exemple ici : I → II b ou II b → III a... Le choix de l'un à l'autre de ces états est guidé, par exemple, par un signal très simple : oui/non. Ce choix, une fois effectué, détermine les options qui deviennent possibles lors de la décision suivante. A chaque instant, l'histoire passée de l'automate règle son comportement à venir. L'intérêt majeur de ce modèle est que, ne disposant que de quelques signaux, par exemple 20, on obtient un nombre très élevé – $2^{20}$, soit un million – de manières différentes d'assigner à l'automate son état final. Ce modèle prévoit une diversification considérable sur la base d'un nombre minimal de signaux.

Abandonnant le vocabulaire du théoricien pour celui de l'embryologiste, l'automate devient cellule embryonnaire et chacun de ses états s'identifie à un état de différenciation cellulaire qui se trouve, en principe, décrit par le répertoire des gènes chromosomiques « ouverts ». Même si cette carte est, au maximum, limitée à 200 000 gènes chez les mammifères et, de plus, grevée de quelques dizaines de milliers de gènes « domestiques », cette valeur suffit pour caractériser un nombre considérable d'états finaux. Si chaque carte est définie, par exemple, par 1 000 gènes ouverts et que ces 1 000 sont pris parmi un total de 200 000, le nombre de cartes possibles est $10^{2700}$. La combinatoire d'un nombre limité de gènes et de signaux permet d'étiqueter un nombre énorme de cellules. Cette conclusion apporte une première solution, au moins de principe, au paradoxe déjà mentionné de la simplicité du génome comparée à la complexité du cerveau de l'adulte. Le modèle automate est donc compatible avec les exigences du développement embryonnaire réel. Permet-il d'aller plus loin dans l'interprétation des données expérimentales dont on dispose?

Il existe chez la drosophile (et chez plusieurs insectes) d'étonnantes mutations qui, pendant des années, sont restées très énigmatiques. Elles entraînent chez l'adulte des monstruosités aussi spectaculaires que le remplacement d'un œil à facettes par une aile *(ophtalmoptera)* ou d'une antenne par une patte *(spineless aristapedia)*. On leur a donné le nom de mutations « homéotiques [25] ». Comment la mutation ponctuelle d'un gène chromosomique peut-elle expliquer le passage abrupt d'un organe à un autre en un point du corps où on ne s'attend pas à ce qu'il apparaisse? Pour répondre à cette question, il faut remonter aux premières étapes du développement embryonnaire. Œil, antenne, patte, aile se développent, chez la nymphe, avant sa métamorphose en mouche, à partir d'amas de cellules en forme de « disques ». Transplantés d'une larve à l'autre, ces disques redonnent l'organe correspondant : ils contiennent intégralement le caractère œil, antenne, patte ou aile, et l'adulte se forme par l'assemblage de ces disques, un peu comme à partir de pièces de « Meccano ». Quand se forment ces disques? Ils apparaissent avec leur caractère distinctif très tôt dans le développement. Trois heures après la fécondation, l'embryon n'a encore qu'un très petit nombre de cellules, néanmoins quelques-unes d'entre elles se sont déjà assemblées en minuscule précurseur. C'est à ce stade que les gènes « homéotiques » entrent en action. Ils vont décider du type d'organe que va donner le disque après la métamorphose. Chaque disque de quelques cellules (10 à 40) se trouve confronté à un choix entre un petit nombre d'états comme ceux-ci [26] :

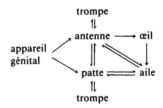

25. T. Wright, 1970; J. Postlemwait et H. Schneidermann, 1973; G. Morata et P. Lawrence, 1977.
26. E. Hadorn, 1967, 1968.

Ces précurseurs se comportent donc bien comme les « automates » du modèle de Wolpert et Lewis. Les gènes homéotiques règleraient ces transitions. Ils serviraient comme gènes de régulation majeurs du développement embryonnaire et décideraient de la détermination d'organes entiers et, bien entendu, du système nerveux.

On n'a jamais vu, chez les mammifères ni chez l'homme, de mutations qui fassent apparaître une main à la place de l'œil. Néanmoins, certaines d'entre elles, chez la souris, ont un effet sur la formation du système nerveux qui présente quelques analogies avec celui des mutations homéotiques de la drosophile. Plusieurs d'entre elles se rencontrent sur les chromosomes T, versions modifiées du chromosome 17, et l'on connaît plusieurs combinaisons de celles-ci [27]. Toutes affectent le développement embryonnaire, mais à des stades et à des degrés variés. Effet mineur : la queue de la souris est courte ou absente, mais la souris survit. Effet majeur : l'embryon arrête de se développer ; le blocage a lieu au niveau des lignées de cellules « en route » vers le système nerveux. Mais il peut intervenir à des moments très différents suivant les combinaisons. Le blocage tardif (15-21 jours embryonnaires) se manifeste par une altération profonde du cerveau antérieur et par l'absence d'yeux. Un blocage plus précoce (11 jours embryonnaires) perturbe la fermeture du tube neural, le cerveau peut même être absent ; encore plus tôt (8e jour embryonnaire), c'est le feuillet externe de l'embryon, donc la plaque neurale, qui ne se forme pas. Enfin, entre le 2e et le 8e jour, la masse cellulaire embryonnaire proprement dite n'apparaît même pas. Suivant le modèle de Wolpert et Lewis, ces altérations géniques comme les mutations homéotiques toucheraient les transitions de cellules-automates chaque fois qu'un choix s'offre à elles en direction du cerveau. A chaque bifurcation, la « route du cerveau » peut être barrée par une mutation du type de celles des chromosomes T. Un ensemble de gènes commande donc, au même titre qu'un gène homéotique, le déroulement dans le temps des transitions cellulaires d'état en état conduisant à l'encéphale.

Gènes homéotiques chez la drosophile et chromosomes T chez la souris illustrent comment les gènes exercent leur pouvoir sur le développement du système nerveux. D'abord, leur nombre n'a pas à être élevé pour que leur pouvoir soit grand. Au contraire.

---

27. D. BENNETT, 1975 ; H. SHIN et coll. 1982.

Un petit nombre d'entre eux suffit pour prendre des décisions aux conséquences aussi dramatiques que la disparition du cerveau! Leur effet est d'autant plus important que les décisions sont prises tôt dans le développement embryonnaire. Le temps participe à la construction de l'embryon, et évidemment à celle du cerveau. L' « ouverture » séquentielle de quelques gènes au cours du développement crée une diversité qui peut expliquer, au moins pour une part, comment se développe l'organisation générale du cerveau.

### L'embryon-système

La régularité dans le temps et la reproductibilité du développement de l'embryon ont fasciné les premiers biologistes moléculaires qui, dès les années 60, étendent à ce problème l'acquis de la génétique biochimique du colibacille. On trouve alors sous leur plume la référence à un « programme génétique » qui règle le développement de l'embryon au fil du temps. S'agit-il dans leur esprit d'un programme-« résumé », comme celui d'une pièce de théâtre, ou d'un programme-« bande magnétique » comme celui que l'on introduit dans un ordinateur? Lisons Jacob. Dans *La Logique du Vivant* (1970), celui-ci écrit : « Une bactérie représente la traduction d'une séquence nucléique longue d'environ un millimètre et constituée de quelque vingt millions de signes. L'homme procède d'une autre séquence nucléique longue de près de deux mètres et contenant plusieurs milliards de signes. La complication d'organisation correspond donc à un allongement du programme. » L'ADN-bande magnétique contient le programme. Récemment, un autre biologiste moléculaire, Stent (1981), ainsi que le théoricien Atlan (1979), ont remis cette notion en question. Le concept de programme unitaire, de toute évidence issu de la cybernétique, s'applique, à la rigueur, à la cellule bactérienne; son utilisation dans le cadre du développement d'un organisme multicellulaire paraît contestable sur plusieurs plans.

D'abord, l'ADN est une structure linéaire à une dimension. Le développement d'un œuf s'effectue dans les trois dimensions de l'espace. Des points de repère géométriques qui ne sont pas inclus dans le programme linéaire interviennent. Ensuite, programme sous-entend centre de commande unique. Or, si l'ADN des chromosomes contient ce programme, il n'existe sous forme unique que dans l'œuf fécondé. La première division de l'œuf brise cette unité. Chaque cellule reçoit un jeu complet de chromosomes et cependant, comme l'écrit Jacob, « quoique contenant *le* programme dans son entier, chaque cellule n'en traduit que des fragments ». Où se trouve *ce* programme génétique dès lors qu'il se « délocalise » au cours des premières étapes du développement embryonnaire ? Pour s'en dégager, il faut abandonner le concept de l'organisme-« machine cybernétique ». Mais par quoi le remplacer ? Le modèle de Wolpert et Lewis permet de comprendre la diversification des routes cellulaires qui conduisent aux principaux organes de l'adulte ; il ne rend pas compte, dans sa forme la plus simple, de la coordination qui persiste entre ces diverses routes au fil des temps, et qui paraît justifier le caractère unitaire, global, du programme.

La « théorie des systèmes », telle que la propose von Bertalanffy (1973), répond en principe à cette préoccupation. Il s'agit encore d'une théorie mathématique formelle, mais celle-ci conduit à une prise de position expérimentale très concrète. L'idée de base est que le système « unique » se compose d'éléments qui peuvent très bien être, par exemple, ces automates dont nous avons parlé. On définira donc un système par le nombre de ces éléments, par leurs diverses classes (si celles-ci existent) et surtout par les *relations dans l'espace et dans le temps* des éléments entre eux, et par leurs *règles d'interaction*. La notion formelle de programme se trouve remplacée par la description exhaustive de propriétés, d'éléments, d'une géométrie et d'un réseau de communications. Le comportement « global » du système se calcule alors à partir des données élémentaires et locales. Abandonnant encore une fois le vocabulaire du théoricien pour celui de l'embryologiste, le système-embryon se clive naturellement en éléments-automates qui sont les cellules embryonnaires dont le nombre, l'état de différenciation, la position, etc., évoluent en fonction du temps. Les règles d'interaction deviennent les échanges de signaux entre cellules, et plus particulièrement les relations existant entre signalisation intercellulaire et position de ces cellules dans l'embryon. Les gènes de chaque cellule embryonnaire ne constituent plus des unités indépendantes. Le réseau de communications établi entre cellules coordonne à chaque instant leur expression. L'adoption du modèle « embryon-système » incite à une description plus précise et plus détaillée de la réalité ; elle souligne l'importance des interactions entre cellules dans la mise en place de l'organisation complexe de l'adulte; elle offre, de surcroît, une interprétation des effets paradoxaux de certaines mutations touchant le système nerveux.

Lorsque nous avons décrit la mutation *albinos,* nous avons insisté sur le fait que cette mutation, qualifiée de pléiotrope, touche *à la fois* la pigmentation *et* les voies visuelles,de l'œil au cortex cérébral. Pourquoi? Il faut remonter aux premières étapes du développement des voies visuelles et se rappeler que la rétine est noire et que cette couleur est due à une enveloppe de cellules pigmentées contenant la mélanine. Les albinos ont les yeux rouges; la mélanine y manque, là comme dans le reste du corps. Chez l'embryon normal, le pigment apparaît très tôt dans ces cellules, au moment où se divisent pour la dernière fois les neurones rétiniens dont l'axone donnera le nerf optique. Un contact étroit existe à ce stade entre neurones embryonnaires et cellules pigmentaires. Très vraisemblablement, des signaux s'échangent entre ces cellules, et le pigment ou un produit dérivé de celui-ci intervient dans cette signalisation. Toujours est-il que les neurones envoient leur axone dans la bonne direction lorsque le pigment est là, dans la mauvaise lorsqu'il n'est pas là. Les règles d'interaction entre neurones et cellules pigmentaires, à ce stade critique du développement, déterminent l'orientation de départ de ces axones qui se dirigent vers le corps genouillé. Les choses n'en restent pas là, car les neurones du corps genouillé entrent eux-mêmes en contact avec les neurones du cortex visuel. Là, une réorganisation plus ou moins importante a lieu. Aux interactions entre cellules pigmentaires et neurones rétiniens succèdent des interactions entre neurones rétiniens et neurones du corps genouillé, puis entre ce dernier et les neurones corticaux. Comme le prévoit le modèle « embryon-système », la perturbation en un point du réseau d'interactions cellulaires a pour conséquence une *cascade* d'effets qui se répercutent jusqu'au cortex cérébral. Il explique la pléiotropie de la mutation d'un gène si le produit de celui-ci fait partie du réseau de communications qui s'établit entre cellules au cours du développement.

Un petit nombre de gènes, que nous qualifions « de communications », suffit pour déterminer et régler ce réseau [28]. Comme le modèle automate-cellule embryonnaire, le modèle embryon-

---

28. R. GOLDSCHMIDT, 1940.

système rend moins paradoxale la relative pauvreté du génome, comparée à la « richesse » du système nerveux central de l'adulte.

La chimie des facteurs qui participent aux interactions entre cellules-éléments de l' « embryon-système » en est à ses débuts. On ignore encore quels sont les produits des chromosomes T, quel est l'hypothétique « inducteur » de la plaque neurale. Les candidatures, cependant, ne manquent pas. Il s'agit vraisemblablement d'un « bric-à-brac » de molécules très variées. Parmi elles, on compte l'AMP cyclique, dont il a déjà été question au sujet de régulations d'un tout autre ordre (efficacité de la libération de neurotransmetteur lors de l'apprentissage) et, tout récemment, l'acide *rétinoïque* [29]. Celui-ci provoque, dans le tube à essais, l'engagement de cellules embryonnaires aux compétences multiples sur une voie particulière, par exemple celle de l'intestin. Mais intervient-il de la même manière dans l'embryon au cours du développement? Plus tard, chez l'embryon puis chez le nouveau-né, entrent en action des facteurs mieux identifiés, puisqu'ils jouent le rôle d'hormones chez l'adulte. Un exemple bien connu est celui des hormones sexuelles.

Le sexe marque de son sceau l'anatomie du cerveau et plusieurs de ses fonctions. Il est déterminé, on le sait, par une composition chromosomique différente chez le mâle (XY) et chez la femelle (XX). Mais ces chromosomes ne s'expriment pas directement, semble-t-il, au niveau d'organes-cibles comme les organes génitaux externes ou le cerveau. Des « agents de liaison », les hormones sexuelles, servent d'intermédiaires diffusibles entre cellules embryonnaires. Synthétisées dans des glandes à sécrétion interne situées dans l'ovaire ou le testicule embryonnaire, elles agissent à des distances importantes de leur point d'émission.

L'action des hormones sur la mise en place du comportement sexuel a surtout été étudiée au cours du développement chez le rat [30]. Lors de l'accouplement, le mâle monte la femelle, mais la femelle ne monte jamais le mâle. Une fois accouplée, la femelle réceptive prend une position caractéristique. Plantée sur ses quatre pattes, elle met la tête en avant, arque le dos et soulève son postérieur en exposant l'ouverture du vagin. En même temps, elle tourne la queue de côté pour faciliter la pénétration

29. S. STRICKLAND et V. MAHDAVI, 1978.
30. S. LEVINE, 1966; C. ARON, 1974; B. MAC EWEN, 1976; R. GORSKI, 1979; Y. ARAI, 1981.

du mâle. Cette posture de la femelle constitue le réflexe de « lordose ». Elle est suffisamment caractéristique pour que l'on puisse la quantifier. Chez la ratte adulte, l'ablation de l'ovaire abolit le comportement de lordose : la femelle ne répond plus au mâle ; mais la lordose réapparaît rapidement après injection d'hormones femelles. Celles-ci sont nécessaires à la réalisation de ce comportement.

Les hormones jouent un rôle encore plus manifeste au cours du développement post-natal. L'ablation des testicules chez le raton nouveau-né fait apparaître la réponse de lordose chez le mâle castré adulte. Génétiquement mâle, le castrat adopte un comportement de femelle. L'imprégnation du cerveau par les hormones mâles produites par le testicule du nouveau-né bloque le comportement femelle de lordose et fait apparaître le comportement de monte caractéristique du mâle.

On ignore encore les bases anatomiques du comportement de lordose. Par contre, des différences morphologiques manifestes s'observent entre mâle et femelle au niveau des centres de l'hypothalamus qui commandent l'ovulation. Le volume de l'air préoptique, l'un de ces centres, est chez l'adulte huit fois plus grand chez le rat mâle que chez la femelle. Mais une catégorie particulière des synapses établie avec des neurones de l'aire préoptique est 30 % plus fréquente chez la femelle que chez le mâle, et la castration du mâle à la naissance entraîne chez l'adulte un accroissement du nombre de ces synapses jusqu'à des valeurs proches de celles de la femelle. Les hormones agissent donc sur la sexualisation anatomique de centres bien définis de l'encéphale chez le rat [31] et aussi en toute logique chez l'homme [32] bien que les données que l'on possède soient très fragmentaires. Elles sont, selon toute vraisemblance, responsables de la différence de poids moyen de l'encéphale (chapitre II), et aussi de la différence de forme et de surface du faisceau de fibres qui relie les deux hémisphères ou corps calleux dont la partie postérieure se trouve plus large chez les femmes que chez les hommes [33] !

Les hormones sexuelles règlent l'ouverture et l'expression des gènes présents dans des cellules-cibles par l'intermédiaire de

---

31. S LEVINE, 1966 ; C. ARON, 1974 ; B. MAC EWEN, 1976 ; R. GORSKI, 1979 ; Y. ARAI, 1981.

32. Références dans E. SULLEROT, 1978.

33. C. de LACOSTE-UTAMSING et R. HOLLOWAY, 1982 ; Voir aussi R. HOLLOWAY 1980 ; P. TOBIAS, 1975.

récepteurs, de « molécules-serrures » qui fixent sélectivement ces hormones. Contrairement aux récepteurs de neurotransmetteurs (chapitre III), les récepteurs d'hormones ne sont pas liés à la membrane cellulaire mais, comme les répresseurs génétiques, s'attachent au niveau de gènes chromosomiques. Chez la souris comme chez l'homme, on connaît des mutations qui touchent le gène de structure de ces molécules-serrures. Conséquence : aucun tissu, encéphale y compris, ne contient le récepteur et, de ce fait, perd sa capacité de répondre à l'hormone.

La différenciation du sexe, et en particulier de celui du cerveau, est réglée par un réseau de communication hormonale, lui-même sous contrôle génétique [34]. Les hormones participent à un ensemble d'interactions qui harmonisent et coordonnent l'expression des gènes présents dans des cellules, voire des organes, très divers de l'embryon et du nouveau-né. D'autres facteurs chimiques encore très mal connus joueraient un rôle semblable au cours de la division des cellules embryonnaires, de la migration, de leur différenciation. Le modèle de l'embryon-système permet donc de se débarrasser du concept globaliste et vide de programme génétique, et met en relief la contribution des interactions entre cellules dans le développement de l'organisme et dans la mise en place de la complexité d'organisation de l'adulte.

## Corticogenèse

Le cortex cérébral s'ébauche avant que le sexe n'imprègne l'encéphale. Dès la sixième semaine de vie embryonnaire, chez l'homme, la vésicule la plus antérieure du tube neural se scinde en deux compartiments dont chacun va donner un hémisphère cérébral (figure 54). Au départ, la paroi du tube neural se compose d'une couche unique de cellules juxtaposées. Celles-ci se divisent très activement. En quelques mois, plusieurs dizaines de milliards de cellules vont être produites. A certains moments, leur rythme de production atteint jusqu'à 250 000 cellules par minute. Au fur et à mesure que les divisions ont lieu, deux phénomènes se produisent. D'abord, la surface des vésicules cérébrales augmente. Ce « gonflement » prend des proportions

---

34. Références dans D. PFAFF, 1980.

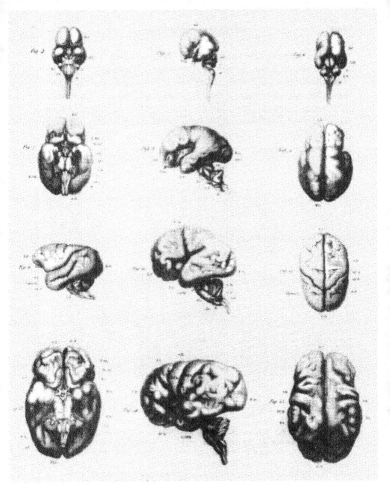

### FIGURE 54

*Fig. 54. – Planche du développement de l'encéphale humain extraite de l'« Anatomie comparée du système nerveux considérée dans ses rapports avec l'intelligence » par Leuret et Gratiolet (1839-1857). Les trois figures du haut sont relatives à un fœtus de 14 semaines, les trois suivantes à un fœtus de 4 mois et demi. En dessous, à gauche, encéphale d'un singe Saïmiri adulte présenté à titre de comparaison avec celui d'un fœtus humain de 5 mois (la ressemblance est évidente). Enfin, les trois figures du bas concernent un fœtus humain de 6 mois : les principales scissures et circonvolutions du cortex sont déjà présentes.*

spectaculaires chez l'homme. Il se poursuit bien au-delà de ce qui s'observe chez le singe. En même temps, la paroi des vésicules s'épaissit. Un premier « feuillet » apparaît. En profondeur, les cellules poursuivent leur division. Elles y forment un « compartiment de prolifération ». Puis elles émigrent en surface. Elles s'accumulent dans un « compartiment de différenciation » ou *plaque corticale* qui deviendra chez l'adulte le cortex cérébral proprement dit [35] (figure 55).

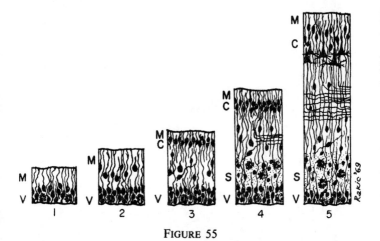

FIGURE 55

*Fig. 55. – Cinq stades du développement embryonnaire du cortex cérébral à partir de la paroi du tube neural représenté de manière schématique par Rakič (1969). Les précurseurs des neurones et des cellules gliales prolifèrent dans la région du tube neural en contact avec le ventricule (V), puis les cellules migrent vers la périphérie (M) où elles s'accumulent en « plaque corticale » (C) (d'après Sidman, 1970). La plaque corticale donnera l'essentiel du cortex de l'adulte.*

Seize semaines après la fécondation, les divisions cellulaires s'arrêtent. Bien avant la naissance, le nombre maximal de neurones corticaux est donc atteint. *L'homme naît avec un cerveau dont le nombre de neurones ne fera que diminuer par la suite.*

---

35. Références dans P. RAKIČ et P. GOLDMAN-RAKIČ, 1982.

La plaque corticale s'épaissit progressivement au fur et à mesure que les neurones produits par la zone générative s'y accumulent. Les couches I à VI se distinguent peu à peu. L'empilement des neurones de la plaque corticale peut, dès lors, s'envisager de deux manières différentes. Chez l'adulte, la couche I est la plus superficielle, la couche VI la plus profonde (chapitre II). Comme le compartiment de prolifération se situe encore plus en profondeur, une logique simple voudrait que les couches se déposent comme des sédiments de la couche I, la plus éloignée, à la couche VI, la plus rapprochée du compartiment d'émission. Il n'en est rien. Curieusement, c'est l'inverse qui a lieu [36]. Pour s'en rendre compte, il faut étiqueter les cellules au moment où elles se divisent pour la dernière fois (par exemple à l'aide d'un précurseur radioactif de l'ADN) et les repérer ensuite, chez l'adulte, au niveau de la couche du cortex où elles se sont déposées. On constate que les neurones de la couche VI, la plus rapprochée de la zone génératrice, se déposent les premiers, puis ceux de la couche V, qui doivent donc traverser la couche VI déjà formée avant d'atteindre leur emplacement définitif; et ainsi de suite jusqu'aux couches III et II dont les neurones se mettent en place après une longue route à travers le cortex déjà formé. Les couches successives s'emboîtent donc les unes à l'intérieur des autres comme des poupées russes : les plus anciennement formées à l'intérieur, les plus récentes à l'extérieur.

Les règles de multiplication, de migration et de mise en place des « cristaux cellulaires » correspondant à chacune des couches successives du cortex paraissent les mêmes (à quelques exceptions près) sur toute l'étendue du cortex. Cela explique la remarquable « uniformité » notée par Powell et ses collaborateurs dans l'organisation du cortex adulte (chapitre II). On y rencontre partout le même nombre de neurones par « carotte » verticale et la même proportion de cellules pyramidales et étoilées. Quelle que soit l'aire, les règles de développement sont communes. En d'autres termes, la même commande génique intervient. Un nombre restreint de gènes doit suffire pour régler la mise en place, le nombre et la différenciation des neurones du cortex cérébral (voir chapitre VIII).

La poussée des axones et dendrites ainsi que la formation des premières synapses s'effectue, dans le cortex, bien avant que les

---

36. J. ANGEVINE et R. SIDMAN, 1971; P. RAKIĆ, 1974.

six couches ne se soient formées. Au moment où les couches VI et V se déposent au niveau de la plaque corticale, les précurseurs des cellules pyramidales qui s'y trouvent envoient leurs axones vers le noyau thalamique correspondant. Réciproquement, les axones des neurones thalamiques poussent en direction du cortex. Le bouclage entre cortex cérébral et thalamus débute avant que les couches III et II ne se soient formées, et a lieu de manière réciproque et synchrone [37]. L'assemblage de la machine cérébrale s'effectue donc progressivement au fur et à mesure que les pièces deviennent disponibles. Les axones issus du thalamus se terminent au niveau de la couche IV d'abord de manière diffuse. Puis ils se partagent en « bandes » verticales (chapitre II). Par le jeu des connexions qui s'établissent, les cristaux cellulaires acquièrent progressivement leur spécificité régionale. *Les grandes lignes de la connectivité du cortex cérébral, chez le singe comme chez l'homme, se mettent en place avant la naissance.*

L'homme naît avec un cerveau qui pèse environ 300 g, soit le cinquième du poids de l'adulte, alors que celui du chimpanzé a déjà 40 % du poids adulte. Un des traits majeurs du développement du cerveau humain est donc qu'il se prolonge longtemps après la naissance. Il se poursuit pendant près de quinze ans, alors que la période de gestation ne dure que neuf mois. Cet accroissement de masse du cerveau ne contredit pas le fait que les neurones du cortex cérébral n'ont cessé de se diviser plusieurs semaines *avant* la naissance. Il coïncide en fait avec la poussée des axones et des dendrites, la formation des synapses, le développement des gaines de myéline autour des axones.

Dès 1910, Ramon y Cajal décrivait le remarquable accroissement de complexité des arborisations dendritiques des cellules pyramidales après la naissance chez l'homme (figure 56). Ces études ont été reprises récemment chez le singe [38] et chez l'homme [39]. Les cellules pyramidales, peu après leur mise en place dans la plaque corticale, ont une forme très simple : une dendrite apicale lisse, une autre près du corps du neurone, et l'axone qui déjà quitte le cortex. Puis de nouvelles dendrites apparaissent à la base du corps cellulaire, des branches horizontales se forment sur la dendrite apicale, le corps cellulaire prend

37. C. Shatz et P. Rakič, 1981.
38. J. Lund et coll., 1977 ; R. Boothe et coll., 1979.
39. J. Conel, 1939-1963.

une forme pyramidale (figures 56 et 77). Ces dendrites, d'abord « barbus », deviennent « chevelus » puis se couvrent d'épines [40]. Cragg (1975) estime que, chez le chat, le nombre moyen de synapses par neurone cortical passe de quelques centaines à près de 12 000 entre le 10e et le 35e jour qui suit la naissance. Cet accroissement est aussi considérable, sinon plus, chez le singe et surtout chez l'homme.

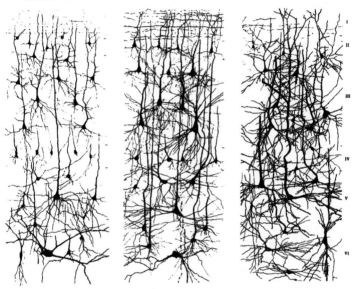

FIGURE 56

*Fig. 56. – Croissance des arborisations dendritiques de neurones du cortex cérébral chez l'homme après la naissance. De gauche à droite, enfants de 3, 15 et 24 mois. Les sections prises dans le cortex temporal supérieur ont été imprégnées par la méthode de Golgi (d'après Conel, 1947, 1955, 1959 dans Altman, 1967).*

Pendant cette période, les diverses cartes, homoncules et figurines se tracent sur le cortex au fur et à mesure que des fibres d'origine thalamique pénètrent dans celui-ci et que les synapses se forment. Un exemple particulièrement bien étudié

40. J. LUND et coll., 1977 ; R. BOOTHE et coll., 1979.

de développement d'une figurine corticale est celui de l'aire engagée dans la sensibilité du toucher (aires 1, 2, 3) chez le rat ou la souris. Elle se caractérise, nous le savons, par l'énorme surface occupée par la représentaion des « moustaches » ou vibrisses (voir figure 39). Des coupes tangentielles du cortex sensoriel somesthésique révèlent des rangées de « barils » de 0,2 à 0,4 mm de diamètre, chaque baril correspondant à une vibrisse du museau de la souris [41]. Ces barils apparaissent progressivement après la naissance au niveau de la couche V du cortex. Si on détruit l'une d'elles à la naissance, le baril correspondant ne se forme pas chez l'adulte (figure 57). Comment la périphérie du corps se projette-t-elle sur le cortex avec une si parfaite précision? Entre les moustaches et le cortex, un relais synaptique a lieu au niveau du thalamus. Que s'y passe-t-il?

Débitons en coupes sériées le noyau correspondant du thalamus. On découvre que celui-ci contient des rangées de petits barils ou « barilloïdes » qui, eux aussi, correspondent aux rangées de moustaches. Lorsque l'on détruit une vibrisse le premier jour après la naissance, le baril cortical comme le barilloïde thalamique n'apparaissent pas. Il y a conservation de la carte des vibrisses du museau au thalamus et du thalamus au cortex. Toutefois, lorsque cette destruction est effectuée quatre jours plus tard, le baril cortical n'apparaît pas, mais le barilloïde thalamique se développe normalement. Le barilloïde thalamique devient stable entre un et quatre jours après la naissance, le baril cortical se stabilise plus tard, après quatre jours. Les projections des vibrisses s'effectuent donc de manière séquentielle, « en cascade », du museau au thalamus, puis du thalamus au cortex.

Par quel mécanisme la disposition relative des vibrisses les unes par rapport aux autres se conserve-t-elle dans cette cascade de projections? L'hypothèse la plus simple est que cette géométrie ne se perd jamais, qu'elle est « contenue » dans le nerf qui relie le museau au thalamus et dans le faisceau qui va du thalamus au cortex. Cette hypothèse vient d'être mise à l'épreuve avec le système visuel où, comme dans le cas des vibrisses, la rétine se projette point par point sur le corps genouillé latéral du thalamus.

Suivons le devenir des axones qui composent le nerf optique à

41. H. van der Loos et T. Woolsey, 1973.

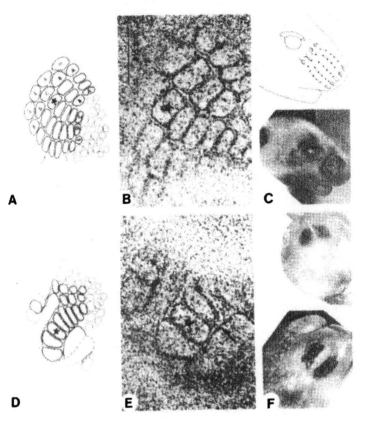

FIGURE 57

Fig. 57. – *Importance des organes des sens périphériques dans le développement des cartes du cortex cérébral : ici, la projection des « moustaches » ou vibrisses chez la souris. A, B, C : souris adulte contrôle : au niveau de la couche IV du cortex (B), les cellules s'organisent en « barils » et chaque baril correspond à une vibrisse du museau de la souris (C). En A, reconstruction de l'ensemble de la carte corticale des vibrisses : l'étoile indique la même vibrisse qu'en B, D, E. F : plusieurs rangées de vibrisses ont été détruites à la naissance (F) sauf β et la rangée C. Les barils correspondants (D et F) manquent dans le cortex cérébral de l'adulte (d'après Van der Loos et Woolsey, 1973).*

la sortie de la rétine. En quittant la rétine, ceux-ci pourraient fort bien partir au hasard et s'emmêler « en écheveau ». L'examen anatomique [42] et l'enregistrement, de proche en proche et en parallèle, de l'activité des neurones de la rétine et de celle des axones en divers points du nerf optique [43] montrent qu'il n'en est rien. Les relations de voisinage rencontrées entre neurones de la rétine se maintiennent au niveau des axones qui restent rassemblés en « faisceau ». En d'autres termes, la carte des axones reproduit celle des neurones. Il y a conservation de la disposition géométrique des neurones, de la rétine au nerf optique et du nerf optique au corps genouillé. Par ce procédé très simple, on conçoit comment la périphérie se projette sur le cortex, et une aire donnée du cortex sur une autre, *en conservant la « carte » des relations entre neurones.* Ce mode de projection entraîne une diversification considérable tant des aires corticales que des neurones qui composent ces aires.

## La prédestination du cerveau

Lorsque l'enfant de l'homme naît, ses neurones corticaux ont cessé de se diviser; leur nombre est définitivement fixé. Aucune récupération de ce nombre n'aura lieu en cas de lésion, il ne fera que diminuer jusqu'à la mort. Dans leurs grandes lignes, les connexions entre organes des sens, système nerveux central et organes moteurs, ainsi qu'entre les principaux centres de l'encéphale, sont en place. Ce développement, chez l'embryon puis chez le fœtus, se déroule en suivant un processus hautement reproductible d'un individu à l'autre et d'une génération à l'autre. Le pouvoir des gènes est évident. Les différences individuelles s'effacent devant la constance des traits majeurs de l'organisation cérébrale. Quels que soient l'ethnie, le climat ou l'environnement, l'autorité des gènes assure *l'unité du cerveau humain* au sein de l'espèce.

Ce pouvoir se fonde sur un petit nombre de déterminants géniques, et cependant il s'exerce. Pour cela, l'oligarchie génique utilise des « moyens spéciaux ». Le premier de ces moyens est l'*économie*. On sait (chapitre III) que plusieurs peptides de

42. J. Scholes, 1979; voir aussi N. Bodick et C. Levinthal, 1980.
43. K. Martin et H. Perry, 1983.

l'intestin se retrouvent dans le cerveau. On a vu aussi, avec l'albinos, qu'un même gène peut intervenir dans deux fonctions distinctes, à des moments différents, au cours du développement et chez l'adulte. Cette gestion au plus près du stock de gènes, avec *réemploi et mise en commun*, permet de construire avec un minimum d'éléments de structure. Il n'y a pas « bricolage » mais *épargne* d'un capital limité.

Un autre moyen permet aux gènes de diversifier leur action : *la combinaison de leurs effets dans le temps et dans l'espace.* Le modèle cellule embryonnaire-automate illustre comment un grand nombre d'états cellulaires distincts, en particulier de cellules nerveuses, s'obtiennent à partir d'un nombre minimal de signaux. Avec le modèle embryon-système, on conçoit comment quelques gènes impliqués dans la communication entre cellules embryonnaires suffisent pour coordonner l'expression de stocks de gènes désormais distribués en de multiples points différents de l'embryon et de son système nerveux en développement.

Un petit nombre de ceux-ci suffisent pour régler, de manière progressive et séquentielle dans le temps, les divisions, migrations et différenciations des neurones qui composent le cortex cérébral. La mise en place de son organisation *régulière* et *uniforme* en cristaux cellulaires s'effectuera avec un coût minimum de gènes. Mais celle-ci se *diversifiera* d'aire en aire du fait de la projection de cartes ou homoncules issus de la périphérie, après relais au niveau du thalamus. De multiples représentations du corps, des organes et même des centres nerveux s'inscriront dans le cortex cérébral au cours du développement. Les mécanismes en jeu dans ces projections sont mal connus, mais une conservation des relations géométriques entre axones en croissance paraît plausible. Là encore, peu de déterminants géniques seront nécessaires. Une *intrication* entre la carte des axones thalamiques et les cristaux cellulaires du cortex produira une diversité importante d'une aire à l'autre. Enfin, les cartes d'une aire du cortex pourront se projeter sur une autre aire du cortex par des axones d'association ou commissuraux. Une *combinatoire entre cartes* corticales éventuellement se produira.

L'ensemble de ces moyens, plus d'autres qui seront discutés au prochain chapitre, rendent *moins paradoxale* la disproportion existant entre le nombre de gènes et l'organisation du système nerveux central. Une solution se trouve donc dans les multiples combinaisons, dans le temps et dans l'espace, des actions géniques. Les conséquences de cette solution sont importantes. Évidemment, on conservera le terme de déterminisme génétique lorsque l'on parlera de l'organisation fonctionnelle du système nerveux central. Toutefois, ce terme couvrira des processus très différents lorsqu'il s'agira de la structure primaire d'une protéine comme, par exemple, un récepteur de neurotransmetteur, ou de facultés très intégrées comme celles du langage humain. Dans le premier cas, il existera une relation directe et univoque entre la séquence des nucléotides du gène de structure (même s'il est morcelé) et la séquence des acides aminés de la protéine. Dans le second cas, on aura affaire à une fonction cérébrale qui met en œuvre des ensembles cellulaires considérables dont la disposition s'est construite progressivement au cours du temps, et pas nécessairement de manière synchrone. Il ne sera plus possible de faire correspondre un gène à une structure ou à une fonction. Le gène de la folie, celui du langage ou de l'intelligence n'existent pas. Nous savons qu'il n'est pas possible d'assigner une fonction cérébrale intégrée à un « centre » unique ou à un seul neurotransmetteur, mais à un système d'« étapes de transit » où se « nouent » des états d'activité électrique et chimique. De même, les gènes « se nouent », s'imbriquent, s'enchaînent en s'exprimant de manière séquentielle et différentielle au cours du développement pour créer l'*organisation* de l'encéphale propre à l'espèce humaine. La reproductibilité du déroulement dans le temps et dans l'espace de ces expressions géniques assure l'*invariance* de cette organisation.

# VII

# Épigenèse

> « On peut, sans doute, apporter en naissant les
> dispositions particulières pour des penchants
> que les parents transmettent par l'organisation,
> mais certes, si l'on n'eût pas exercé fortement et
> habituellement les facultés que ces dispositions
> favorisent, l'organe particulier qui en exécute
> les actes ne se serait pas développé. »
>
> J.-B. de LAMARCK, *Philosophie zoologique,*
> *1809.*

L'assemblage d'une automobile, comme celui d'un ordinateur, s'effectue suivant un plan de montage, un « programme », qui définit avec précision la disposition de tous les écrous et de tous les points de soudure de la machine. La moindre erreur de détail dans l'exécution de ce programme aurait des conséquences catastrophiques. Le montage s'effectue d'emblée avec la précision maximale. La construction du cerveau humain, on le sait déjà, ne suit pas un quelconque « programme ». Le pouvoir des gènes certes existe. Mais s'étend-il aux détails les plus fins de cette organisation, à la forme précise de chaque cellule nerveuse, au nombre exact et à la géométrie de chacune de ses synapses. Au contraire, ceux-ci ne règlent-ils que les grandes lignes de la « carrosserie » cérébrale dans l' « embryon-système »? Peut-on affirmer qu'un déterminisme strictement génétique rend compte *intégralement* de la « complexité » d'assemblage de l'encéphale humain?

D'abord, le mot « complexité » ne doit pas faire illusion. Comme le souligne Atlan (1979), il exprime surtout le fait « qu'on ne comprend pas un système. Il est révélateur d'un ordre dont on ne connaît pas le code »! Devant une réalité si difficile d'accès, la seule manière saine de réagir est de laisser notre cerveau de scientifique construire des « représentations », d'imaginer ce qu'est cette complexité et comment elle se développe. Évidemment, on restera sur ses gardes, sachant qu'il ne s'agit là que d' « images-modèles » dont la confrontation avec le réel décidera de l'éventuelle validité.

Plusieurs mécanismes, de nature *combinatoire,* sont en principe susceptibles d'engendrer l'énorme complexité propre au cerveau humain. Certains ont déjà été présentés et discutés au chapitre précédent. L'expression différentielle des gènes permet, nous le savons, de créer une grande diversité de catégories cellulaires : mais ce mécanisme s'applique-t-il à la topologie et au nombre de connexions entre cellules nerveuses, rend-il compte de la très grande diversité des singularités neuronales de l'encéphale humain ? Une remarque très simple fait hésiter. Une fois qu'elle a acquis son état différencié, la cellule nerveuse ne se divise plus. Un *seul* noyau, le même ADN, sert, une vie durant, à la mise en place et à l'entretien de dizaines de milliers de synapses. Il paraît difficile d'imaginer une distribution différentielle du produit des gènes d'un seul et même noyau vers chacune de ces dix mille synapses, à moins de supposer l'existence d'un mystérieux « démon » qui canalise sélectivement ce produit vers chaque synapse prise individuellement et suivant un code préétabli ! L'expression différentielle des gènes n'explique pas, simplement, l'extrême diversité et la « spécificité » des connexions entre neurones.

Un mécanisme combinatoire de nature différente, « épigénétique », c'est-à-dire ne faisant pas intervenir de modification du matériel génétique, a été proposé [1]. Il ne s'exerce plus au niveau de la cellule mais à celui, plus élevé, des *ensembles* de cellules nerveuses. Il n'a plus pour origine la seule « carte d'identité » des gènes exprimés par chaque neurone, mais la topologie du réseau des connexions qui s'établissent *entre* neurones au cours du développement. Il s'inscrit dans la multiplicité des figures géométriques qui se dessinent transitoirement dans les trois dimensions de l'espace lors de la formation de ce réseau. Examinons la nature et les limites de cette « épigenèse par stabilisation sélective de synapses ».

1. J.-P. CHANGEUX, 1972, 1983 a et b; J.-P. CHANGEUX, P. COURRÈGE, A. DANCHIN, 1973; J.-P. CHANGEUX et A. DANCHIN, 1976; J.-P. CHANGEUX et coll., 1981; J.-L. GOUZÉ et coll., 1983.

*Les différences entre vrais jumeaux*

Il est notoire que les vrais jumeaux, qui proviennent du dédoublement d'un même ovule fécondé, se ressemblent entre eux de manière beaucoup plus frappante que les jumeaux issus d'œufs différents. Génétiquement identiques, possèdent-ils « exactement » le même cerveau? La réponse à cette question est essentielle. Supposons que cela soit vrai : cela voudrait dire que le pouvoir des gènes s'exerce de manière absolue sur *chacune* des $10^{14}$ ou $10^{15}$ synapses du cortex cérébral humain. Si ce n'est pas le cas, la réponse doit permettre de définir les limites de ce pouvoir, le niveau d'organisation anatomique à partir duquel une éventuelle épigenèse pourra s'installer.

Nous avons déjà fait référence aux vrais jumeaux dans la recherche sur les composantes héréditaires de certaines maladies mentales (chapitre VI). Que peut-on dire de l'anatomie fine du cerveau des vrais jumeaux? Fidèles à notre méthode, nous devons effectuer cette analyse au niveau du neurone et de ses synapses. Il faut, pour ce faire, retrouver *exactement les mêmes cellules* dans la même aire du même hémisphère, et comparer le détail de leurs arborisations, voir si elles se ressemblent au même titre que les rides du visage ou les lignes de la main. Comment repérer ces cellules parmi tant de milliards? Tournons-nous d'abord vers le système nerveux d'organismes simples.

Levinthal et ses collaborateurs [2] ont choisi un petit crustacé bien connu des aquariophiles, la daphnie *(Daphnia magna)*. Celle-ci présente plusieurs avantages. On l'élève facilement et les femelles se reproduisent sans intervention des mâles, c'est-à-dire de manière parthénogénétique. Elles donnent naissance de mère en fille à des lignées d'individus génétiquement identiques ou « isogéniques », à une population de vraies jumelles, ou plutôt de vraies multi-plées. Autre avantage de la daphnie : son système nerveux, comme celui de l'aplysie ou de la sangsue, se compose d'un petit nombre de cellules identifiables individuellement sous le microscope. Elle se prête donc à l'examen détaillé de la variabilité des vrais jumeaux, à condition toutefois d'y mettre le prix, c'est-à-dire de répertorier toutes les cellules nerveuses de toutes leurs synapses. Cela ne peut se faire

2. E. MACAGNO et coll., 1973.

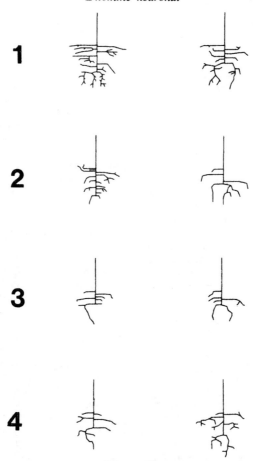

**FIGURE 58**

*Fig. 58. – Variabilité de l'organisation neurale chez les vrais jumeaux. Ici, l'arborisation terminale de l'axone d'un même neurone est comparée chez quatre Daphnies différentes, génétiquement identiques (I à IV). Ce neurone est présent en deux exemplaires « symétriques » par rapport au plan de symétrie de l'animal. La variabilité de l'arborisation axonale est plus importante d'un individu à l'autre qu'entre la droite et la gauche d'un même individu (d'après Macagno et coll., 1973).*

qu'au microscope électronique. On débite un centre nerveux, par exemple l'œil, en centaines de tranches fines, on les récupère dans leur totalité et on les observe section par section au microscope. On « reconstitue » ensuite chaque neurone avec son corps cellulaire et ses arborisations (figure 58).

Premier résultat de cette enquête : d'une daphnie isogénique à l'autre, le nombre de cellules *ne varie pas*. L'œil cyclopéen unique se compose d'exactement 176 neurones sensoriels chez tous les individus examinés, pas un de plus, pas un de moins. Mieux, ces 176 cellules établissent des contacts synaptiques avec exactement 110 neurones du ganglion optique. Quant aux connexions qui relient ces cellules les unes aux autres, qualitativement, elles ne varient pas non plus. Chaque neurone sensoriel, pris individuellement, se termine sur le même neurone du ganglion optique. Par exemple, le neurone sensoriel D2 aboutit systématiquement sur les neurones L1 et L4 du ganglion. L'organisation générale de l'œil et du ganglion optique se conserve d'un individu isogénique à l'autre. Les gènes sont là.

Toutefois, en examinant les clones de plus près, une *variabilité* apparaît entre individus. Elle se présente dès que l'on compte le *nombre exact* de synapses et que l'on trace la forme précise des arborisations axonales. Ainsi, le nombre de synapses entre les neurones D2 et L4 est 54 pour le spécimen nº 1, 65 pour le spécimen nº 2, 20 pour le nº 3, 40 pour le nº 4. L'arborisation axonale se subdivise au moins trois fois de suite chez l'individu nº 1, alors qu'elle ne le fait pratiquement qu'une fois chez l'individu nº 4. L'œil, comme le ganglion optique, possède un plan de symétrie. Chaque neurone présent à gauche se retrouve également à droite. Une variabilité s'observe aussi entre la droite et la gauche, mais elle est beaucoup plus faible que celle rencontrée d'un individu à l'autre. Génétiquement identiques, les daphnies jumelles ne sont donc *pas* anatomiquement identiques. Si le nombre des cellules et les grandes lignes de leurs connexions ne varient pas, une fluctuation, un « grain » apparaît au niveau du *détail* des arborisations et de leurs connexions.

Ce qui est vrai pour la daphnie l'est aussi vraisemblablement pour l'aplysie et la drosophile. L'est-il encore pour le poisson ? Des invertébrés aux vertébrés, le nombre de cellules nerveuses s'accroît. La comparaison devient plus ardue. Levinthal a habilement tiré parti du fait que chez le poisson, quelques neurones, comme la cellule de Mauthner (voir chapitre IV), sont

géants et présents en exemplaire unique. Il a choisi les cellules
de Müller, neurones moteurs situés à proximité de la cellule de
Mauthner et identifiables comme celle-ci. Enfin, le poisson
*Poecilia formosa* se reproduit, comme la daphnie, sans le
secours des mâles, et donne naissance à des clones de femelles
génétiquement identiques à leur mère. On constate que, d'un
individu à l'autre pris parmi ces clones, l'arborisation dendritique de la première cellule de Müller conserve *grosso modo* sa
forme, mais *varie dans le détail* de ses branchements et de ses
synapses. Les conclusions du travail effectué sur la daphnie
s'étendent à au moins quelques neurones du poisson [3].

Qu'en est-il d'un mammifère comme la souris? Le nombre de
cellules devient très grand. Il n'y a plus de neurones géants et
uniques faciles à repérer, mais des catégories de cellules
(chapitre II) et, au sein d'une même catégorie, comme par
exemple les cellules de Purkinje du cervelet, un nombre élevé
d'individus-neurones. On souhaiterait, là encore, comparer le
détail des arborisations dendritiques et axonales d'un même
neurone puisé dans cette population, d'un individu isogénique à
l'autre. Mais cela est-il *en théorie* possible? Premier point : il
n'est pas facile d'obtenir régulièrement des vrais jumeaux au
sens strict du terme. On se contente de souris consanguines.
Croisées entre elles depuis une cinquantaine d'années, elles
possèdent un très grand nombre, sinon la totalité, de leurs gènes
en commun. La comparaison d'individus au génome quasi-
identique est donc possible. Par contre, le repérage d'un *même
neurone* au sein d'une même catégorie cellulaire se heurte à un
sérieux problème. Nous savons que chez la daphnie, l'aplysie et,
dans une certaine mesure, le poisson, ce repérage est possible.
En est-il encore de même chez la souris? La réponse est non.

D'abord, le nombre de neurones n'est pas fixe. Leur décompte
dans une aire particulière du cerveau (par exemple l'hippocampe [4]) fait apparaître une variabilité significative de plusieurs
pour cents d'un individu consanguin à l'autre. Toutefois, cette
variabilité, bien que du même ordre, reste *inférieure* à celle
notée entre individus pris dans des lignées génétiquement
différentes. D'autre part, il n'est plus possible de numéroter les
neurones en fonction de leur position, tout simplement parce que

3. F. Levinthal et coll., 1976.
4. R. Wimer et coll., 1976.

ceux-ci ne se mettent pas en place de manière parfaitement régulière et reproductible au cours du développement.

Les cellules du ganglion abdominal de l'aplysie ou de l'œil de la daphnie sont identifiables parce qu'elles dérivent de cellules embryonnaires *fondatrices* qui se divisent un nombre fixe de fois et se disposent en des points précis de l'espace au cours du développement. Chez la souris, cette mise en place est largement « brouillée ». On s'en rend aisément compte en suivant à la trace le devenir des cellules de l'embryon jusque chez l'adulte par la méthode des *chimères* [5].

De quelle chimère s'agit-il ? D'une souris mi-lion mi-chèvre avec une queue de dragon ? Évidemment non, mais d'une souris « mosaïque » où se juxtaposent des cellules provenant de deux individus souris différents. Pour réaliser une telle chimère [6], on choisit deux lignées de souris dont les cellules diffèrent par le contenu haut (h) ou bas (b) d'une enzyme « neutre », proche parent de la β-galactosidase (chapitre v), la β-glucuronidase. Celui-ci va servir de marqueur intrinsèque. Il se repère facilement sur des sections de tissus nerveux par une coloration rouge. Chez les souris « h », les cellules de Purkinje prennent le colorant ; chez la souris « b », elles restent blanches. On construit alors la chimère en mélangeant les cellules d'un embryon « h » avec celles d'un embryon « b ». Le mélange forme un nouvel embryon, mixte, mais parfaitement viable. Il possède toutefois la particularité d'avoir *quatre* parents. Essayons maintenant de repérer, dans le cervelet de cette chimère, les cellules de Purkinje issues de l'embryon « h » et celles qui proviennent de l'embryon « b » (figure 59). Supposons que les précurseurs des cellules de Purkinje se divisent de manière régulière et se disposent de ce fait suivant une géométrie définie au niveau du cortex. Dans ces conditions, les cellules colorées en rouge devraient, dans le cervelet de la souris adulte, former des figures régulières, des zébrures, des damiers ou des secteurs. Or, il n'en est rien. On observe un « patchwork » de cellules de Purkinje, où les cellules rouges et blanches se trouvent réparties de manière largement (mais pas totalement) aléatoire. Les divisions et les migrations des cellules précurseurs des cellules de Purkinje ne sont donc pas soumises à un déterminisme aussi rigoureux et précis que la mise en place des neurones du système nerveux de

5. B. MINTZ, 1974.
6. R. MULLEN, 1977 ; M. OSTER-GRANITE et J. GEARHART, 1981 ; D. GOLDOWITZ et E. MULLEN, 1982.

la daphnie ou de l'aplysie. Le « mélange » est tel qu'il devient illusoire d'étiqueter chaque neurone individuel ou de le numéroter. *La comparaison entre neurones « identiques » n'est plus réalisable dans son principe.* Avec l'accroissement du nombre

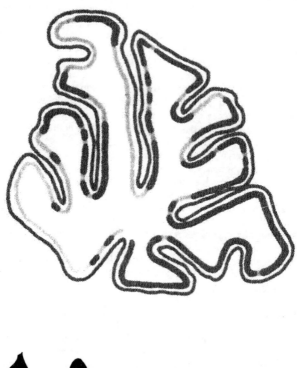

FIGURE 59

de cellules, la « variabilité » introduite dans la construction du système nerveux augmente. Alors que, chez la daphnie et l'aplysie, celle-ci n'apparaissait qu'au niveau du branchement des neurites et du nombre des synapses, chez les mammifères, elle se manifeste déjà, pour une aire ou un centre donné, au niveau du nombre et de la distribution des cellules nerveuses.

L'évolution du système nerveux s'accompagne donc d'une augmentation de la frange d' « irreproductibilité » entre individus génétiquement identiques. Cette frange échappe au simple déterminisme génique. Il apparaît utile, dans ces conditions, d'introduire le terme d'*enveloppe génétique* pour délimiter les caractères invariants soumis au strict déterminisme des gènes et ceux qui font l'objet d'une importante variabilité phénotypique. Des mammifères primitifs à l'homme, l'enveloppe génétique s'ouvre à la variabilité individuelle.

## Le comportement du cône de croissance

L'importante variabilité phénotypique qui s'introduit dans l'organisation adulte du cerveau résulte, cela va sans dire, de la manière dont se développe cette organisation et, en particulier, du mode de croissance du réseau de neurones. Cette croissance ne concerne pas un processus de multiplication de cellules ou d'organismes comme la croissance d'une culture de bactéries ou d'une population animale. Elle n'engage pas la réplication de l'ADN. La mise en place du réseau de connexions nerveuses s'effectue, au contraire, après l'arrêt de cette réplication. Le mot « croissance » doit alors être pris dans le sens de poussée, d'élongation, de branchement de câbles nerveux qui, finalement,

*Fig. 59. – Chimère de souris montrant la variabilité de la distribution des cellules de Purkinje dans le cervelet. La coupe de cervelet représentée sur la figure du haut est celle d'une souris « mosaïque » qui résulte de la fusion de deux embryons de quelques cellules. Les embryons chimères possèdent donc quatre parents. Chez l'un des deux embryons fusionnés, les cellules de Purkinje se colorent normalement en rouge. On les repère ici (en noir) sur le cervelet chimère disposées de manière irrégulière par rapport aux cellules de Purkinje de l'autre embryon (en gris sur la figure du haut ou en blanc sur le détail du bas). Il y a « mélange » des précurseurs embryonnaires des cellules de Purkinje lors du développement du cervelet (d'après Oster-Granite et Gearhart (1981) et Goldowitz et Mullen (1982).*

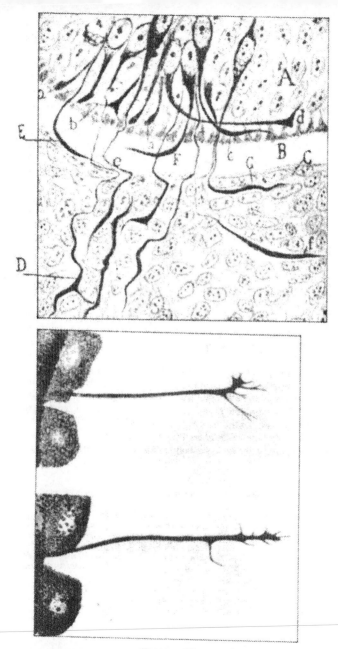

FIGURE 60

relient entre eux (et à leurs cibles) les corps des neurones déjà immobilisés et différenciés.

Un très curieux « organite », découvert une fois de plus par Ramon y Cajal (1909), sert de « moteur » à cette croissance. Sur des coupes fixées et colorées d'embryon de poulet de trois jours, Cajal observe que les rudiments d'axones qui partent des neurones moteurs et se dirigent vers les ébauches des muscles, se terminent par un renflement de forme générale conique, le *cône de croissance* (figure 60). Dans la moelle, celui-ci se présente avec « ses bords hérissés d'ailettes ou appendices lamelleux... formant comme un éperon protoplasmique insinué dans les interstices des cellules ou de l'épithélium ». Parfois il est « extrêmement aplati » et « rappelle l'aspect d'une patte de palmipède ». Ailleurs, « il prend la forme d'une massue géante, lorsque sa marche est retardée ». « Il perd ses aspérités dès qu'il est sorti de la moelle; sa forme est alors celle d'un fuseau, d'un grain d'orge... » Et Cajal conclut : « Au point de vue fonctionnel, on peut dire que le cône de croissance est une sorte de massue ou de bélier, doué d'une sensibilité chimique exquise, de mouvements amiboïdes rapides et d'une certaine force d'impulsion qui lui permet d'écarter ou de franchir les obstacles dressés sur sa route... jusqu'à ce qu'il parvienne à destination. » Quelques années plus tard, Harrison (1907-1908) met pour la première fois des cellules nerveuses en culture et observe directement, sous le microscope, l'élongation des fibres nerveuses et le « comportement » du cône de croissance (figure 60). Extrêmement mobile, celui-ci va, vient, avance, recule, projette de fins prolongements ou filipodes qui s'étendent et se rétractent sur des distances de 10 à 20 µm. Ces mouvements exploratoires s'accompagnent d'une progression du cône de croissance à une vitesse linéaire de 15 à 20 µm à l'heure.

La navigation du cône de croissance s'effectue « à vue » par

*Fig. 60. — Dessins originaux de Ramon y Cajal (1909) (en haut) et de Harrison (1908) (en bas) où l'on reconnaît le cône de croissance à la pointe d'axones embryonnaires en croissance. La figure de Cajal montre, en place dans l'embryon, la sortie des axones de la moelle épinière (A), la traversée de l'espace qui sépare la moelle des muscles environnants et la pénétration des cônes de croissance (D-G) dans la masse musculaire en développement. La figure de Harrison illustre les changements de forme et la progression du cône de croissance dans les cultures in vitro de fragments de tissu nerveux d'embryon de grenouille. Les deux états du cône de croissance figurés ont été dessinés à la chambre claire à quinze minutes d'intervalle.*

échantillonnage des cellules qu'il rencontre. Toutefois, même s'il « louvoie », il met en général le cap vers une cible précise. A part quelques fibres qui s'égarent, les axones issus des neurones moteurs de la moelle épinière se dirigent vers les muscles embryonnaires, mais pas vers la peau ou le squelette. Les mécanismes de cette orientation ne sont pas encore complètement élucidés.

Lévi-Montalcini (1975) a mis en évidence puis purifié une substance chimique, une protéine qui stimule l'élongation des axones produits par les neurones des ganglions sympathiques. Elle l'a baptisée « Nerve Growth Factor » ou NGF. *In vitro,* cette protéine attire les axones par leur cône de croissance qui s'oriente dans la direction de la cible qui la produit [7]. Ce chimiotactisme a-t-il aussi lieu dans l'embryon, *in vivo*? C'est vraisemblable. Mais il n'explique pas tout. D'autres expériences suggèrent un rôle de « substrat » sur lequel le cône de croissance se déplace en le « palpant ». L'un n'exclut pas l'autre. Il n'en résulte pas moins une orientation du cône de croissance vers sa cible. Ce cône rencontre toutefois sur sa route les « obstacles » les plus divers, et il y a fort peu de chances pour que ceux-ci soient *exactement* les mêmes pour deux neurones d'une même catégorie, ni *a fortiori* pour deux neurones d'individus différents, fussent-ils isogéniques. Tête chercheuse, le cône de croissance est la seule partie mobile du neurone. Progressant vers l'avant, il laisse derrière lui un segment fixe qui marque en quelque sorte la trace de son passage. Ses zigzags, ses allées et venues, *a priori* difficiles à prévoir, s'inscrivent ainsi dans la topologie des connexions nerveuses.

Observé au microscope électronique, le cône de croissance ressemble à une « mini-amibe » qui aurait perdu son noyau mais resterait enchaînée au corps du neurone. Dépourvu de vrais chromosomes, il se divise cependant par scission. Chaque division produit un branchement. L'arbre axonal ou dendritique se construit. Les règles de la scission du cône de croissance comme celles de son bourgeonnement déterminent l'allure générale de l'arbre qui, chez l'adulte, va caractériser telle cellule pyramidale ou telle cellule étoilée (chapitre II). Rarement elles définissent le point précis de branchement, l'orientation exacte du trajet suivi par chaque branche. Une importante variabilité de la géométrie des axones et des dendrites de

---

7. R. CAMPENOT, 1977.

l'adulte résulte donc du comportement du cône de croissance.

La rencontre du cône de croissance avec sa cible va se manifester par un changement radical de son comportement. Le va-et-vient incessant s'arrête soudainement. Filopodes et voiles ondulants se rétractent. Le cône immobilisé se transforme en quelques heures en une terminaison nerveuse qui, progressivement, ressemble à celle d'une synapse adulte. Cette réaction se produit toutefois avec toutes les cellules cibles appartenant à une même catégorie. Le cône de croissance ne distingue pas entre « individus »-cellules d'une même catégorie.

Ce comportement « spectaculaire » du cône de croissance ne doit pas faire oublier qu'il suit en fait un petit nombre de règles simples. Certaines, comme par exemple le mouvement amiboïde, sont communes à la plupart des cônes de croissance. D'autres, comme la reconnaissance de la cible, paraissent caractéristiques d'une catégorie cellulaire. En aucun cas le comportement du cône de croissance ne rend compte de la diversité des singularités neuronales. Il assure, ce qui est déjà beaucoup, l'invasion de l'ensemble des cellules-cibles appartenant à une catégorie donnée de neurones. Le coût en gènes est restreint. Mais une importante variabilité s'inscrit dans la topologie des premiers contacts établis avec la cible. La *précision* de l'assemblage est faible. Une épigenèse devient nécessaire pour « mettre les choses au point », pour créer le répertoire final des singularités neuronales.

## Régression et redondance

Quiconque s'interroge sur le développement du système nerveux, et plus encore sur celui du cerveau, s'intéresse d'abord, cela va de soi, aux mécanismes proprement constructifs tels que multiplication cellulaire, différenciation, prolifération des connexions qui vont participer à l'assemblage de cet ensemble gigantesque de neurones et de synapses. Il faut cependant accepter l'idée, *a priori* surprenante, que ce développement s'accompagne de phénomènes régressifs qui s'attaquent à cet ensemble cellulaire en développement avec, parfois, une ampleur considérable.

Dès le début du siècle, Collin (1906) notait que sur des coupes de tissu nerveux embryonnaire, certaines cellules nerveuses retiennent les colorants de manière anormale et présentent des

figures de dégénérescence annonçant une mort prochaine.
Observée depuis en de multiples endroits, la mort cellulaire se
rencontre de manière systématique au cours du développement
du système nerveux. Un des exemples les mieux analysés est
celui des neurones moteurs de la moelle épinière chez l'embryon
de poulet. Hamburger (1975) a eu le courage de compter la
totalité de ces neurones d'un bout à l'autre de la moelle. Chez
l'embryon de cinq jours et demi, on dénombre ainsi environ
20 000 neurones (d'un seul côté), alors que l'adulte n'en possède
que 12 000! Entre ce stade du développement et l'âge adulte,
40 % des neurones moteurs sont morts (figure 61). Cette mort
intervient principalement entre le 6ᵉ et le 9ᵉ jour de vie
embryonnaire, mais elle se poursuit chez l'adulte, suivant
toutefois un rythme beaucoup plus lent. L'hécatombe neuronale

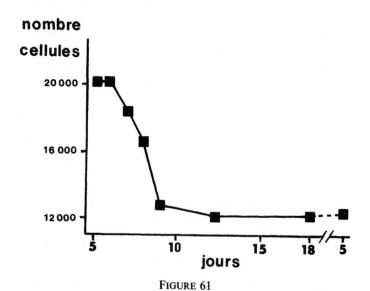

FIGURE 61

*Fig. 61. — Mort spontanée des neurones moteurs de la moelle épinière
au cours du développement embryonnaire de l'embryon de poulet. En
abscisse, les jours de développement dans l'œuf, en ordonnée, le nombre
total de cellules dans une colonne latérale motrice : 40 % des neurones
meurent en quelques jours (d'après Hamburger, 1975).*

fait partie du développement normal. Elle en constitue une des étapes critiques [8].

Le plus souvent, la mort neuronale ne frappe qu'une partie des neurones appartenant à une même catégorie. Cependant, un cas existe, déjà décrit par Ramon y Cajal, où une catégorie entière de cellules meurt. Il s'agit de neurones de la couche I, la plus superficielle du cortex cérébral, qui possèdent la particularité d'avoir axones et dendrites orientés non pas perpendiculairement au cortex, comme les cellules pyramidales, mais parallèlement à celui-ci. Observées pour la première fois chez le fœtus humain et retrouvées depuis chez d'autres mammifères, ces cellules disparaissent purement et simplement chez l'adulte.

A la crise de la mort cellulaire succède une phase régressive plus discrète mais non moins importante dans ses conséquences. Elle n'affecte que les ramifications terminales des axones et des dendrites. Ramon y Cajal notait déjà qu'aux premiers stades de croissance des nerfs quelques fibres « égarées » rataient leur cible et, finalement, dégénéraient. Il signalait aussi que, dans le cervelet du nouveau-né, les axones des cellules de Purkinje présentent 20 à 24 branches collatérales, alors qu'il n'en reste que 4 ou 5 chez l'homme adulte.

Ce processus régressif paraît très général. Il atteint aussi bien le système nerveux périphérique que le système nerveux central. Il a pu être suivi au niveau du muscle squelettique avec beaucoup de précision. A l'aide de méthodes électrophysiologiques très résolutives, on peut compter une à une les terminaisons nerveuses « actives » au cours du développement [9]. On constate d'abord que, chez l'adulte, chaque fibre musculaire « rapide » ne reçoit d'innervation qu'en un point situé au milieu de la fibre. Cependant, au moment où le rat naît, on compte au même endroit jusqu'à 4-5 terminaisons nerveuses actives. Progressivement, au fur et à mesure que le raton apprend à marcher, le nombre de ces terminaisons fonctionnelles diminue. Il n'en restera plus qu'une chez l'adulte. Au cours de cette évolution, le nombre de neurones moteurs et de fibres musculaires varie peu. La régression affecte uniquement les branches axonales et les

8. W. Cowan, 1979 ; R. Pittman et R. Oppenheim, 1979.
9. P. Redfern, 1970 ; M. Bennett et A. Pettigrew, 1974 ; P. Benoit et J.-P. Changeux, 1975, 1978 ; M. Brown et coll., 1976 ; J. Gouzé et coll., 1981.

synapses. A cette occasion, le « territoire » de fibres musculaires innervé par chaque neurone se rétrécit. A la naissance, il y a à la fois hyper-innervation des fibres musculaires et chevauchement des territoires innervés. Le système est *redondant* et *diffus*.

En fin d'évolution, toutes les fibres musculaires sont innervées par une seule terminaison axonale et chaque neurone innerve un nombre fixe de fibres musculaires, par exemple 100 dans le cas

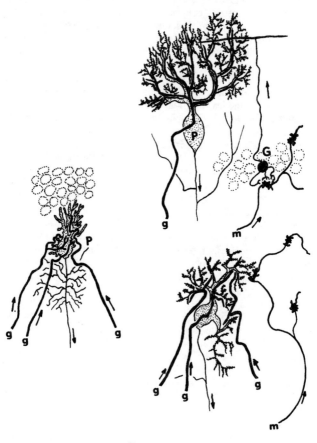

FIGURE 62

du muscle soléaire. L'innervation est simple et précise. La redondance est *transitoire*. L'élimination de terminaisons nerveuses actives s'accompagne d'un accroissement de l'*ordre* du système.

Le phénomène n'est pas unique. Cependant, il n'a pu être analysé que dans des situations où le nombre de contacts synaptiques est mesurable, donc peu élevé. Dans le cervelet des mammifères adultes, chaque cellule de Purkinje ne reçoit qu'une seule fibre grimpante. La situation ressemble à celle du muscle. A la naissance, les nouveau-nés de rat ou de souris ont un cervelet « redondant » où chaque cellule de Purkinje reçoit 4-5 fibres grimpantes [10] (figure 62). Les semaines suivantes, l'organisation adulte se développe avec la stabilisation d'une seule fibre grimpante, les quatre autres dégénèrent. Dans le cortex cérébral, chaque cellule pyramidale reçoit et établit des milliers de synapses. Les compter pendant le développement est un travail long et difficile que seuls quelques anatomistes particulièrement motivés ont eu la ténacité d'entreprendre. Chez le macaque [11], nous le savons (chapitre VI), les dendrites des cellules pyramidales, d'abord « barbues », deviennent « chevelues » et se couvrent d'épines. Huit semaines après la naissance, elles atteignent un stade que Lund et ses collaborateurs [12] ont qualifié de « supra-épineux ». En effet, au cours des mois et même des années qui suivent, le nombre de ces épines ne fera que décroître, au moins d'un facteur 2.

10. F. CRÉPEL et coll., 1976; J. MARIANI et J.-P. CHANGEUX, 1981; J. MARIANI, 1983.
11. J. LUND et coll., 1977; R. BOOTHE et coll., 1979.
12. J. LUND et coll., 1977; R. BOOTHE et coll., 1979.

*Fig. 62. – Des phénomènes régressifs s'attaquent au développement des synapses. Ici, est représentée de manière schématique la formation des contacts synaptiques dans le cervelet de souris (ou de rat) après la naissance. Tandis que l'arborisation dendritique de la cellule de Purkinje (P) se complique par branchements successifs, le nombre de fibres grimpantes (g) qui forment des synapses fonctionnelles avec les cellules de Purkinje* diminue chez la souris normale (haut). *Chez le nouveau-né, il y a au moins trois contacts fonctionnels par cellule de Purkinge. Chez l'adulte, il n'en reste plus qu'un. Chez le mutant* weaver *où les cellules des grains (G) ont disparu, la multi-innervation des cellules de Purkinje persiste chez l'adulte; les fibres moussues (m) qui normalement forment des synapses avec les cellules des grains (G) poursuivent leur chemin jusqu'aux cellules de Purkinje (d'après* Changeux *et* Mikoshiba, *1978).*

Le territoire innervé par les axones de certaines cellules pyramidales a également été suivi au niveau du cortex [13]. On sait en effet que certaines d'entre elles, dont le corps cellulaire occupe principalement les couches I et III (chapitre II), envoient des branches axonales sur l'autre hémisphère par le corps calleux. Ce territoire est l'homologue cortical du paquet de fibres musculaires (ou unité motrice) innervé par un neurone moteur. Dans le cas du cortex comme dans celui du muscle, ce territoire est beaucoup plus large à la naissance que chez l'adulte. Il se rétrécit avec la maturation du cortex, du fait de l'élimination de branches axonales. La régression des terminaisons nerveuses participe ainsi à la construction de la connectivité du cortex cérébral adulte. La succession d'une phase de redondance synaptique et d'une étape de régression de branches axonales et dendritiques représente donc un moment critique du développement du système nerveux. Il paraît légitime de le retenir comme un processus caractéristique de l'épigenèse des réseaux de neurones.

## Les rêves de l'embryon

En 1885, W. Preyer remarquait que, dès trois jours et demi d'incubation, l'embryon du poulet bouge dans l'œuf et que ces mouvements apparaissent en l'absence de tout stimulus physique. La tête se déplace d'un côté à l'autre, puis des contractions envahissent progressivement le tronc et la partie postérieure de l'embryon. Leur fréquence s'accélère pour atteindre un pic au 11e jour de vie embryonnaire (20-25 mouvements par minute) (figure 63). A ce stade, l'embryon étend ses pattes, bat des ailes, ouvre et ferme son bec... Puis ces mouvements s'enchaînent

---

13. G. INNOCENTI, 1981 a, b;  G. IVY et H. KILLACKEY, 1982; O'LEARY et coll., 1981.

---

*Fig. 63. — Activité spontanée du système nerveux de l'embryon en développement. Sur la figure du haut, la durée moyenne des périodes d'activité motrice (ou d'inactivité) en seconde(s) est portée en fonction du nombre de jours de développement. Dès 3 jours et demi, l'embryon est animé de mouvements spontanés dans l'œuf (d'après Hamburger, 1970). La figure du bas montre la coïncidence de ces mouvements (ligne inférieure) avec la genèse d'impulsions électriques dans la moelle épinière (ligne supérieure) : (4) embryon de 4 jours : (11) embryon de 11 jours (d'après Ripley et Provine, 1972).*

suivant une séquence temporelle caractéristique. Ils permettent finalement au poussin de briser sa coquille avec son bec et de sortir de l'œuf. Le curare, ce poison que l'on sait bloquer le récepteur de l'acétylcholine au niveau de la jonction nerf-muscle

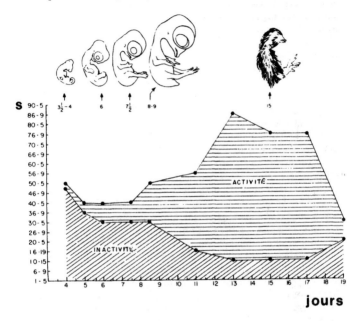

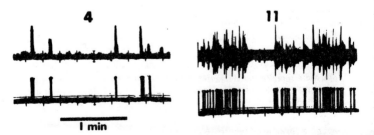

FIGURE 63

(chapitre III), arrête ces mouvements, paralyse l'embryon. Les synapses nerf-muscle participent donc très tôt aux mouvements de l'embryon et fonctionnent suivant des règles semblables à celles des synapses adultes. Même le cône de croissance libère le neurotransmetteur !

Si l'on plante maintenant une microélectrode dans la moelle de l'embryon, on enregistre une activité électrique spontanée intense [14]. Dès 3 jours et demi, au moment où s'observent les premiers mouvements, des impulsions périodiques apparaissent. Puis des rafales se développent. D'abord localisées en des points précis de la moelle, elles l'envahissent progressivement. Une coïncidence parfaite existe entre l'activité électrique enregistrée et les mouvements de l'embryon. Sans ambiguïté, la motricité embryonnaire est d'origine nerveuse. Elle résulte de l'entrée en activité spontanée de neurones oscillateurs présents d'abord dans la moelle épinière, puis dans l'encéphale de l'embryon.

Chaque mère se rappelle avec émotion le jour où elle ressentit les premiers mouvements de l'enfant qu'elle portait. Ces mouvements ressemblent de manière étonnante à ceux décrits chez l'embryon de poulet. Le cœur commence à battre, chez l'embryon humain, 3 à 4 semaines après la fécondation. Vers la dixième semaine, les premiers mouvements spontanés du tronc et des membres apparaissent, mais la mère ne les ressent que sept semaines plus tard. Une activité électrique les accompagne évidemment. Dès deux mois, Bergstrom (1969) l'enregistre dans la région du tronc cérébral sur des fœtus obtenus par césarienne. Cette activité se poursuit et s'amplifie à partir du troisième mois. Quelques semaines avant la naissance, les signes électriques d'une alternance veille-sommeil se dessinent sur l'électroencéphalogramme [15]. Les phases de sommeil sont interrompues par des épisodes d'intense activité électrique qui ressemblent à l'activité paradoxale. Le fœtus rêve-t-il avant de naître ? A cet égard, oui, bien que l'activité enregistrée diffère de l'authentique activité paradoxale présente chez l'adulte (figure 23 c). Elle s'accompagne de mouvements violents du corps du fœtus qui ressemblent aux comportements observés par Jouvet sur ses chats opérés (chapitre V). Sans doute les centres du tronc cérébral qui inhibent l' « actualisation » des comportements paradoxaux ne sont-ils pas encore développés à ce stade. Si cela

14. V. HAMBURGER ; R. RIPLEY et R. PROVINE, 1972.
15. C. DREYFUS-BRISAC, 1979 ; D. JOUVET-MOUNIER, 1968.

est vrai, les mouvements spontanés du fœtus représenteraient fidèlement le contenu de ses « rêves ». Ceux-ci seraient donc bien pauvres! Ce fœtus ne « rêverait » qu'aux premiers mouvements qu'il aura à accomplir dès sa naissance : s'agripper à sa mère, sucer son sein et, quelques mois plus tard, marcher. Mais peut-on parler ici de rêves?

Un fait est sûr : très tôt, une intense activité spontanée circule dans le système nerveux de l'embryon et du fœtus et se poursuit pendant tout le développement. Concurremment, les organes des sens se développent [16]. Vers le sixième mois de grossesse, l'appareil auditif a presque acquis les dispositions qu'il a chez l'adulte. Les récepteurs du toucher l'ont précédé, le système visuel le suit. Toutes les fonctions sensorielles de l'adulte sont en place bien avant la naissance, et une activité spontanée s'y manifeste très tôt. Les performances ne sont pas encore celles de l'adulte, mais des réponses évoquées apparaissent, se mêlent aux « rêves de l'embryon », s'intensifient au cours des étapes du développement qui, nous le savons (chapitre VI), se poursuivent après la naissance.

L'hypothèse d'une contribution de l'activité nerveuse spontanée, puis évoquée, à l'épigenèse des réseaux de neurones et de synapses paraît donc plausible. Propagée dans le réseau nerveux, elle constitue un mode d'interaction entre éléments de l' « embryon-système » (centres nerveux, organes des sens, organes moteurs). Du fait de la divergence des arborisations axonales et de la convergence qui s'établit au niveau des arbres dendritiques, elle assure à la fois intégration et diversification. Une combinatoire de signaux électriques et chimiques s'introduit désormais dans le réseau nerveux en développement. Son coût en gènes de structure sera, là encore, très réduit. Nous savons (chapitre III) que quelques protéines-canaux suffisent pour obtenir un oscillateur électrique. Ce prix est sans rapport avec le gain de possibilités combinatoires qui en résulte.

### L'assemblage de la synapse

La mise au point finale du réseau nerveux de l'adulte a lieu, bien entendu, au niveau de l'ultime « canal » de communication entre neurones : la synapse. Il importe donc d'en connaître

---

16. R. MARTY et J. SCHERRER, 1964.

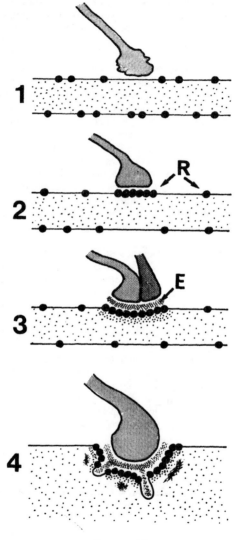

FIGURE 64

l'assemblage si l'on souhaite saisir les mécanismes moléculaires sur lesquels portera, en définitive, l'épigenèse. D'une taille voisine de la cellule bactérienne, la synapse, nous le savons (chapitre III), est chimiquement plus simple : pas de noyau, quelques mitochondries et des vésicules du côté du nerf; de l'autre côté de la fente synaptique, une membrane très homogène. Dans le cas de la synapse de l'organe électrique ou de la jonction nerf-muscle (chapitre III), le répertoire des espèces moléculaires qui composent cette membrane est même pratiquement établi. Il se réduit à quelques protéines, dont deux principales : le récepteur de l'acétylcholine et une protéine d'assemblage (de masse moléculaire 43 000), le tout scellé par des lipides. La densité des molécules de récepteur y est si élevée (10 000 à 20 000 molécules par $\mu m^2$) que celles-ci se touchent (figure 30 C), formant une sorte de « cristal » irrégulier à deux dimensions que stabilise, de l'intérieur, la protéine d'assemblage 43 000 [17].

Cette remarquable organisation moléculaire est-elle présente sur toute la surface de la fibre musculaire? Promenons-nous le long de cette fibre, en nous éloignant du nerf. Brutalement, la densité de récepteur tombe. A quelques $\mu m$ de la terminaison, elle est déjà 1 000 fois plus faible. Le récepteur devient indétectable. Il n'est présent qu'à l'emplacement de la terminaison nerveuse : là où le neurotransmetteur est libéré (figure 64.4).

Dans la fibre musculaire embryonnaire, cette disposition privilégiée du récepteur n'existe pas. Mais le récepteur y est présent *avant* l'arrivée des fibres nerveuses exploratrices. Il préexiste à l'interaction du cône de croissance avec sa cible. Il y est réparti de manière uniforme sur toute sa surface, avec une

---

17. Références dans J.-P. CHANGEUX, 1981.

---

*Fig. 64. — Représentation schématique de l'assemblage des composants moléculaires de la synapse nerf-muscle squelettique au cours du développement embryonnaire et après la naissance chez le rat. 1. Arrivée du cône de croissance à la surface de la fibre musculaire où le récepteur de l'acétylcholine (R) est réparti de manière diffuse. 2. Immobilisation du cône de croissance et agrégation localisée du récepteur sous la terminaison nerveuse. 3. Multi-innervation transitoire et localisation de l'acétylcholinestérase (E), disparition du récepteur extrasynaptique. 4. Après la naissance, maturation de la plaque motrice avec stabilisation du récepteur et changement du temps d'ouverture moyen du canal ionique.*

densité faible (environ 100 fois plus que sous la terminaison adulte). Toutefois, la surface de la fibre embryonnaire est si grande que, comparée à celle de la synapse adulte, on y trouve, au total, beaucoup plus de récepteur qu'il n'en faut pour construire la synapse (figure 64.*1*).

Autre différence : dans la membrane de la fibre embryonnaire, les molécules de récepteur « bougent », elles se déplacent par diffusion, comme les molécules d'un gaz. Dans la synapse adulte, au contraire, celles-ci sont totalement immobilisées sous la terminaison nerveuse. Enfin, les molécules de récepteur, comme toutes molécules appartenant à un organisme vivant, ne sont pas promises à la vie éternelle, mais bel et bien « périssables ». Les neurones du cerveau humain peuvent survivre plus de cent ans. La durée de vie des molécules de la synapse est beaucoup plus brève. Dans la jonction nerf-muscle adulte, la *demi*-vie (elle se mesure plus facilement que la durée de vie totale) du récepteur est de l'ordre de onze jours. Mais toute molécule qui disparaît est immédiatement remplacée par une autre, nouvellement synthétisée. L'architecture moléculaire de la synapse adulte se renouvelle en permanence. Son organisation se conserve. Dans la fibre musculaire embryonnaire, la situation est encore plus précaire. La demi-vie du récepteur y est très brève : elle n'est que de dix-huit à vingt heures. Le récepteur embryonnaire est labile [18].

Des différences majeures existent donc entre la surface de la fibre musculaire avant l'arrivée des axones explorateurs et après l'installation de la synapse adulte. Chez l'embryon, le récepteur de l'acétylcholine est distribué de manière *diffuse* sur toute la fibre. Il est *mobile* et *labile*. Dans la jonction adulte, il est exclusivement localisé sous la terminaison nerveuse, avec une très forte densité, et s'y trouve *immobile* et *stable* [19].

L'assemblage commence dès l'immobilisation du cône de croissance sur la fibre musculaire. Les molécules de récepteur qui se trouvaient dispersées s'agrègent sous la terminaison, s'immobilisent. En quelques heures, la densité locale de récepteur augmente plus de dix fois. Une « tache » de récepteur marque désormais l'emplacement de la synapse (figure 64.*2*). Des impulsions passent du nerf au muscle. Le muscle se

18. Références dans D. FAMBROUGH, 1979, J.-P. CHANGEUX, 1981, M. DENNIS, 1981.
19. Références dans D. FAMBROUGH, 1979, J.-P. CHANGEUX, 1981, M. DENNIS, 1981.

contracte. La synapse fonctionne. L'enzyme de dégradation du neurotransmetteur (l'acétylcholinestérase, dans le cas de la jonction nerf-muscle) se dépose dans la fente synaptique (figure 64.*3*) [20].

Plusieurs étapes restent encore à franchir pour que la synapse atteigne l'état adulte. La première tache de récepteur n'a que quelques $\mu m^2$ de surface. Elle n'a engagé, pour se former, que quelques pour cent du stock de molécules de récepteur réparties sur toute la surface de la fibre musculaire embryonnaire. Tout le récepteur extérieur à la synapse va maintenant disparaître. En conséquence, le contenu total du muscle en récepteur tombe brutalement de plus de dix fois. Un phénomène régressif spectaculaire se manifeste, là encore, au cours du développement. La fibre embryonnaire produit au départ un très large excès de récepteur. Seule une fraction très faible – mais critique – de celui-ci persiste dans la synapse qui se forme. Ces molécules ont d'abord la vie brève, comme le récepteur embryonnaire. Progressivement, elles deviennent stables. Leur durée de vie s'allonge. Le canal ionique change lui aussi de propriétés. Son temps d'ouverture se raccourcit. La tache de récepteur sous-neural se consolide, puis s'agrandit. Elle se plisse en accordéon. Il faut près de trois semaines pour que la synapse acquière sa forme adulte [21].

Entre-temps se produit l'étape de multi-innervation transitoire mentionnée précédemment. Dès que la tache primordiale de récepteur s'est stabilisée sous une terminaison nerveuse exploratrice, d'autres axones la rejoignent. Des quatre ou cinq terminaisons qui s'y trouvent, celle qui persistera dans la synapse adulte n'est pas nécessairement celle qui a servi à la marquer par son cône de croissance. L'assemblage de la synapse se résout en une cascade de réactions chimiques et d'interactions moléculaires. D'abord très simple, l'édifice synaptique se complique. De labile, il devient progressivement stable. A l'assemblage de la synapse succède sa *stabilisation*.

## Théorie de l'épigenèse par stabilisation sélective

L'ensemble des observations présentées dans ce chapitre et dans le précédent montrent que :

20. A. Michler et B. Sakmann, 1980; J. Steinbach, 1981; G. Reiness et G. Weinberg, 1981.
21. Références dans G. Fischbach et coll., 1976.

1) Les principaux traits de l'organisation anatomique fonctionnelle du système nerveux se conservent d'une génération à l'autre et sont soumis au déterminisme d'un ensemble de gènes qui constituent ce que nous avons appelé l'*enveloppe génétique*. Celle-ci commande les divisions, migrations et différenciations des cellules nerveuses, le comportement du cône de croissance, la reconnaissance entre catégories cellulaires, la mise en place de la connectivité maximale, l'entrée en activité spontanée, ainsi que les règles d'assemblage moléculaire et d'évolution de cette connectivité.

2) Une *variabilité* phénotypique se manifeste dans l'organisation adulte d'individus isogéniques, et son importance augmente, des invertébrés aux vertébrés jusqu'à l'homme, avec l'accroissement de « complexité » de l'encéphale.

3) Au cours du développement, une fois achevée la dernière division des neurones, les arborisations axonales et dendritiques bourgeonnent et s'épanouissent de manière exubérante. A ce stade « critique », la connectivité du réseau est maximale. Le nombre de combinaisons possibles de neurones atteint un maximum. Au niveau cellulaire, des synapses surnuméraires ou « redondantes » s'observent, mais cette redondance est *transitoire*. Des phénomènes régressifs interviennent rapidement. Des neurones meurent. Puis l'élagage d'une fraction importante des branches axonales et dendritiques a lieu. Des synapses actives disparaissent.

4) Dès les premiers stades de l'assemblage du réseau nerveux, des impulsions circulent dans celui-ci. D'abord d'origine spontanée, elles sont ensuite évoquées par l'interaction du nouveau-né avec son environnement.

La théorie proposée [22] prend en compte des données d'observation et les complète par les hypothèses suivantes [23] (figure 65) :

22. J.-P. CHANGEUX, 1972, 1983 a et b; J.-P. CHANGEUX, P. COURRÈGE, A. DANCHIN, 1973; J.-P. CHANGEUX et A. DANCHIN, 1976; J.-P. CHANGEUX et coll., 1981; J.-L. GOUZÉ et coll., 1983.
23. J.-P. CHANGEUX, P. COURRÈGE et A. DANCHIN, 1973.

Fig. 65. – *Hypothèse de l'épigenèse par stabilisation sélective. L'entrée en activité, spontanée et/ou évoquée, du réseau nerveux en développement règle l'élimination des synapses surnuméraires mises en place au stade de la redondance transitoire.*

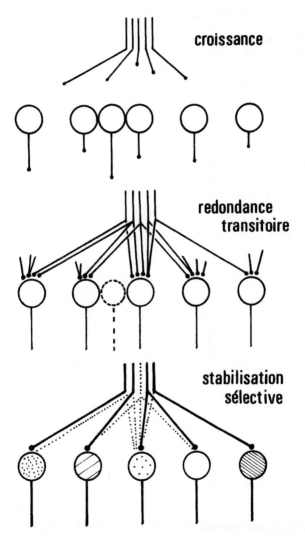

croissance

redondance
transitoire

stabilisation
sélective

FIGURE 65

1) Au stade critique de « connectivité maximale », les synapses embryonnaires (excitatrices et inhibitrices) peuvent exister sous au moins trois états : labile, stable et dégénéré. Seuls les états labile et stable transmettent les influx nerveux et les transitions acceptables entre états sont : labile → stable (stabilisation), labile → dégénéré (régression), stable → labile (labilisation).

2) L'évolution de l'état de stabilité de chaque contact synaptique est gouvernée par l'ensemble des signaux reçus par la cellule sur laquelle il se termine. En d'autres termes, l'activité de la cellule *post*-synaptique règle en retour (de manière *rétrograde*) la stabilité de cette synapse.

3) Le développement « épigénétique » des singularités neuronales est réglé par l'activité du réseau en développement. Celle-ci commande la *stabilisation sélective* d'une distribution particulière de contacts synaptiques parmi l'ensemble de ceux présents au stade de redondance maximale.

Ces propositions ont été rassemblées sous la forme d'un *modèle* mathématique nécessairement simplifié et schématique, mais autonome vis-à-vis de la réalité biologique. La mise en correspondance de cette *représentation* formelle avec les données de l'expérience peut désormais être entreprise.

La théorie, telle qu'elle vient d'être formulée, a deux applications majeures sur le plan biologique. Une première est de rendre plausible l'enregistrement d'une séquence temporelle d'influx nerveux sous la forme d'une trace stable qui peut être décrite en termes de géométrie synaptique. Il y a passage de l'activité à la « structure » à partir d'une organisation anatomique qui pré-existe intégralement à l' « expérience ». Celle-ci *sélectionne* des combinaisons de connexions qui la précèdent, sans que soit requise aucune synthèse « induite » de molécule ou de structure *nouvelle*. Seconde conséquence, qui a fait l'objet d'une démonstration mathématique rigoureuse : le même message entrant peut stabiliser des organisations connectionnelles différentes, mais conduire néanmoins à une relation entrée-sortie identique. Cette *variabilité* de la connectivité rend compte simplement de la variabilité phénotypique notée entre individus isogéniques. Elle rend compte également de la diversification des singularités neuronales au sein d'une même catégorie de neurones, sans faire appel à une quelconque combinatoire génique.

## L'épigenèse à l'épreuve de l'expérience

Les théories mathématiques possèdent la propriété d' « exister » sous une forme autonome, mais cette qualité fait aussi leur faiblesse. Dans les sciences de la nature, et en particulier en biologie, les contraintes pesant sur la théorie sont beaucoup plus sévères qu'en mathématiques. Celle-ci, certes, doit être irréprochable dans sa cohérence interne et dans sa logique, donc satisfaire le mathématicien. Mais elle doit aussi adhérer étroitement à une réalité extérieure. Une théorie biologique n'a de sens que si elle correspond à une « représentation » d'objets ou de phénomènes naturels et, de ce fait, peut être directement soumise à l'épreuve de l'expérience. Nombreuses ont été (et seront encore) les théories biologiques qui, en dépit d'un raisonnement sans faille et d'une mathématique séduisante, s'effondrèrent et disparurent totalement de la littérature scientifique du jour où elles subirent l'épreuve de la réalité.

Qu'en est-il de la théorie qui nous concerne, de l'hypothèse d'une épigenèse des réseaux de neurones par stabilisation sélective? Les données expérimentales sont encore très minces. Une mise à l'épreuve rigoureuse requiert au préalable la description des « graphes » de neurones en développement. Elle exige également une mainmise sur l'activité nerveuse circulant dans l'embryon ou le nouveau-né. Peu de systèmes se prêtent à ce type d'analyse. Les quelques résultats que l'on possède portent sur la jonction nerf-muscle chez le poulet ou le rat, et le cortex cérébral chez les mammifères [24].

L'embryon de poulet, on le sait, est l'objet d'importants mouvements spontanés. Que se passe-t-il si on les bloque? Injectons dans l'embryon du curare ou des toxines α de venin de serpent qui agissent très sélectivement au niveau du récepteur de l'acétylcholine. Ces toxines n'arrêtent pas les battements du cœur ou quelque autre processus essentiel. L'embryon survit. L'agrégation initiale du récepteur sous le cône de croissance a encore lieu. L'activité de la jonction nerf-muscle ne règle donc pas la formation de la première tache de récepteur. Par contre, elle a un effet sur l'arrimage, au même emplacement, de l'enzyme de dégradation de l'acétylcholine, l'acétylcholinestérase. Le muscle doit être actif pour que celle-ci s'accumule. Il en est de même de la disparition du récepteur *en dehors* de la

---

24. Références dans J.-P. CHANGEUX, 1981, 1983; P. NELSON et D. BRENNEMAN, 1982; W. HARRIS, 1981.

synapse. Celle-ci ne se produit pas chez les embryons paralysés [25]. L'activité du muscle est nécessaire à son élimination. Elle n'accélère pas la dégradation du récepteur : simplement, elle bloque sa synthèse. Par voie de conséquence, le récepteur, labile, disparaît. L'activité nerveuse embryonnaire règle l'expression des gènes qui déterminent, au niveau des fibres musculaires, la synthèse du récepteur de l'acétylcholine. Elle commande également plusieurs étapes critiques (pas toutes) de l'assemblage moléculaire de la face postérieure de la jonction nerf-muscle.

Agit-elle également de l'autre côté, au niveau du neurone moteur et de son axone? Oppenheim [26] a repris les observations d'Hamburger sur la mort des neurones moteurs de la moelle, mais sur des embryons paralysés par la toxine de venin de serpent. La surprise fut double. D'abord, bien que la toxine agisse sur la face *postérieure* de la synapse, au niveau du récepteur, on constate un effet sur sa face *antérieure,* sur le neurone moteur et sur son axone. Il y a transfert de signaux d'une face à l'autre de la synapse, de manière rétrograde, en sens opposé à la propagation des impulsions nerveuses. Seconde surprise : si l'injection a eu lieu du $4^e$ au $6^e$ jour de vie embryonnaire (et dans des conditions adéquates), les embryons obtenus possèdent un nombre *plus élevé* de neurones moteurs que les embryons normaux (figure 66). La paralysie conduit à

25. G. Giacobini et coll., 1973; S. Burden, 1977 a, b; J.-P. Bourgeois et coll., 1978.
26. R. Pittman et R. Oppenheim, 1979; R. Oppenheim et R. Nunez, 1982.

*Fig. 66. — Effets de l'état d'activité de l'embryon ou du nouveau-né sur deux phénomènes régressifs : la mort neuronale chez l'embryon de poulet (haut) ou la régression de l'innervation multiple des fibres musculaires chez le rat (bas). Dans la figure du haut, l'évolution du nombre total de neurones moteurs (n) en fonction du nombre de jours de développement montre que la paralysie chronique par la toxine α de venin de serpent entraîne la survie d'un nombre plus élevé de neurones (points blancs) que chez les contrôles (points noirs et croix) (d'après Laing et Prestige, 1978). De même, figure du bas, la section du tendon d'un muscle de la patte chez le rat nouveau-né (T) paralyse le muscle et ralentit l'élimination de l'innervation surnuméraire (sur ces diagrammes, la hauteur des bâtons indique le pourcentage de fibres musculaires recevant 1, 2, 3 ou 4 synapses fonctionnelles : N chez le rat normal, T chez le rat opéré). Chez le jeune, chaque fibre musculaire reçoit 3 ou 4 terminaisons motrices fonctionnelles. Chez l'adulte, il n'en reste normalement qu'une seule (d'après Benoit et Changeux, 1975).*

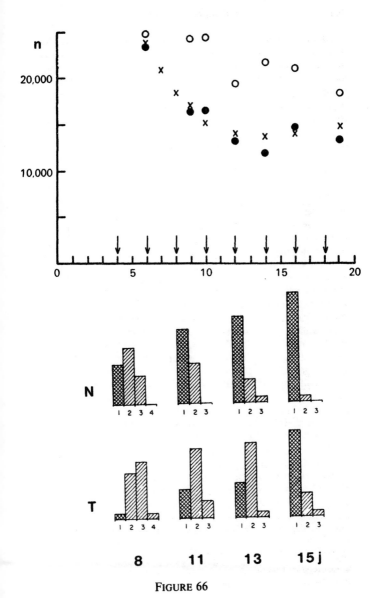

FIGURE 66

un enrichissement en neurones moteurs! Affecte-t-elle leur multiplication? Non. La paralysie interfère avec la mort neuronale qui, nous le savons, a lieu vers le cinquième jour. Elle maintient en survie les neurones qui, en l'absence d'agent paralysant, auraient disparu. Ce résultat, à première vue paradoxal, s'accorde en fait avec l'hypothèse de la stabilisation sélective, tout comme le fait déjà mentionné d'une persistance du récepteur excédentaire chez les embryons paralysés. La situation artificielle créée par la paralysie montre que, dans les conditions normales, l'activité spontanée provoque la mort d'un contingent important de neurones, comme elle favorise la disparition du récepteur en dehors de la synapse.

Un phénomène semblable a lieu au niveau des terminaisons nerveuses, une fois achevée la mort neuronale. Au stade critique où se produit l'innervation multiple des fibres musculaires, la paralysie du nerf moteur, ainsi d'ailleurs que celle du muscle (figure 66), prolonge l'état de redondance transitoire [27]. En sens inverse, la stimulation électrique de la moelle épinière ou des muscles accélère l'élimination des terminaisons surnuméraires [28].

Les mécanismes biochimiques de la « compétition » qui assure la stabilisation de certaines terminaisons nerveuses au détriment des autres ne sont pas encore totalement compris. Une hypothèse simple [29] se fonde sur la production de « facteur de croissance » du type NGF par le muscle. Ce facteur [30], produit en abondance par les fibres musculaires embryonnaires, pourrait agir de manière « rétrograde » en traversant la synapse du muscle vers le nerf en sens inverse de la propagation de l'influx nerveux. Il attirerait les terminaisons nerveuses motrices et entraînerait une innervation multiple des fibres musculaires. Si, à ce stade de redondance maximale, la synthèse du facteur s'arrête, son stock devient limité, la survie des terminaisons nerveuses est alors liée à l'utilisation de facteur. Supposons que plus elles sont actives, plus elles en utilisent. L'une d'elles, à un moment donné, en captera une dose suffisante, l'emportera, deviendra stable. Les autres, « affamées », régresseront.

Écrit sous forme mathématique [31], ce modèle prévoit la

27. P. Benoit et J.-P. Changeux, 1975, 1978; W. Thompson et coll., 1979.
28. R. O'Brien et coll., 1977, 1978.
29. J. Gouzé, J. Lasry et J.-P. Changeux, 1983.
30. Voir C. Henderson et coll., 1981; C. Henderson, 1983.
31. J. Gouzé, J. Lasry et J.-P. Changeux, 1983.

stabilisation sélective d'une terminaison motrice par fibre musculaire et l'innervation d'un contingent fixe de fibres musculaires par neurone moteur. Il prévoit aussi une importante variabilité de l'innervation finale du muscle. Imaginons, à titre d'exemple, que l'on numérote chacune des fibres musculaires de 1 à 300 et que celles-ci soient innervées par un pool de 15 neurones moteurs. En fin d'évolution, les neurones se partageront de manière approximativement égale la population des fibres musculaires. Il y a aura environ 20 fibres musculaires par neurone. Toutefois, et c'est là le point essentiel, les numéros d'ordre de chacune de ces 20 fibres ne présenteront aucune régularité évidente. Chaque neurone jouera « au tiercé » les numéros des fibres musculaires qu'il innerve chez l'adulte, tout en « gagnant », à chaque fois, le même contingent de fibres musculaires. Les neurones moteurs innerveront donc un nombre fixe de fibres musculaires mais celles-ci se trouveront distribuées sans géométrie précise d'un neurone à l'autre, mais aussi d'un individu isogénique à l'autre. Le modèle rend compte à la fois de la régularité de l'innervation du muscle et de sa variabilité phénotypique [32].

Ce modèle explique aussi l'effet « conservateur » de la paralysie du muscle sur l'évolution de l'innervation multiple. Il suffit, en effet, de supposer que l'état d'activité du muscle règle la synthèse de facteur rétrograde. Chez l'embryon, le muscle produit le facteur. L'activité du muscle, particulièrement intense au stade de l'innervation multiple, l'arrête. La paralysie du muscle lève ce blocage. Le facteur est produit en excès. La compétition n'a plus lieu. L'innervation multiple se conserve.

L'assemblage de la jonction nerf-muscle fait donc l'objet d'une régulation « épigénétique » ou l'activité intervient à plusieurs moments critiques. Il est important de souligner, à ce propos, que les mécanismes régulateurs mis à contribution sont les mêmes quelle que soit la fibre musculaire, et même quel que soit le muscle. Un petit nombre de déterminants géniques évidemment inclus dans l' « enveloppe génétique » suffisent pour expliquer la mise en place de l'innervation des muscles du corps. Leur mise en commun, une fois de plus, assure une importante économie de gènes.

Les conclusions obtenues avec la jonction nerf-muscle s'étendent-elles à d'autres systèmes, au cortex cérébral par exemple?

---

32. J. GOUZÉ, J. LASRY et J.-P. CHANGEUX, 1983.

Les données que l'on possède n'ont pas encore atteint le même niveau d'analyse. Elles révèlent néanmoins une régulation de son développement par l'activité. Il a été longuement question, au cours du chapitre II, d'une organisation « en bandes » du cortex cérébral. Dans le cas du cortex visuel, les neurones répondent alternativement à un œil puis à l'autre. Cette spécialisation résulte, nous le savons, du mode de projection des axones issus de noyaux thalamiques. Rakič (1976, 1977) et Hubel et Wiesel (1977) ont montré que chez le singe, entre le 3ᵉ et le 4ᵉ mois de vie fœtale, cette disposition n'existe pas. Les axones qui envahissent le cortex se distribuent de manière diffuse. Il y a mélange des axones répondant à l'œil droit et à l'œil gauche. La ségrégation en bandes commence peu avant le 5ᵉ mois et se poursuit après la naissance, pendant plusieurs semaines (chapitre II). Progressivement, les cellules qui répondaient aux deux yeux ne répondent plus qu'à un seul œil. Bien que la preuve au niveau synaptique manque, tout se passe comme si les neurones corticaux (de la couche IV) recevaient initialement des axones des deux yeux, mais ne conservaient ultérieurement que les axones dérivés d'un seul œil.

L'expérience visuelle règle-t-elle la ségrégation de ces bandes comme elle règle l'innervation du muscle? Dans une série d'expériences désormais classiques, Wiesel et Hubel [33] ont montré que l'occlusion d'un œil par suture des paupières au cours des six premières semaines entraîne un déficit prononcé chez le singe adulte. Les bandes qui correspondent à cet œil se rétrécissent et se fragmentent, tandis que celles correspondant à l'œil valide occupent le terrain (figure 67). Toutefois, la réouverture de l'œil, trois semaines après la naissance, entraîne une réversion de la taille des bandes. La même expérience effectuée chez l'adulte n'a pas d'effet. Une période critique existe pendant laquelle le fonctionnement anormal du système entraîne une lésion irréversible. L'activité « équilibrée » des voies visuelles est nécessaire au développement du réseau adulte [34]. Chez l'homme, des effets similaires à ceux produits par l'occlusion expérimentale d'un œil se développent naturellement lorsque, chez le nouveau-né, le cristallin devient opaque. L' « amblyopie fonctionnelle » qui en résulte s'interprète, elle

---

33. Références dans S. LE VAY et coll., 1980.
34. Voir également M. IMBERT et P. BUISSERET, 1975, M. IMBERT, 1979 pour l'effet de l'activité sur le développement de la sélectivité des neurones du cortex visuel à l'orientation (chapitre II).

FIGURE 67

*Fig. 67. – Conséquences de la fermeture d'un œil sur les bandes œil droit-œil gauche du cortex visuel chez le macaque (figure de gauche). Un œil a été oblitéré chez le jeune singe de deux semaines et les bandes examinées dix-huit mois plus tard par une méthode anatomique semblable à celle employée pour la figure 20. Les bandes correspondant à l'œil fermé (en noir) ont rétréci aux dépens de celles correspondant à l'œil ouvert. Figure de droite : la même expérience a été effectuée chez l'adulte ; il n'y a aucun effet sur la disposition des bandes (d'après Le Vay et coll., 1980).*

aussi, sur la base d'une lésion de l'innervation du cortex visuel.

Les mécanismes synaptiques de ces effets de l'activité nerveuse ne sont pas encore complètement élucidés. Tout se passe comme si les neurones-cibles recevaient au départ des terminaisons fonctionnelles des deux yeux. Le déficit d'activité d'un œil entraînant la rétraction des terminaisons nerveuses correspondant à cet œil laisserait en place les fibres propres à l'autre œil. Cette interprétation des données en termes de stabilisation sélective mérite toutefois confirmation.

Il a enfin été mentionné qu'au cours du développement du cortex les fibres nerveuses qui relient un hémisphère à l'autre (le corps calleux) font aussi l'objet de phénomènes régressifs. Innocenti et Frost (1979) ont de plus mis en évidence un effet de l'occlusion d'un œil, ou même du strabisme, sur l'évolution de cette innervation. Une fois encore, l' « inactivité » maintient une organisation redondante. Le développement du cortex est donc soumis à une importante régulation épigénétique par l'activité nerveuse, et plusieurs traits de cette régulation sont compatibles avec l'hypothèse de la stabilisation sélective. Mais jusqu'où cette épigenèse s'exerce-t-elle? Il paraît vraisemblable qu'elle intervient surtout dans la différenciation intrinsèque de chaque aire, qu'elle participe au développement de leur « micro-organisation » synaptique. Mais les aires du cortex sont étroite-ment associées les unes aux autres...

### La spécialisation hémisphérique : pouvoir des gènes ou épigenèse?

Chez l'homme, en particulier, se distingue un ensemble très solidaire d'aires spécialisées dans ce que Trevarthen (1982) appelle la « compréhension coopérative » entre individus du groupe social. Parmi elles, on compte bien entendu les aires du langage (chapitres I, II et V), localisées le plus souvent sur l'hémisphère gauche. Cette spécialisation hémisphérique fait-elle l'objet d'une épigenèse active ou, au contraire, est-elle strictement soumise à un déterminisme génétique [35]?

Les recherches sur cette question ont souvent été confondues avec celles sur l'usage préférentiel d'une main. Néanmoins, contrairement à toute attente, le même hémisphère n'est pas nécessairement responsable *à la fois* de la commande de la main préférée et du langage parlé. Les gauchers ne parlent pas tous avec l'hémisphère droit. On s'en est rapidement rendu compte à l'aide d'un test très discriminatif mis au point par Wada et Rasmussen (1960). Chaque carotide irrigue un hémisphère différent. Si l'on injecte un barbiturique (l'amytal de sodium) dans l'une des carotides, on « endort » transitoirement cet hémisphère. Lorsque cet hémisphère détient les aires du lan-gage, le sujet perd transitoirement la parole. Dans le cas contraire, il la conserve. On note que, dans ces conditions, 5 % des droitiers parlent avec l'hémisphère droit, et 70 % des gauchers avec l'hémisphère gauche! La localisation de la commande manuelle se dissocie de celles des aires du langage. Elles font l'objet de régulations différentes.

Dans un premier temps, intéressons-nous à la préférence manuelle, au geste. Nous reviendrons ensuite à la parole.

---

35. Voir C. Trevarthen, 1973, 1980; S. Springer et G. Deutsch, 1981.

Quelle que soit la culture, environ 90 % des êtres humains emploient la main droite pour écrire ou pour effectuer des tâches manuelles difficiles. Cette disposition existe déjà chez l'homme préhistorique. Les mains « imprimées en négatif » sur les parois des cavernes autrefois habitées par l'homme de Cro-Magnon sont, dans 80 % des cas, des mains gauches. Les individus qui les ont tracées se servaient donc de la main droite pour manier la couleur. Ils en faisaient aussi usage pour frapper leurs victimes avec les premières armes qu'ils se mirent à fabriquer. Était-ce déjà la trace du milieu culturel? La symbolique de l'homme de Cro-Magnon nous échappe encore, mais une longue tradition historique attribue à la gauche une signification négative. Des trois sens de l'adjectif *gauche* donnés par le Petit Robert, seul le premier, qui définit une orientation dans l'espace, n'est pas péjoratif. Les deux autres sont : « maladroit, disgracieux », et « qui est de travers ». Dans la tradition chrétienne, lors des assises du Jugement Dernier [36] les bons sont avec les brebis à la droite du Fils de l'Homme, les mauvais, avec les boucs, à sa gauche. Un héritage culturel aussi fort a-t-il suffi pour imposer une épigenèse « à droite » ou, au contraire, la tradition n'a-t-elle fait que valider une disposition innée?

Examinons l'hérédité de la préférence manuelle. L'incidence familiale de celle-ci ne suit pas une loi simple. Les familles de gauchers existent. Mais on trouve des droitiers dans les familles de gauchers et des gauchers dans les familles de droitiers. Les statistiques effectuées sur un échantillon important de familles indiquent les proportions suivantes d'enfants droitiers [37] :

92,4 % lorsque les deux parents sont droitiers;
80,4 % lorsque l'un des parents est droitier, l'autre gaucher;
45,4 % lorsque les deux parents sont gauchers.

Ces résultats s'interprètent-ils simplement sur la base d'un modèle génétique? Le plus simple que l'on puisse imaginer se fonde sur l'hypothèse que la préférence manuelle est déterminée par un seul gène présent sous deux formes, l'une D (droitier) dominante, l'autre G (gaucher) récessive. Ce modèle prédit que tous les enfants de parents gauchers (GG) devraient eux-mêmes

36. MATTHIEU *25*, 31.
37. D. RIFE, 1940; M. CORBALLIS et M. MORGAN, 1978; M. MORGAN et M. CORBALLIS, 1978.

être gauchers. Or, ce n'est pas le cas. On compte parmi eux une forte proportion de droitiers. Il faut donc chercher un autre mécanisme.

Annett (1972) a proposé un modèle génétique plus satisfaisant. Ce modèle fait encore une fois appel à un seul gène, mais avec une hypothèse additionnelle fort simple. Les individus qui possèdent au moins une copie du gène sous forme active sont tous droitiers. Ceux qui ne le possèdent pas ont autant de chances d'être droitiers que gauchers. Le modèle explique ainsi le fait que les enfants de gauchers sont pour moitié droitiers. L'hypothèse pourrait paraître très théorique s'il n'en existait un exemple fort illustratif chez la souris et même l'homme.

Il s'agit de la mutation « *situs inversus* » (iv) [38]. Cette mutation, qui ne touche qu'un individu sur 10 000, n'affecte pas la préférence manuelle ni la spécialisation des hémisphères cérébraux, mais la disposition des viscères. Les individus chez lesquels elle s'exprime ont le cœur à droite, le foie à gauche et l'intestin enroulé en sens inverse de la normale. Bref, l'intérieur de leur corps est l'image en miroir de celle d'un individu normal. Analogie remarquable avec l'hérédité de la préférence manuelle, la descendance de couples « inversés » se compose, chez la souris, pour moitié d'individus normaux et pour moitié d'individus inversés. Tout se passe comme si les souris qui ne possèdent pas le gène normal (elles ont deux copies du gène muté iv/iv) ont une chance sur deux d'être inversées. Mathématiquement, les résultats sont en accord avec le modèle d'Annett. Dans l'utérus de la femelle gestante, l'embryon s'enroule normalement en hélice gauche. Or, dans l'utérus d'une mère iv/iv fécondée par un père iv/iv, on trouve la moitié des embryons enroulés à gauche, l'autre moitié à droite (figure 68). La proportion des embryons enroulés à droite coïncide exactement avec celle des adultes inversés. Les données de l'expérience confirment le modèle proposé.

Par quel mystérieux mécanisme la mutation ponctuelle d'un gène chromosomique réussit-elle à inverser la disposition d'un ensemble aussi important d'organes? Afzélius (1976) a effectué, à ce propos, une observation remarquable. Examinant trois patients avec un *situs inversus totalis*, il constate que ceux-ci présentent de curieux symptômes de sinusite chronique et de bronchite qui, à première vue, paraissent sans relation avec

---

38. K. HUMMEL et D. CHAPMAN, 1959; W. LAYTON, 1976.

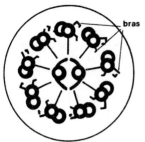
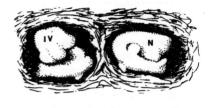

FIGURE 68

*Fig. 68. – La mutation* situs inversus *suggère un « modèle génétique »
du déterminisme de l'asymétrie des hémisphères cérébraux. Les individus chez lesquels la mutation s'exprime ont le cœur à droite et le foie
à gauche. Chez la souris, leurs embryons s'enroulent dans l'utérus de la
mère (IV) en sens inverse des embryons normaux (N) (d'après Layton,
1976). La mutation entraîne une paralysie des flagelles (dont on voit la
coupe au microscope électronique sur la figure à gauche) par perte de
« bras » servant à l'assemblage d'éléments tubulaires (cercles noirs)
nécessaires à leur mouvement (d'après Afzélius, 1976).*

l'inversion des organes. De plus, leurs spermatozoïdes, droits et
raides, sont sans mouvements. Chez tous ces patients, quelle que
soit la cellule, cils et flagelles sont complètement paralysés et,
par voie de conséquence, le mucus n'est plus éliminé des voies
respiratoires par l'épithélium cilié des bronches. Sur coupe, ces
flagelles présentent une structure inhabituelle. Normalement,
chacun contient neuf paires de tubes très fins, ou microtubes,
réunis entre eux par des crochets. Or, chez tous les patients
étudiés, les crochets manquent (figure 68). Les microtubes ne
peuvent plus se mouvoir de façon coordonnée. Cils et flagelles
tombent paralysés.

Quelle relation peut-il exister entre une altération du mouvement des flagelles et la disposition des organes du corps ? Une
hypothèse vraisemblable est que, lorsque l'embryon ne se
compose que de quelques cellules, le déplacement de certaines
d'entre elles détermine l'orientation, droite ou gauche, des
organes qui en dérivent. Les battements des cils ou flagelles
permettent à ces cellules d'atteindre leur position. En l'absence
de mouvements, celles-ci se disposeraient aussi bien à droite
qu'à gauche. Un événement en apparence aussi anodin que la
paralysie de cils ou de flagelles entraînerait, du fait de son

intervention à un stade précoce du développement, un changement complet de la symétrie des viscères.

Les gauchers ne sont pas notoirement connus pour avoir plus de bronchites que les droitiers. L'origine de la préférence manuelle n'est pas à rechercher au niveau de la structure des flagelles! Mais un mécanisme voisin, dans son principe, de celui qui détermine la disposition des organes pourrait fort bien l'expliquer. Quel serait, dans ces conditions, l'effet précoce du gène? Geschwind et Levitsky (1968), reprenant les recherches très minutieuses des anatomistes du XIXᵉ siècle, ont fait à ce propos une importante découverte. S'armant simplement de l'appareil photographique et d'une règle, ils ont mis en évidence chez l'homme des différences anatomiques notables entre hémisphères. Sur la face supérieure et postérieure du lobe temporal se trouve une aire, le *planum temporale*, dont la surface est plus élevée à gauche, pour 65 des cerveaux sur les 100 examinés, et plus grande à droite pour 11 d'entre eux (figure 69). La pente de la scissure de Sylvius est aussi plus

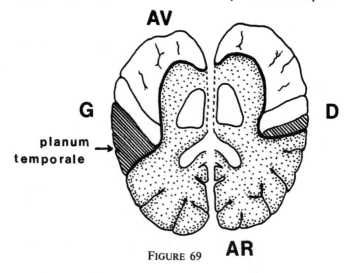

FIGURE 69

*Fig. 69. – Différences anatomiques entre les hémisphères droit et gauche chez l'homme. Le* planum temporale *du lobe temporal est, dans la majorité des cerveaux examinés, plus important à gauche qu'à droite (d'après Le May, 1982).*

raide et le lobe frontal plus « bombé » à droite qu'à gauche. Or, le fait est désormais accepté : ces différences existent chez le fœtus humain *avant* la naissance [39]. Le *planum temporale* est plus large à gauche dans une majorité (54 à 77 %) des fœtus et nouveau-nés examinés (10 à 48 semaines après la conception [34]). L'asymétrie anatomique entre hémisphères précède toute « éducation ». Elle est déterminée par une action génique qui porterait par exemple sur la prolifération tangentielle des neurones du *planum temporale* qui se diviseraient plus longtemps à gauche qu'à droite.

La réalité, toutefois, n'est pas si simple. Tout modèle strictement génétique prévoit, nous le savons, une concordance beaucoup plus élevée entre « vrais » jumeaux, dont les chromosomes sont identiques, qu'entre jumeaux issus d'œufs différents. Or, sur le plan de la préférence manuelle, aucune différence majeure ne s'observe entre vrais et faux jumeaux! Encore plus surprenant : on rencontre deux fois plus de gauchers parmi les jumeaux (de quelque nature qu'ils soient) que parmi les non-jumeaux [40]. L'expérience intra-utérine inverse-t-elle l'effet des gènes? On ne le sait pas encore. On sait néanmoins que l'incidence de troubles neurologiques est plus élevée chez les jumeaux (quels qu'ils soient) que chez les autres. L'encombrement de l'utérus maternel créerait-il de légers traumatismes qui atténueraient la différence initiale entre hémisphères et feraient pencher la balance dans l'autre sens?

Des observations cliniques sur le développement des aires du langage chez l'enfant vont dans le sens de cette interprétation. Avant d'aborder ce thème, rappelons à nouveau que ces aires se distinguent de celles engagées dans la préférence manuelle et qu'elles n'évoluent pas nécessairement de concert sur le même hémisphère.

Des lésions circonscrites du cortex cérébral entraînent chez l'enfant des troubles de la production du langage proches de ceux observés par Broca chez l'adulte. Mais celles-ci sont-elles localisées de préférence sur l'hémisphère gauche, comme chez l'adulte?

Vers les années 60, la soixantaine de cas connus laissait penser

---

39. D. Teszner et coll., 1972; J. Chi et coll., 1972; J. Wada et coll., 1975.

40. D. Rife, 1940, 1950; H. Gordon, 1920; R. Howard et A. Brown, 1970.

que chez les enfants, l'aphasie résultait de dommages de l'hémisphère droit *comme* de l'hémisphère gauche. D'autre part, on pensait qu'elle était intégralement réversible. En d'autres termes, il y avait équipotentialité des hémisphères cérébraux à la naissance. Leur spécialisation n'apparaissait qu'au moment de l'acquisition du langage [41]. Puis les idées ont évolué en sens opposé [42]. Aujourd'hui, les positions sont plus nuancées [43]. Roch-Lecours (1983) a concentré ses efforts sur un groupe d'aphasies très particulières, celles qui s'observent chez les droitiers à la suite d'une lésion de l'hémisphère *droit*. Elles sont très rares chez l'adulte : seulement 0,4 % des cas. Bien que toujours rares, chez les enfants, elles y sont 10 fois plus fréquentes. Aux stades précoces du développement, l'hémisphère droit possède donc des « potentialités » qui se perdent avec l'âge adulte. D'autres données cliniques donnent lieu à une interprétation semblable.

Chez quelques nouveau-nés heureusement fort rares, des crises d'épilepsie très graves ou une tumeur envahissante exigent l'ablation totale d'un hémisphère. Dans la plupart des cas connus, cette intervention n'interfère pas avec l'acquisition du langage [44]. Il apparaît tout aussi clair que, neuf à dix ans plus tard, ces enfants ne possèdent pas toutes les aptitudes linguistiques d'un enfant normal. L'ablation de l'hémisphère gauche entraîne des troubles de la compréhension et de la production de phrases dont la syntaxe est complexe. Des déficits dans la performance de tests visuels et spatiaux s'observent après l'élimination chirurgicale de l'hémisphère droit. Les cas bien étudiés sont encore très peu nombreux. Mais, vraisemblablement, comme l'écrit Roch-Lecours (1983), « nous naissons avec *deux* aires du langage, mais l'aire gauche, à cause de propriétés innées, est prête à prendre le dessus et le fera immédiatement ou au moins une année après la naissance. »

En conclusion, une prédisposition innée qui suit un modèle génétique, par exemple du type de celui d'Annett, fait pencher la balance en faveur de l'un des hémisphères, en général le gauche. Aux premiers stades du développement, l'autre hémisphère possède pendant un certain temps la propriété de prendre

41. E. Lenneberg, 1967.
42. B. Woods et H. Teuber, 1973 ; H. Teuber, 1975.
43. H. Hecaen, 1976.
44. M. Dennis et H. Whitaker, 1976.

le relais, au moins pour une partie de ses fonctions, par exemple à la suite d'un léger traumatisme ou, plus cruellement, de l'ablation totale d'un hémisphère. Une régulation épigénétique peut donc intervenir dans la différenciation des aires du langage. Tout se passe comme si, à un certain moment critique, des organisations neurales voisines (mais pas strictement identiques) se retrouvaient sur chaque hémisphère, puis se perdaient sélectivement à droite ou à gauche au cours de la longue période d'apprentissage qui mène à l'adulte. Nous sommes encore loin de toute analyse cellulaire ou moléculaire de la spécialisation des hémisphères cérébraux chez l'homme, mais les données que l'on possède sont de toute évidence compatibles avec l'hypothèse de la stabilisation sélective. Nous avons signalé que, chez l'animal, une importante régression des fibres du corps calleux qui relie les deux hémisphères intervient au cours du développement post-natal. Ce processus participe-t-il à la spécialisation des hémisphères? Peut-il servir de pièce à conviction en faveur de l'hypothèse de la stabilisation sélective?

## L'empreinte culturelle

La capacité du cerveau à produire et combiner les objets mentaux, à les mettre en mémoire et à les communiquer, se déploie de manière fulgurante dans l'espèce humaine. Sous diverses formes codées, ces représentations mentales se propagent d'un individu à l'autre et se perpétuent, au fil des générations, sans requérir une quelconque mutation du matériel génétique. Une nouvelle forme de mémoire naît en dehors de l'individu et de son cerveau. Signes et symboles évocateurs d'objets mentaux sont enregistrés dans des substrats sans neurones ni synapses comme la pierre ou le bois, le papier et la bande magnétique. Une *tradition culturelle* s'installe.

Un trait remarquable, déjà souligné (figure 56), du développement de l'encéphale de l'homme est qu'il se prolonge très longtemps après la naissance. Son poids, nous l'avons dit, augmente d'un facteur 5 jusqu'à l'âge adulte. La grande majorité des synapses du cortex cérébral se forment *après* la mise au monde de l'enfant. La poursuite, longtemps après la naissance, de la période de prolifération synaptique, permet une « imprégnation » progressive du tissu cérébral par l'environnement physique et social. Comment cette empreinte culturelle se met-elle en place? L'environnement « instruit »-il le cerveau comme un sceau de bronze laisse son empreinte sur un morceau de cire? Ou, au contraire, ne fait-il que stabiliser sélectivement des combinaisons de neurones et de synapses au fur et à mesure que celles-ci apparaissent, spontanément et par vagues successives, au cours du développement?

L'éminent linguiste R. Jakobson (1968) s'est intéressé au *babillage* des enfants et à sa transformation en langage parlé. Pour lui, l'enfant « peut accumuler des articulations qui ne sont

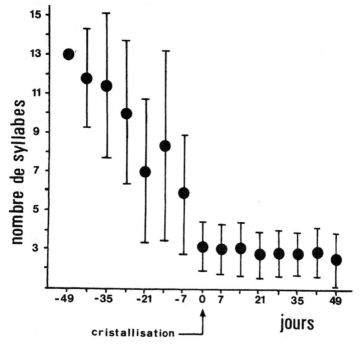

FIGURE 70

*Fig. 70. – Chez le moineau des marais (*Melospiza gregaria*) le chant du jeune se compose d'un répertoire d'environ 15 syllabes (parfois plus). La « cristallisation » du chant adulte s'accompagne d'une perte de plus des 3/4 des syllabes émises par le jeune. Il y a « attrition syllabique » (d'après Marler et Peters, 1982).*

jamais trouvées dans un seul langage ou même dans un groupe de langages ». L'enfant produit une surabondance de « sons sauvages » dont quelques-uns seulement se retrouvent dans la langue de l'adulte [45]. Ce phénomène ne paraît pas propre à l'espèce humaine. P. Marler et Peters (1982) l'ont retrouvé lors de l'apprentissage du chant chez le moineau du marais *Melospiza gregaria*. Comme le chant du grillon (chapitre IV), celui du moineau s'analyse quantitativement à partir d'enregistrements graphiques à deux dimensions ou sonogrammes (en ordonnée la fréquence, en abscisse le temps). Celui du mâle adulte en captivité est très simple : il ne se compose jamais de plus de deux types de syllabes. Par contre, avant la « cristallisation » du chant adulte (qui se produit vers 334 jours), le nombre de types de syllabes produites dépasse toujours ce chiffre. Quarante à cinquante jours avant celle-ci, on en compte 4 à 5 fois plus! Chez un oisillon isolé, P. Marler a même réussi à enregistrer 19 types de syllabes différentes. Le passage du « gazouillis » du jeune oiseau au chant de l'adulte s'accompagne d'un remarquable déclin du nombre de types de syllabes produites (figure 70). De plus, les deux types syllabiques qui persistent chez l'adulte peuvent différer d'un individu à l'autre. Il y a à la fois élimination de syllabes, ou « attrition syllabique », et variabilité du chant stabilisé de l'adulte. La cristallisation du chant se présente, à juste raison, comme une *stabilisation sélective* de syllabes!

Les oisillons du moineau des marais produisent spontanément une grande variété de types syllabiques, mais sont aussi capables d'imiter des « modèles » de chant synthétisés sur ordinateur. Ils inventent, improvisent, mais aussi imitent. Ces imitations s'incorporent-elles dans le chant adulte au cours du processus d'attrition? Oui. Des syllabes imitées peuvent être représentées parmi les deux syllabes du chant du mâle. Dans la totalité des chants de moineaux adultes ainsi « éduqués », Marler et Peters ont répertorié environ 50 types de syllabes différentes, mais, parmi celles-ci, seulement 19 (soit 42 %) étaient des imitations. L'éducation entraîne donc, artificiellement, une importante diversification du chant.

Le jeune moineau des marais n'imite pas n'importe quel modèle de chant. Si on l'expose, par exemple, au chant d'une espèce de moineau voisine, le moineau chanteur (*Melospiza*

---

*melodia*), le jeune moineau des marais n'imitera que quelques-unes seulement des syllabes de ce moineau chanteur. Adulte, il n'en incorporera qu'un plus petit nombre encore à son chant cristallisé. Il y a rejet de syllabes étrangères à la fois lors de l'imitation et lors de l'attrition. La capacité d'apprendre est limitée par l'enveloppe génétique propre à l'espèce.

Le processus d'apprentissage du langage chez l'homme est certes plus complexe que celui du chant chez le moineau, mais il en présente plusieurs traits caractéristiques [46]. Le passage du babillage au langage inclut, selon toute vraisemblance, une « attrition » de syllabes produites spontanément ou imitées. Évidemment, les centres nerveux engagés dans la production du chant chez l'oiseau diffèrent des aires du langage, mais des règles communes au niveau cellulaire et synaptique peuvent avoir des effets semblables, quelle que soit l'aire.

Le phénomène d'attrition se manifeste aussi chez l'homme au niveau de sa perception du langage. La langue japonaise, par exemple, ne contient pas les phonèmes [ra] et [la], à la différence des langues occidentales comme l'américain ou le français. Les adultes japonais ne les distinguent que très difficilement. Par contre, les nouveau-nés de deux à trois mois le font très bien, tout comme leurs partenaires occidentaux [47]. L'acquisition du langage s'accompagne donc d'une perte de capacités perceptives. Ces quelques données encore très limitées s'interprètent, fort simplement, une fois de plus, suivant le schéma de la stabilisation sélective.

L'invention d'un mode de représention *écrit* des objets mentaux est incontestablement un fait culturel. Mais l'identification des signes de l'écriture et de leurs combinaisons requiert au préalable leur « mise en mémoire ». Les percepts que ces signes évoquent doivent pouvoir être « couplés » à des concepts. De tout cela, évidemment, le cerveau de l'homme avait la capacité *avant* l'invention de l'écriture. Il est aussi vrai que l'usage de l'écriture nécessite un long apprentissage qui s'effectue beaucoup plus aisément chez l'enfant que chez l'adulte. L'écriture marque le cerveau de son empreinte; où se situe-t-elle? L'insuffisance des connaissances dans ce domaine ne nous permet guère d'aller très loin. Une multiplicité de territoires, on s'y attend, y contribuent. D'abord, évidemment, les aires visuelles

46. P. MARLER, 1970.
47. K. MIYAWAKI et coll., 1975; P. EIMAS, 1975.

primaire et surtout secondaire (chapitre VI). On sait aussi l'importance de l'hémisphère droit dans les tâches visuelles et spatiales. Mais les données neurologiques sont souvent d'interprétation délicate, et, de surcroît, l'expérimentation s'avère difficile, voire impossible. La diversité des cultures offre cependant un matériau d'une richesse exceptionnelle et quelques situations rares existent où l'expérience se fait naturellement, contrôle inclus!

L'écriture japonaise emploie deux systèmes de signes. L'écriture *kana,* qui se rapproche de l'alphabet (mais n'en est pas un), se compose de 69 symboles, chacun correspondant à une unité sonore distincte. L'écriture kana est phonétique et combinatoire. Le *kanji,* au contraire, n'est pas phonétique mais idéographique. Comme en chinois, chaque signe possède un sens qui lui est propre et la relation entre signe et son est totalement arbitraire. Le nombre de signes kanji est, bien entendu, beaucoup plus élevé (3 000 sont nécessaires pour lire le journal) que celui des caractères kana, et leur dessin plus varié et complexe. A l'école, on enseigne d'abord le kana, puis, à la fin des classes primaires, le kanji (figure 71).

Ces deux systèmes d'écriture font-ils intervenir des territoires distincts de l'encéphale? Sasanuma (1975) a montré que certaines lésions localisées du cortex cérébral, consécutives à des accidents vasculaires, entraînent chez les Japonais adultes comme chez les Occidentaux des troubles du langage parlé et de l'écriture. Mais les lésions de l'hémisphère gauche, localisées au niveau des aires de Broca ou de Wernicke, affectent profondément l'usage du kana et beaucoup moins celui du kanji. D'autres entraînent sélectivement des difficultés dans l'écriture et la lecture du kanji, alors que tout paraît normal avec le kana. La présentation de caractères kana et de signes kanji à chacun des deux hémisphères droit ou gauche par l'un ou l'autre des deux yeux (chapitre V) suggère également une supériorité de l'hémisphère gauche pour le kana et du droit pour le kanji, en particulier lorsqu'il s'agit de noms [48]. Cette différence entre hémisphères dans l'usage du kana et du kanji concorde avec ce que l'on sait déjà de leurs rôles respectifs (chapitre V). Le caractère abstrait, formel et combinatoire du kana sied à l'hémisphère gauche. La reconnaissance des signes du kanji, au contraire, fait appel aux aptitudes particulières de l'hémisphère

48. J. ELMAN et coll., 1981.

droit dans le traitement et la mise en mémoire des images.

La géographie précise des territoires cérébraux marqués de l'empreinte de chacun des deux systèmes d'écriture japonais (comme par l'écriture alphabétique, d'ailleurs) se situe encore parmi ces *terrae incognitae* dont l'exploration devrait avoir lieu dans les années à venir. Les observations actuelles apportent cependant des indices d'une variabilité significative de l'organisation du cortex en relation avec l'environnement culturel.

Certains auteurs vont même jusqu'à penser que la différenciation des aires du langage diffère chez les illettrés et chez les

**FIGURE 71**

*Fig. 71. – « L'homme neuronal » écrit en kanji (à gauche) et en Katakana (à droite). Des territoires distincts de l'encéphale interviennent dans des idéogrammes du kanji et des signes phonétiques du kana (calligraphie de Shigeru Tsuji).*

sujets scolarisés. Certains [49] ont noté que les aphasies consécutives à des lésions de l'hémisphère gauche sont moins fréquentes chez les illettrés que chez ceux qui ont appris à lire et à écrire. D'autres [50] n'ont pas confirmé, semble-t-il, ces résultats. Des tests d'écoute différentielle par chacune des deux oreilles suggèrent un avantage important de l'oreille droite sur l'oreille gauche chez les illettrés alors que chez les sujets sachant lire et écrire les deux oreilles ont des performances très voisines [51]. Est-ce suffisant pour conclure à une épigenèse de l'organisation du cortex par la lecture et l'écriture? C'est possible. La démonstration convaincante reste à faire.

### «Apprendre, c'est éliminer»

La complexité du cerveau de l'homme n'est pas un vain mot et Atlan a raison de souligner que l'emploi de ce terme révèle le plus souvent notre ignorance. Le développement de nouvelles techniques d'exploration anatomique et fonctionnelle devrait conduire à de rapides progrès dans ce domaine et combler le vide trop criant de nos connaissances. De telles mesures, toutefois, se heurteront rapidement à une importante difficulté de principe. On ne peut décrire une organisation que dans la mesure où elle se reproduit d'un individu à l'autre. Le pouvoir des gènes, nous le savons, assure la perpétuation des *grands traits* de cette organisation, la forme du cerveau et de ses circonvolutions, la disposition de ses aires, l'architecture générale du tissu cérébral (chapitre VI). Mais une importante variabilité, mise en évidence chez les vrais jumeaux, échappe à ce pouvoir. Elle apparaît dès que la résolution de l'analyse atteint le niveau cellulaire ou synaptique. Limitée à la géométrie et au nombre des synapses chez la daphnie, elle atteint chez les mammifères le nombre et la distribution des neurones; enfin, chez l'homme, cette variabilité affecte la prédisposition héréditaire à commander la main droite. Cette variabilité du phénotype est intrinsèque. Elle résulte de l'*histoire* [52] précise des divisions et migrations cellulaires, de la navigation du cône de

49. R. CAMERON, et coll., 1971.
50. A. DAMASIO, et coll., 1976.
51. A TZAVARAS, et coll., 1981.
52. G. STENT, 1981.

croissance et de sa scission, des phénomènes régressifs et de stabilisation sélective, qui ne peuvent être exactement les mêmes d'un individu à l'autre, ceux-ci fussent-ils génétiquement identiques. La manière dont se construit l'encéphale des vertébrés supérieurs, et plus particulièrement de l'homme, introduit une variabilité essentielle. A cet égard, le cerveau de l'homme n'est pas comparable à un million de ganglions abdominaux d'aplysie juxtaposés, où la plupart des neurones peut être numérotée et étiquetée.

La théorie proposée d'une épigenèse par stabilisation sélective des neurones et synapses en développement prend en compte cette variabilité. Cela constitue même un de ses atouts majeurs. L'intérêt du formalisme mathématique introduit à ce propos a été précisément de démontrer de manière rigoureuse que « des entrées différentes au cours de l'apprentissage peuvent produire des organisations connectionnelles et des capacités fonctionnelles neuronales différentes, mais la *même* capacité comportementale », et cela, « en dépit du caractère totalement déterministe du modèle » [53]. En d'autres termes, l'expérience, qui n'est jamais la même d'un individu à l'autre, conduit, suivant ce schéma, à des performances comportementales semblables à partir de topologies neuronales et synaptiques différentes. Des individus parlant avec l'hémisphère droit ne se distinguent pas, par leur langage, de ceux parlant avec l'hémisphère gauche. Le code du comportement est, pour reprendre le terme d'Edelman (1978), « dégénéré ». L'épigenèse assure la *reproductibilité de la fonction* en dépit des fluctuations anatomiques qui résultent du mode de construction de la machine.

Plusieurs séries d'observations convergentes viennent également à l'appui de la théorie proposée. D'importants phénomènes régressifs touchent le nombre et la topologie des neurones et de leurs connexions, mais aussi les types de syllabes produites au cours de l'apprentissage chez le moineau des marais (et vraisemblablement aussi chez l'homme !). Leur présence, tant à la périphérie du système nerveux qu'au centre de celui-ci, indique qu'il s'agit d'un phénomène général lié au développement des réseaux de neurones. L'entrée en activité, très précoce, du système nerveux de l'embryon, l'intervention de cette activité (spontanée ou évoquée) pour régler plusieurs étapes de l'assemblage de la synapse et son évolution jusqu'au stade adulte concordent également avec la théorie. L'effet « facilitateur » de l'activité nerveuse sur plusieurs phénomènes régressifs (cellulaires ou synaptiques) va dans le même sens. Sa mise en application rigoureuse à l'analyse du développement de graphes de neurones centraux reste néanmoins à faire.

Le coût en gènes requis pour mettre en place les topologies neuronales ou synaptiques « redondantes » et « variables » sur lesquelles l'épigenèse va travailler est *a priori* beaucoup moins élevé que celui qui serait nécessaire pour coder point par point la diversité adulte des singularités neuronales. Les gènes qui composent l'enveloppe génétique, en particulier ceux qui déterminent les règles de croissance et de stabilisation des contacts synaptiques, peuvent être partagés par l'ensemble des neurones d'une même catégorie et même, éventuellement, être mis en commun par plusieurs catégories de neurones. Le nombre de gènes nécessaires à l'épigenèse par stabilisation sélective est, lui aussi, relativement bas.

Un autre aspect positif de la théorie de la stabilisation sélective est qu'elle prend en compte une propriété caractéristique et unique de la cellule nerveuse : celle d'établir des milliers de contacts discrets et bien individualisés avec d'autres cellules par le canal de ses synapses. Convergence au niveau des dendrites, divergence par l'arborisation de l'axone créent une *combinatoire* de *connexions* qui se situe désormais non plus simplement au niveau de la cellule, mais à celui du « système » de neurones. La stabilisation sélective opère au niveau des *ensembles* de cellules nerveuses. Ces propriétés de convergence et divergence permettent aussi, nous l'avons vu au chapitre v, de créer une *combinatoire d'activités nerveuses*. Les objets mentaux peuvent, dans ces conditions, participer à l'épigenèse du cerveau, les percepts s'associer aux concepts. Les développements futurs de la biologie du cerveau permettront, il faut l'espérer, de préciser dans quelle mesure l'« exercice mental », spontané ou évoqué, contribue à la « mise au point » de la connectivité du cortex cérébral et, pourquoi pas, de celle des aires du langage.

Suivant ce schéma, la mise en place de l'empreinte culturelle se fait de manière progressive. Le contingent moyen de 10 000 (ou plus) synapses par neurone du cortex ne s'établit pas en une seule fois. Au contraire, celles-ci prolifèrent par vagues successives depuis la naissance jusqu'à la puberté, chez l'homme. Chaque vague inclut vraisemblablement, redondance transitoire et stabilisation sélective. Il s'ensuit un enchaînement de périodes critiques où l'activité exerce son effet régulateur. Si l'on

considère que la poussée des arborisations axonales et dendritiques fait partie des caractères innés et que la stabilisation
sélective définit l'acquis, départager l'inné de l'acquis ne peut se
faire sans recourir à une dissection du système au niveau
synaptique. L'intrication très profonde des processus de croissance et d'épigenèse, leur succession répétée dans le temps
accroissent la difficulté de l'analyse. Elles donnent l'impression
d'un accroissement continu de l'ordre du système à la suite
d'une « instruction » de l'environnement. En fait, si la théorie
s'avère exacte, l'activité (spontanée ou évoquée) ne travaille que
sur des dispositions de neurones et de connexions qui préexistent à l'interaction avec le monde extérieur. L'épigenèse
exerce sa sélection sur des agencements synaptiques préformés.
Apprendre, c'est stabiliser des combinaisons synaptiques pré-
établies. C'est aussi *éliminer* les autres.

Finalement, la théorie rend compte du paradoxe qui nous
préoccupe depuis le chapitre précédent : celui de la non-
linéarité, remarquée au cours de l'évolution, entre la complexité
du génome et celle de l'organisation cérébrale. Débattons-en au
sujet du problème, toujours préoccupant, des origines évolutives
du cerveau humain.

# VIII

# Anthropogénie

« L'univers n'était pas gros de la vie, ni la biosphère de l'homme. Notre numéro est sorti au jeu de Monte-Carlo. Quoi d'étonnant à ce que, tel celui-ci qui vient d'y gagner un milliard, nous éprouvions l'étrangeté de notre condition ? »

J. MONOD, *Le Hasard et la Nécessité*, 1970.

Les premiers documents écrits par l'homme témoignent de la profonde inquiétude qu'il a toujours eue de ses origines. Dans la Genèse, on lit que « Dieu modela l'homme avec la glaise du sol, il insuffla dans ses narines une haleine de vie et l'homme devint un être vivant ». La glaise à laquelle les scribes du désert se réfèrent se compose d'atomes et uniquement d'atomes : l'homme également. Ceux-ci avaient-ils déjà perçu la nature proprement matérielle de l'homme ? Leurs connaissances sont encore trop limitées et la « métamorphose » de cette glaise en être vivant leur échappe. Aussi, dans leur cerveau, se pressent et se combinent images mentales et concepts. C'est le voisin sculpteur qui réussit l'exploit sans précédent d' « animer » sa statue de terre. Cette vision symbolique, cet objet mental, calmera les inquiétudes d'une bonne fraction de l'humanité pendant plusieurs milliers d'années.

Avec le siècle de l'Encyclopédie et depuis cet important moment de l'histoire des idées, les faits d'observation se sont accumulés. D'abord, l'examen comparé de l'anatomie des êtres vivants suggère à Lamarck la théorie de la « descendance » évolutive des espèces. Dans les couches géologiques, on découvre les restes d'espèces fossiles et bientôt ceux des ancêtres directs de l'homme. De nouvelles méthodes datent de manière objective des documents du passé. La biologie moléculaire révèle parentés et différences au niveau de l'ADN, support matériel et ultime de l'hérédité. La lente et erratique mouvance de l'évolution biologique, prosaïquement conforme aux lois de la thermodynamique, remplace le geste du Sculpteur et son imaginaire souffle vivifiant.

A la lumière de ces connaissances, la différenciation très récente d'*Homo sapiens* se présente néanmoins, pour reprendre le mot de Teilhard de Chardin, comme un véritable « phénomène » planétaire. Pour un observateur qui se veut objectif, le phénomène n'est certes pas la descente d'un quelconque Esprit sur l'encéphale d'un ancêtre reculé de l'homme, mais la gigantesque transformation à la surface du globe effectuée par une seule et même espèce animale. Pullulant sur toutes les terres émergées, celle-ci aura, en quelques millénaires, bouleversé et détruit la quasi-totalité de l'environnement qui lui a donné naissance. Ce pouvoir de *domination* « sur les poissons de la mer, les oiseaux du ciel, les bestiaux, toutes les bêtes sauvages et toutes les bestioles qui rampent sur la terre » – ainsi, évidemment, que sur ses congénères –, l'homme le doit à son cerveau. Examinons en quels termes se présente ce développement brutal qui, en quelques millions d'années, produit l'*Homo sapiens*.

### Des chromosomes de singe

En 1809, Lamarck achève la première partie de sa *Philosophie zoologique* par « quelques observations relatives à l'homme » où il suggère que « pendant une suite de générations... une race quelconque de quadrumanes » ait pu « se transformer en bimanes ». Quelque cinquante ans plus tard, Huxley (1863), zélé néophyte du darwinisme naissant, puis Darwin (1871) lui-même reprennent l'idée dans le contexte nouveau de l' « Origine des espèces par sélection naturelle... ». C'est le coup de tonnerre. L'homme descend du singe! Deux siècles plus tôt, le révérend père Vanni avait été brûlé vif à Toulouse pour l'avoir dit. Aujourd'hui, l'idée ne fait plus peur. On se contente d'affirmer avec prudence que l'homme et le singe ont des ancêtres communs. Leurs chromosomes en apportent un témoignage indiscutable, tout autant que la forme de leur crâne ou celle de leur cerveau.

Observer au microscope les chromosomes d'un homme ou d'un singe ne présente aucune difficulté majeure. A l'occasion d'une prise de sang, des globules blancs sont mis en culture. Ils se divisent. Leurs chromosomes s'individualisent en bâtonnets. On les disperse. Ils se laissent alors facilement colorer et reconnaître. Chez les singes d'Amérique, leur nombre diploïde (2n) varie de 20 à 62. Il est beaucoup plus stable chez les singes de l'Ancien Monde. Les plus proches de l'homme – orang-outan, gorille, chimpanzé – possèdent tous 48 chromosomes. L'homme n'en a que 46. Aurait-il une paire de chromosomes de moins qu'eux? Il n'en est rien (figure 72). L'examen à un fort grossissement de chromosomes convenablement colorés révèle une alternance de bandes claires et sombres dont l'épaisseur et la distribution varient d'un segment de chromosome à l'autre. Au total, près d'un millier de bandes que l'on compare chez ces diverses espèces. Premier résultat [1], la répartition de ces bandes se conserve de manière frappante chez l'orang-outan, le gorille, le chimpanzé et l'homme. La parenté chromosomique de ces quatre espèces ne fait pas de doute. Second résultat : l'homme n'a pas perdu de chromosome. Les bandes caractéristiques de *deux* chromosomes du singe se retrouvent dans *un* même chromosome humain; le chromosome n° 2. Celui-ci résulte de la fusion bout à bout des chromosomes 2p et 2q du singe. Cinq chromosomes paraissent totalement identiques dans les quatre espèces examinées. Les autres diffèrent de manière très minime, essentiellement par des inversions de segments chromosomiques : un fragment de chromosome se casse et se ressoude à l'envers. Plus rarement, des petits fragments de chromosome disparaissent.

Dressons la carte comparative de ces remaniements. La présence simultanée de la même transformation chez deux espèces signifie un même ancêtre. L'orang-outan paraît ainsi plus éloigné de l'homme, le chimpanzé plus proche. Un arbre généalogique s'échafaude. Le tronc central réunit les traits chromosomiques communs à toutes ces espèces. Ce sera celui d'un ancêtre « hominoïde » disparu. Ensuite divergent une branche orang-outan, puis des branches gorille, chimpanzé, enfin... l'homme (figure 73).

---

1. J. de GROUCHY et coll., 1972; J. de GROUCHY, 1982.

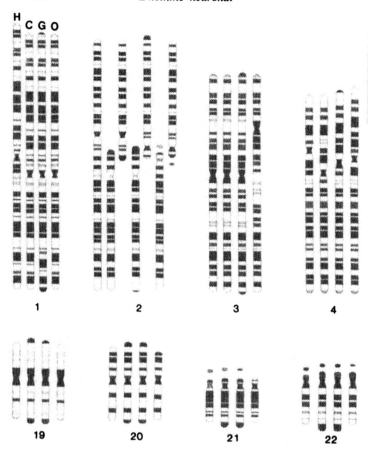

## FIGURE 72

*Fig. 72. – Comparaison de quelques chromosomes (n^os 1 à 4 et 19 à 22) chez l'homme H (le premier à partir de la gauche), le chimpanzé C, le gorille G et l'orang-Outan O (le dernier à droite). Les chromosomes ont été colorés pour mettre en évidence des « bandes ». La ressemblance dans la distribution des bandes est frappante. Le second chromosome de l'homme résulte de la fusion de deux chromosomes (2p et 2q) présents chez le chimpanzé, le gorille et l'orang-outan. Des remaniements de détail distinguent toutefois les quatre espèces (d'après Yunis et Prakash, 1982).*

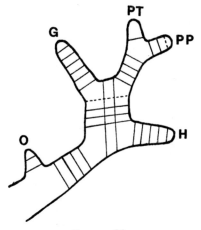

FIGURE 73

*Fig. 73. – Arbre généalogique proposé par Dutrillaux (1981) sur la base des différences chromosomiques notées entre l'orang-outan (O), le gorille (G), les deux espèces de chimpanzé* Pan troglodytes *(PT) et* Pan paniscus *(PP) et l'homme moderne (H). Chaque trait indique un changement chromosomique (d'après Dutrillaux, 1981).*

L'ordre des branches de cet hypothétique arbre généalogique fait encore l'objet de discussions. Peu importe. Les espèces vivant aujourd'hui ne représentent que quelques échantillons-témoins d'une ascendance multiple et foisonnante. Plus significative est l'extrême homologie de ces chromosomes. En dépit des remaniements qui viennent d'être mentionnés, leur contenu en gènes paraît très proche. Depuis les travaux de Morgan sur la drosophile (chapitre VI), on sait que chaque « bande » représente un gène ou un paquet de gènes bien définis[2]. Ici, sur le chromosome n° 1, ce sera le gène de structure d'une enzyme, l'énolase 1; là, sur le chromosome n° 11, celui d'une autre enzyme, la lacticodéshydrogénase A... Près de 400 gènes ont ainsi été localisés sur l'ensemble des chromosomes humains. La comparaison avec les grands signes n'a été effectuée que pour

---

2. W. BEERMANN et U. CLEVER, 1964.

une quarantaine d'entre eux. Pratiquement, tous s'y retrouvent, et sur les mêmes chromosomes [3], [4]. La ressemblance est troublante. D'autres faits biochimiques la confirment.

Par exemple, le matériel des gènes, l'ADN, a été comparé chez le chimpanzé et l'homme par une méthode d'hybridation moléculaire. La molécule d'ADN se compose de deux brins complémentaires enroulés en double hélice (chapitre v). Dans les conditions adéquates, ils se dissocient puis se réassocient spontanément *in vitro*. Mélangés aux brins du chimpanzé, les brins de l'homme s'apparient en molécules hybrides « homme-singe » qui ne diffèrent de l'ADN natif de chacun des parents que sur 1,1 % de leur longueur [5]. Certains auteurs vont même jusqu'à proposer une homologie quasi totale de l'ADN non répétitif chez le chimpanzé et chez l'homme!

Évidemment, l'homologie se retrouve au niveau des protéines qui, on le sait, sont intégralement codées par l'ADN. La séquence complète des acides aminés de six protéines (dont les chaînes $\alpha$ et $\beta$ de l'hémoglobine) ne révèle *aucune* différence entre le chimpanzé et l'homme [6]. Une substitution s'observe dans l'hémoglobine $\delta$ et la myoglobine, et on en trouve en plus grand nombre (3 à 8) dans des molécules beaucoup plus grosses comme l'anhydrase carbonique ou la transférine. Sur 44 protéines examinées par des méthodes rapides mais révolutives, King et Wilson (3) estiment que les différences de séquences moyennes entre les protéines du chimpanzé et de l'homme ne dépassent pas 0,8 %. Les fameux groupes sanguins (A, B et O) dont les anthropologues se servent pour étiqueter les groupes humains se retrouvent pratiquement identiques chez le chimpanzé, de même d'ailleurs que le facteur rhésus [7]. Sur la base de l'ensemble des données de structure de ce type, on peut évaluer, évidemment de manière très empirique, une certaine « distance génétique » entre le chimpanzé et l'homme. Celle-ci ne serait que 25 à 60 fois plus grande que celle notée entre populations humaines natives du Caucase, de l'Afrique ou du Japon!

Tout le monde s'accorde donc sur le fait que, sur le plan

3. J. de GROUCHY et coll., 1972; J. de GROUCHY, 1982.
4. M. KING et A. WILSON, 1975.
5. M. KING et A. WILSON, 1975.
6. M. KING et A. WILSON, 1975.
7. Références dans J. RUFFIÉ, 1976, 1982.

génétique, le chimpanzé et l'homme sont extrêmement proches. Cependant leur cerveau et surtout leurs fonctions cérébrales diffèrent sensiblement...

## Casse-tête fossiles

De la musaraigne à l'homme, le poids de l'encéphale s'accroît, relativement au poids du corps, de manière spectaculaire (chapitre II). L' « indice d'encéphalisation », pris arbitrairement égal à 1 chez la musaraigne, passe de 11,3 chez le chimpanzé à 28,7 chez l'homme. Le néocortex augmente encore plus rapidement. Son « indice de progression », toujours ramené à l'unité chez les insectivores, saute de 58 chez le chimpanzé à 156 chez l'homme. D'autres régions de l'encéphale ne suivent pas cette évolution. Certaines, comme le bulbe olfactif, évoluant, toutes proportions gardées, en sens opposé. Comment cette « corticalisation » de l'encéphale s'est-elle produite ?

Évidemment, les seuls documents dont on dispose sont fossiles. Lors de la fossilisation, les parties molles, le cerveau en particulier, disparaissent. Seuls les os se conservent. Il faut donc revenir à la crânioscopie chère à Gall (chapitre I) : examiner les os du crâne et les empreintes qu'ils conservent des vaisseaux sanguins, reconstituer les limites de la cavité du crâne, évaluer son volume qui, fort opportunément, reste toujours très proche (à 20 %) de celui de l'encéphale. On est loin de l'observation directe du cerveau et de ses circonvolutions.

Depuis la découverte du Pithécanthrope en 1891 par le jeune médecin militaire Dubois, on regroupe les restes des « hommes fossiles » ou Hominidés autour de trois genres [8] : *pré-Australopithecus, Australopithecus* et *Homo*. Parmi ceux-ci, ils distinguent deux espèces d'Australopithèques et trois d'*Homo* : *Homo habilis, Homo erectus* et, bien entendu, *Homo sapiens*. Avant toute discussion, il est bon de remarquer que cette nomenclature se fonde sur un nombre limité d'individus. Onze crânes seulement d'Australopithèques ont été calibrés, cinq d'*Homo habilis* et vingt d'*Homo erectus* et, déjà, les frontières entre ces espèces se trouvent mises à l'épreuve par quelques spécimens intermédiaires. Les découvertes à venir conduiront vraisemblablement à

---

8. Y. Coppens, 1981; P. Tobias, 1975, 1980; R. Holloway, 1975.

quelques révisions, mais ce nombre de jalons suffit pour tracer une première généalogie des ancêtres fossiles de l'homme.

De multiples espèces de singes ont abondé en Afrique pendant les 30 millions d'années qui ont précédé notre ère. Les premiers hominidés incontestables apparaissent sur le même sol il y a 4 millions d'années (pour certains auteurs, peut-être il y a 5 ou même 7 millions d'années!). Ces pré-Australopithèques se déplacent déjà sur leurs pattes postérieures. Leur face présente les premiers signes d'une réduction par rapport à celle des singes, leurs molaires sont moins coupantes; enfin et surtout, leur capacité crânienne est vaste. Elle reste toutefois inférieure à celle du chimpanzé (400 cm³). Les Australopithèques authentiques viennent ensuite; leurs traits sont déjà moins simiens. Avec une taille corporelle qui oscille, suivant l'espèce, entre 1 m et 1,50 m, le volume interne de leur crâne (400 à 550 cm³) dépasse désormais celui du chimpanzé et se rapproche de celui du gorille. Apparus vers 3,5 millions d'années avant notre ère, ils ne se sont éteints qu'il y a un million d'années.

A peu près contemporains, se rencontrent les plus anciens représentants connus du genre *Homo* (3-4 millions d'années). Ces *Homo habilis* sont franchement bipèdes, leur taille s'est accrue (1,20 m à 1,40 m) par rapport à celle des Australopithèques. Leurs dents sont désormais adaptées à une alimentation omnivore. Leur capacité crânienne, en moyenne de 638 cm³, atteint chez certains individus 750 cm³. A ces premiers hommes « habiles » succède, il y a environ 1 500 000 ans, l'*Homo erectus*, ce Pithécanthrope dont Haeckel avait prédit l'existence dès 1874, et même donné le nom avant qu'il ne soit découvert! Sa capacité crânienne se situe entre 800 et plus de 1 200 cm³ pour quelques-uns d'entre eux qui survivaient encore il y a moins de 500 000 ans. Ses mains sont déjà celles de l'homme moderne.

Puis, comme le souligne Coppens [9], « insensiblement vient l'*Homo sapiens,* insensiblement au point que la limite entre *Homo erectus* et lui varie et varie même beaucoup avec les auteurs »! La capacité de son crâne oscille, suivant les exemplaires, entre 1 200 et 1 400 cm³; elle atteint la valeur moyenne mesurée chez les hommes actuels (chapitre II). Entre-temps, l'homme de Néanderthal, considéré comme une sous-espèce de l'*Homo sapiens,* se manifeste en Europe et au Proche- et

9. Y. Coppens, 1981; P. Tobias, 1975, 1980; R. Holloway, 1975.

Moyen-Orient. Curieusement, le volume interne de son crâne (1 550-1 690 cm³) dépasse sensiblement celui trouvé *en moyenne* chez l'*Homo sapiens sapiens* d'aujourd'hui.

En quelques millions d'années, l'encéphale des ancêtres de l'homme triple de volume. La « complexité » de l'organisation cérébrale suit-elle ce mouvement ? Ou bien, au contraire, celle-ci évolue-t-elle indépendamment de celui-là ?

L'examen attentif du crâne de ces hommes fossiles révèle des transformations morphologiques qui reflètent une évolution profonde de l'organisation du cerveau qu'il contenait : accroissement de la hauteur du cerveau au-dessus du cervelet, développement privilégié du lobe frontal, multiplication des sillons et plissements correspondant aux circonvolutions du cortex. Enfin, l'empreinte laissée par les vaisseaux sanguins sur la face interne des os du crâne montre un remarquable enrichissement de la vascularisation des méninges, et donc de l'encéphale (figure 74).

Les « industries » de ces ancêtres de l'homme témoignent également des fonctions de leur cerveau. Les plus anciens outils de pierre connus, découverts en Éthiopie (par Chavaillon en 1969), datent de deux à trois millions d'années. Galets de quartz cassés, avec quelques retouches intentionnelles, ces objets se rencontrent associés aux restes de l'Australopithèque. Celui-ci en a vraisemblablement été l'artisan. L'*Homo habilis,* comme son nom l'indique, développe une importante industrie de galets taillés de manière à dégager un tranchant. Il construit des abris de pierre et se sert de l'ocre rouge. L'*Homo erectus,* quant à lui, est le premier auteur de ces bifaces en pierre taillée caractéristiques de l'industrie dite acheuléenne (du nom de Saint-Acheul, faubourg d'Amiens, où ils ont été découverts). Il sait aussi domestiquer le feu. Enfin, le progrès culturel s'accélère de manière fulgurante avec l'*Homo sapiens* qui est le premier à inhumer les morts de manière systématique, et donc à s'interroger sur sa propre nature.

Il est satisfaisant de constater que le développement des industries humaines, et même pré-humaines, va de pair avec celui du cerveau. Néanmoins, comme on pouvait s'y attendre, la corrélation entre l'évolution de la morphologie cérébrale et celle de la technologie des outils n'est pas parfaite. Les galets à facettes se rencontrent associés aux restes de l'*Homo habilis* mais aussi à ceux de l'*Homo erectus.* Certains *Homo sapiens* employaient quelquefois des haches acheuléennes habituellement fabriquées par l'*Homo erectus.* L'évolution biologique est-elle, comme le suggère Coppens, en avance sur l'évolution culturelle. Ou bien, au contraire, un conservatisme technologique se manifestait-il déjà chez certaines peuplades? Le saura-t-on jamais?

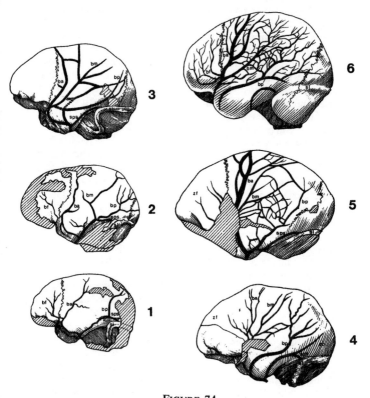

FIGURE 74

*Fig. 74. — Le moulage interne du crâne d'ancêtres fossiles de l'homme permet de reconstituer le tracé des vaisseaux sanguins qui irriguent les enveloppes du cerveau ou méninges. Ce tracé se complique de manière remarquable des australopithèques* Australopithecus africanus *(1) et* A. robustus *(2) à l'homme moderne* Homo sapiens sapiens *(6), en passant par l'*H. habilis *(3), l'*H. erectus *(4) et l'*H. sapiens neanderthalensis *(5) (d'après Saban, 1977 et 1980, abc, dans Coppens, 1981).*

De même, tout commentaire sur les aptitudes linguistiques de ces hominidés fossiles tombe d'emblée dans le domaine de la spéculation. Préférence manuelle et spécialisation des aires du langage *peuvent* (bien que rarement) s'inscrire sur des hémisphères différents (chapitre VI). L'habileté et la précision du geste n'accompagnent pas nécessairement l'usage d'une langue. Néanmoins, la confection d'un outil de forme définie requiert une « représentation mentale » de celui-ci et l'élaboration d'une stratégie des manipulations à effectuer. Les facultés d'imagerie et de conceptualisation du cerveau des Australopithèques étaient donc déjà importantes. Ils devaient communiquer entre eux par le geste, mais utilisaient-ils déjà un répertoire diversifié de cris, rudiments d'un premier langage parlé?

## Les clins d'œil du jeune chimpanzé

Le foudroyant développement du cortex cérébral chez les ancêtres fossiles de l'homme n'est qu'une illustration de plus, mais combien spectaculaire, du paradoxe de non-linéarité évolutive entre l'organisation du génome et celle de l'encéphale (chapitres VI et VII). Le paradoxe prend toutes ses dimensions si l'on tient compte des données récentes de la génétique cellulaire. Non seulement la plupart des gènes de structure du chimpanzé se retrouvent, nous l'avons dit, chez l'homme, mais également chez la souris et le chat. Mieux, leurs relations de voisinage sur les chromosomes [10] se conservent du chat à l'homme. Il faut donc admettre sans concessions que cette évolution s'est produite sur la base d'un nombre relativement petit de mutations géniques et de remaniements chromosomiques. De toute évidence, aucun bouleversement du matériel génétique n'a accompagné le développement du cerveau humain.

Alors que s'est-il produit? Certes, nous ne remonterons jamais le temps pour le savoir. Doit-on pour cela abandonner la recherche de toute trace de cette évolution au niveau des gènes? Haeckel (1874), dont l'importance dans l'histoire des idées se compare à celle de Darwin, a montré la marche à suivre : comprendre le lien qui existe entre l'évolution des organismes (ou phylogenèse) et le développement embryonnaire (ou ontogenèse). Selon lui, la « connexion entre les deux n'est pas exté-

---

10. S. O'BRIEN et W. NASH, 1982.

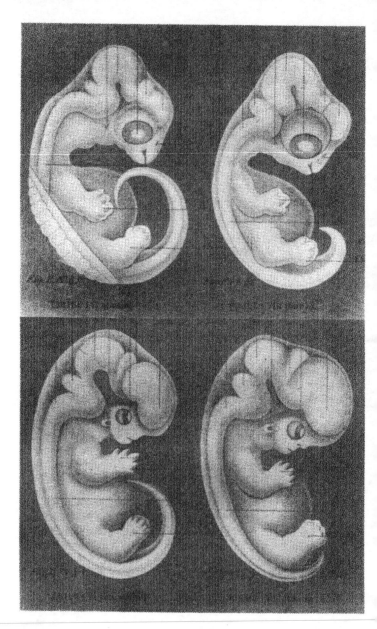

**FIGURE 75**

rieure ou superficielle mais profonde, intrinsèque et causale ».
Que la phylogenèse soit la cause de l'ontogenèse comme le
suggère Haeckel ou que l'inverse ait eu lieu [11], peu importe!
Vraisemblablement le mouvement s'est produit dans les deux
sens. Plus positive est l'ouverture que ménagent les développements récents et à venir de la génétique moléculaire sur la
« connexion » suggérée par Haeckel et qui devient désormais
accessible par le déchiffrage comparé du mode d'expression des
gènes au cours de l'ontogenèse.

Von Baer (1828) et Haeckel ont beaucoup insisté, à juste
raison, sur la grande ressemblance des premiers stades du
développement du fœtus de la tortue à l'homme (figure 75). Les
différences apparaissent au cours des étapes finales du développement. Des reptiles aux primates, elles se manifestent de toute
évidence par la prodigieuse expansion du néocortex (chapitre II). D'où l'hypothèse, fort légitime, d'une évolution des
vertébrés supérieurs par addition d'étapes supplémentaires au
déroulement de l'ontogenèse. Dans la mesure où les étapes
initiales persisteront, une « récapitulation » apparente de l'évolution des espèces se produit au cours du développement
embryonnaire des organismes les plus évolués. Ainsi l'embryon
des mammifères passera-t-il par des stades « poisson », « rep-
tile »...

Cette loi souffre des exceptions. Gould s'est saisi de celles qui,
dans le règne animal, suggèrent une évolution en sens opposé.
L'évolution du crâne et de la face chez les primates supérieurs
et chez l'homme paraît faire partie de ces exceptions. La tête du
jeune chimpanzé et celle d'un enfant se ressemblent. Bien plus
étonnante est la ressemblance frappante du jeune chimpanzé
avec l'homme *adulte* [12]. Il est beaucoup plus « humanoïde » que
le chimpanzé adulte dont les traits proprement simiesques
apparaissent avec l'âge (figure 76). Y a-t-il eu chez le chimpanzé addition terminale d'un visage de singe à un ancêtre

11. S. GOULD, 1977.
12. L. BOLK, 1926.

*Fig. 75. — Comparaison des « ampoules cérébrales » embryonnaires
chez quatre espèces de vertébrés : de gauche à droite et de haut en bas
la tortue (6e semaine), la poule (8e jour), le chien (6e semaine) et
l'homme (8e semaine de vie embryonnaire). La ressemblance ne fait pas
de doute (d'après Haeckel, 1874).*

commun plus humain? Le chimpanzé descendrait-il de l'homme? Ou, au contraire, s'est-il produit une délétion terminale par arrêt du développement du crâne et, de ce fait, une persistance de traits fœtaux chez l'adulte humain? Les restes fossiles connus des ancêtres directs de l'homme, ceux des Australopithèques ou de l'*Homo habilis,* sont indubitablement « pithécoïdes ». Progressivement, les traits simiesques disparaissent, la ressemblance avec le jeune chimpanzé s'accentue. Tout se passe

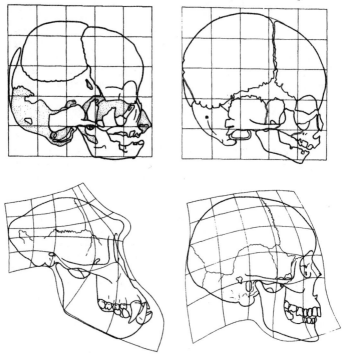

FIGURE 76

*Fig. 76. — Comparaison des crânes de chimpanzé* (à gauche) *et d'homme moderne* (à droite) *chez le fœtus* (en haut) *et chez l'adulte* (en bas). *Les crânes des fœtus se ressemblent entre eux beaucoup plus que ceux des adultes; mais le crâne de l'adulte paraît plus proche de celui du fœtus chez l'homme que chez le chimpanzé (d'après Starck et Kummer, 1962).*

comme si les traits de celui-ci se figeaient en ceux de l'homme. Comme si « ce qui est une étape de transition de l'ontogenèse des autres primates est devenu une étape terminale chez l'homme [13] ». Concernant la forme du corps et principalement celle du crâne, l'homme ressemble à un fœtus de chimpanzé devenu subitement adulte. Il serait « néoténique ».

Cette théorie suffit-elle pour passer de la tête du singe à celle de l'homme? Évidemment non. Un autre trait caractéristique du développement du crâne et de l'encéphale humains est que ce développement se poursuit très longtemps après la naissance. Cette règle ne se confond pas avec la précédente. Le développement « morphologique » du crâne s'arrête aux proportions du fœtus de chimpanzé, mais l'accroissement de ses dimensions absolues continue. La capacité crânienne du chimpanzé n'augmente que de 60 % après la naissance. Par contre, celle de l'homme s'accroît environ *4,3 fois*. Chez l'Australopithèque, des valeurs intermédiaires entre celles du chimpanzé et de l'homme s'observent [14].

D'autre part, pour des durées de gestation respectives de 224 et 270 jours, donc très voisines, le volume cérébral atteint 70 % de sa capacité finale au cours de la première année chez le chimpanzé, et il faut attendre trois ans pour obtenir le même résultat chez l'homme [15]. L'accroissement du volume cérébral se poursuit donc très longtemps après la naissance chez l'homme.

Néoténie et maturation prolongée rendent-elles intégralement compte du développement évolutif de l'encéphale humain? La réponse est encore négative. Le développement de l'encéphale, et plus particulièrement du cortex cérébral, ne peut se confondre avec celui de son « emballage » osseux. La similitude des proportions du crâne (ou de la face) chez le chimpanzé nouveau-né et chez l'homme adulte n'entraîne absolument pas celle de leur contenu! Personne ne soutiendra que le cerveau du chimpanzé qui vient de naître est plus proche du cerveau de l'homme adulte que de celui de ses parents simiens. Ensuite, l'accroissement prolongé du volume crânien après la naissance ne suffit pas à faire un homme. Il atteint, chez le rat, un facteur 5,9, donc plus que ce qu'il est chez l'homme!

13. L. BOLK, 1926.
14. W. LEUTENEGGER, 1972.
15. J. CATEL, 1953.

D'abord, les faits d'anatomie montrent que la surface du cortex passe de 4,9 dm² chez le chimpanzé à 22 dm² chez l'homme. Or, tous les neurones du cortex sont engendrés *avant* la naissance, chez le chimpanzé comme chez l'homme. L'*addition* d'un contingent important de neurones distingue l'homme des grands singes, et celle-ci est inscrite dans ses gènes. De même, la surface relative occupée par le cortex frontal (dont on sait l'importance dans la genèse des objets mentaux; voir chapitre v) augmente du chimpanzé à l'homme et se trouve déterminée avant tout contact avec le monde extérieur.

Les faits d'anatomie se complètent de faits de comportement. Les gestes et mimiques du jeune chimpanzé ressemblent étonnamment à ceux du jeune enfant [16]. On retrouve chez le singe les six stades du développement sensori-moteur tels qu'ils ont été décrits par Piaget et son école [17]. Comme les enfants de 2 à 4 ans, les chimpanzés de zoo construisent des « collections graphiques » de cubes de couleurs et de formes différentes. Mais ils ne vont guère au-delà. Chez l'homme, le développement se poursuit par un enchaînement d'étapes successives au cours desquelles l'enfant élabore des schèmes de raisonnements d'abord concrets, puis, progressivement, de plus en plus « abstraits » et universels. Ces opérations sur les objets mentaux *s'ajoutent* au développement cognitif du chimpanzé.

Dans le même ordre d'idée se situe l'exemple maintes fois cité du sourire du nourrisson. Le singe « grimace » mais ne sourit pas. Le nourrisson sourit, mais son sourire n'est pas une simple imitation de celui de la mère. L'expérience naturelle des bébés prématurés le démontre. Ceux-ci se développent dans un environnement périnatal bien différent du sein de la mère. Ils se trouvent en contact avec le monde extérieur beaucoup plus tôt que les enfants nés à terme. Les prématurés vont-ils sourire à l'âge légal ou au contraire à l'âge de leur horloge interne? Le résultat est sans ambiguïté : ils sourient au même âge biologique que les enfants nés à terme [18]. Le sourire de l'enfant est déterminé par sa biologie.

Le crâne de l'homme adulte ressemble certes à celui du chimpanzé juvénile. Mais cette « néoténie » n'explique ni l'expansion du cortex, ni la prolongation du développement après la

16. S. Packer et K. Gibson, 1979.
17. J. Piaget, 1977, B. Inhelder et J. Piaget, 1964.
18. S. Saint-Anne Dargassies, 1962.

naissance, ni le devenir cognitif de l'enfant nouveau-né. Tous ces traits se présentent comme autant d'*additions terminales* à l'ontogenèse du singe. Comment s'expliquent-elles au niveau des gènes?

*Gènes de communication et stabilisation sélective*

L' « anatomie comparée » de l'ADN est encore trop incomplète pour que l'on puisse évaluer à coup sûr le contingent de gènes qui a participé à la phylogenèse de l'encéphale. A l'occasion du chapitre sur le pouvoir des gènes (chapitre VI), il a été montré qu'au cours de l'ontogenèse des « batteries » de gènes s'expriment de manière différentielle d'une cellule à l'autre, puis d'un tissu à l'autre de l'embryon. Les *communications entre cellules* jouent un rôle critique dans la coordination de ces expressions géniques au sein de l' « embryon-système ». Ces communications sont elles-mêmes sous le contrôle de gènes qui n'ont pas d'équivalent chez les êtres unicellulaires comme les bactéries. Leur produit sert de véhicule à la communication entre cellules et, tôt ou tard, intervient dans une régulation interne à chaque cellule embryonnaire. Somme toute, ces « gènes de communication » sont des gènes régulateurs de gènes régulateurs! Dans la mesure où neurotransmetteurs et hormones contrôlent l'expression de gènes dans les cellules nerveuses en développement, les gènes qui en déterminent la synthèse deviennent gènes de communication; il en est de même de ceux qui règlent la ségrégation des lignées cellulaires vers la voie nerveuse, ou de ceux qui assurent l'adhésion entre les cellules de la toute première « framboise » embryonnaire [19].

La mutation de ces gènes de communication s'accompagne d'effets morphologiques d'une ampleur telle qu'ils vont jusqu'à la suppression du cerveau (chapitre VI)! Pourquoi ne pas reconnaître en eux la « connexion » que Haeckel établit entre ontogenèse et phylogenèse? Il paraît légitime de proposer [20] que l'évolution de l'encéphale chez les ancêtres de l'homme a porté différentiellement sur des gènes de communication embryonnaire. Compte tenu de l'amplification qui résulte de leur effet,

19. F. Jacob, 1979; U. Rutishauser et coll., 1982.
20. Voir aussi M. King et A. Wilson, 1975.

la mutation de quelques-uns de ces gènes devrait rendre compte d'une évolution morphologique spectaculaire. (Cf. R. GOLDSCH-MIDT, 1940).

Peut-on aller plus loin dans la définition de ces gènes ? Revenons au problème plus général de l'évolution du système nerveux, non seulement chez les vertébrés, mais dans l'ensemble du règne animal. Les évolutionnistes du XIXᵉ siècle ont eu le sang-froid de dresser des arbres généalogiques de toutes les espèces vivantes sur la base de simples critères morphologiques (qui doivent évidemment avoir leur contrepartie au niveau du génome). L'ancêtre commun aux invertébrés et aux vertébrés a souvent été imaginé comme une sorte de ver issu de la répétition successive de fragments identiques entre eux, ou « métamères ». Aux aurores de l'évolution, quelques gènes de communication ont dû suffire pour régler le développement d'une organisation *redondante* de ce type à partir d'un métamère unique. Cette organisation s'est maintenue chez les vers annélides actuels, comme le ver de terre dont le système nerveux se compose encore d'un enchaînement d'agrégats cellulaires (ou ganglions) identiques les uns aux autres. Des vers aux mollusques ou aux insectes, la redondance s'efface progressivement. Elle aboutit, nous l'avons vu avec l'aplysie, à des systèmes nerveux où pratiquement chaque neurone diffère du voisin par son état différencié, par la « carte » de ses gènes exprimés (chapitres II et V). L'évolution du système nerveux a donc procédé, chez les invertébrés, par la succession d'une étape de redondance et d'une étape de diversification. Chez les espèces actuelles, témoins de cette évolution, chacune de ces étapes est désormais fixée dans les gènes.

Chez les vertébrés, l'évolution du système nerveux prend un nouveau départ. Un incident de parcours prépare le terrain. Au lieu de se former à partir d'une chaîne solide de cellules nerveuses comme chez les invertébrés, le système nerveux se développe à partir d'un tube creux. La « découverte » paraît insignifiante. Elle conditionne cependant la suite des événements. Un tube creux peut se « gonfler » par accroissement de la surface de sa paroi, ce que ne fait pas un tube plein ! Le tube neural des vertébrés s'enfle effectivement en vésicules successives qui se retrouvent des poissons à l'homme (figures 13 et 75). Puis certaines d'entre elles prennent des proportions démesurées par rapport aux autres. La plus antérieure donne les hémisphères cérébraux, la plus postérieure le cervelet. L'une et l'autre « explosent » littéralement chez les primates, envahissent le contenu du crâne chez l'homme. Cet accroissement de surface se compare à l'étape de redondance suggérée au départ de l'évolution du système nerveux chez les invertébrés. Elle en diffère dans les modalités de détail. Il n'y a plus répétition de ganglions en chaîne linéaire, mais développement en deux dimensions de « cristaux cellulaires » (chapitres II et VI) qui s'accroissent par les bords, sans changer d'épaisseur. L'exemple du cervelet est, à cet égard, particulièrement significatif. Celui-ci se compose, nous le savons, de cinq catégories principales de neurones organisées en trois couches parfaitement distinctes. Le nombre de types cellulaires et leur organisation stratifiée ne changent pas. Mais, du rat à l'homme, le nombre total de neurones dans la catégorie des cellules de Purkinje passe de 0,35 à 15 millions. Un gigantesque accroissement de redondance cellulaire accompagne l'accroissement de surface.

Les modèles génétiques de cette étape évolutive ne manquent pas. Chez la souris, la mutation « dwarf » ou « naine [21] » provoque une diminution impressionnante de la taille du corps (le poids chute de près de 70 %) sans que ses proportions changent. L'encéphale est touché, il perd 35 % de son poids et 10 % de ses cellules. Le déficit est dû à un taux anormalement bas (mille fois moins chez le mutant) d'hormone de croissance hypophysaire ou hormone somatotrope. Mais le cerveau paraît relativement protégé. Les récepteurs-serrures (chapitre III) présents dans cet organe capteraient l'hormone avec plus d'efficacité que dans le reste du corps. Corrélativement, on conçoit qu'un accroissement de cette efficacité entraîne (le niveau d'hormone de croissance restant normal) un accroissement différentiel de la taille du cerveau et, pourquoi pas, du néocortex.

Certaines malformations congénitales chez l'homme offrent même un exemple de la manière dont cet accroissement différentiel a pu avoir lieu. Certains enfants présentent à la naissance un cerveau dont le poids (entre 18 et 60 g) est 10 à 20 fois plus faible que celui d'un enfant normal né à terme [22]. Ces « micro-cerveaux » possèdent les circonvolutions d'un cerveau normal, et le cortex contient ses six couches cellulaires remarquablement normales (chapitre II). Mieux, le décompte des neurones par « carotte » verticale révèle le même nombre de neurones par « colonne » que chez les sujets normaux. Seul,

21. G. SNELL, 1929; M. WINTZERITH et coll., 1974.
22. P. EVRARD et coll., 1982.

chute de manière vertigineuse le nombre de colonnes verticales *adjacentes*. La prolifération tangentielle des neurones embryonnaires de la paroi des vésicules cérébrales paraît touchée et entraîne une réduction dramatique de leur surface. Il va de soi qu'un effet de cette nature, mais de *signe opposé*, produira un accroissement de surface du cortex. Quelques mutations de gènes de communication ou remaniements chromosomiques [23] suffiront donc pour fixer dans l'espèce cette augmentation spectaculaire de redondance.

L'accroissement de surface, bien entendu, va se répercuter au niveau des arborisations axonales et dendritiques des neurones du cortex cérébral et du cervelet. Ramon y Cajal (1909) avait déjà noté que chez l'homme celles-ci se développent principalement après la naissance et pendant plusieurs années. Au moment de l'acquisition du langage, cette croissance n'est pas encore achevée. Conséquence de l'allongement de la période de prolifération synaptique (comparé à ce qu'il est chez le chat ou le singe) le nombre de branches des arborisations neuronales s'accroît. Il y a bien là encore, au sens propre comme au figuré, « addition terminale » de nouvelles ramifications. Le célèbre dessin (figure 77) où le même auteur compare le développement d'une cellule pyramidale au cours de la phylogenèse des vertébrés et de l'ontogenèse chez l'homme l'illustre sans ambiguïté.

Des vertébrés supérieurs à l'homme, et en particulier du singe à l'homme, de nouvelles vagues de synapses surgissent et se succèdent au cours du développement, augmentant le nombre de connexions possibles chez l'adulte. Le déferlement de chaque vague s'accompagne vraisemblablement d'un flux de connexions excédentaires (chapitre VI). La redondance des synapses amplifie celle des cellules. Là encore, une production soutenue d'hormone ou de facteurs de croissance de type NGF (voir chapitre VII) suffit pour rendre compte de cette étape ultime de l'embryogenèse sur la base de quelques mutations de gènes de communication.

Cet accroissement de redondance cellulaire et synaptique, qui va s'amplifiant des mammifères primitifs à l'homme, n'est que transitoire. On sait en effet (chapitre VII) que mort cellulaire, élimination synaptique et stabilisations sélectives interviennent pour « singulariser » chaque neurone. Mais cette étape de

---

23. F. GULLOTTA et coll., 1982.

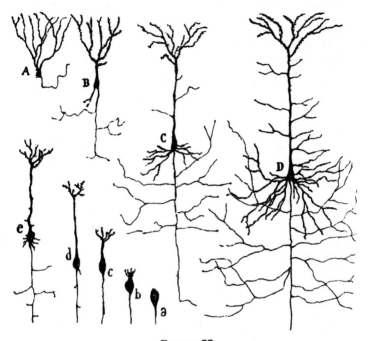

FIGURE 77

*Fig. 77. – Évolution de la cellule pyramidale au cours du développement embryonnaire ou « ontogenèse » chez la souris (ligne du bas) et au cours de l'histoire des espèces ou « phylogenèse » (ligne du haut). A : grenouille ; B : lézard des murailles ; C : rat ; D : homme. a : neurone embryonnaire ou neuroblaste ; b : début de l'arborisation dendritique ; c et d : élongation de la dendrite apicale ; e : poussée des dendrites basilaires des branches collatérales et l'axone (d'après Ramon y Cajal, 1909).*

diversification ne s'est pas fixée dans les gènes et diffère en cela de ce qui s'est passé lors de la transition du système nerveux du ver à celui de l'aplysie. A chaque génération, l'interaction avec le monde extérieur règle l'abolition de cette redondance. Le développement de l'encéphale « s'ouvre » à l'environnement qui, en quelque sorte, prend le relais des gènes. Le temps de contact, nous le savons, se prolonge de manière exceptionnelle chez l'homme. La contribution de l'interaction avec l'extérieur à la construction de l'encéphale s'élargit. La succession des étapes de poussée synaptique et de stabilisation sélective, l'enchaînement des « périodes critiques » propre à chacune d'elles créent une *intrication* de plus en plus étroite entre la mise en place de la « complexité » anatomique du cerveau de l'homme et son environnement (chapitre VII). Les empreintes de celui-ci s'enchaînent et se superposent les unes aux autres. Même si elles ne portent chaque fois que sur un petit nombre de combinaisons synaptiques pré-établies, leur « stratification », associée au maintien d'une communication *entre* chacune de ces « strates », marque *en profondeur* le développement du cerveau de l'homme. Une ou quelques mutations qui crée(nt) une asymétrie entre les deux hémisphères favorise(nt) alors l'occupation maximale de leur surface. L'homme a désormais les capacités d'apprendre un langage articulé, d'inventer l'écriture et de l'employer.

L'intervention de cette épigenèse par stabilisation sélective ne requiert nous l'avons dit qu'un petit nombre de déterminants géniques (chapitre VII). Mieux, ceux-ci peuvent être mis en commun par plusieurs catégories différentes de neurones et existent vraisemblablement déjà chez les mamifères primitifs.

Somme toute, le développement embryonnaire et post-natal de l'encéphale humain n'exige pas d'éléments géniques qualitativement nouveaux par rapport à ceux qui existent chez ses ancêtres simiens. Le jeu de quelques mutations portant sur des gènes de communication paraît suffire. L'extinction de certains d'entre eux expliquera la fixation, chez l'homme adulte, des traits du fœtus de chimpanzé. D'autres, s'allumant avec plus d'intensité ou pour une période plus longue, rendront également compte de l'expansion du cortex cérébral, de l'accroissement du volume crânien, de la mise en place d'une asymétrie entre les hémisphères, ainsi que de l'extension de la période de maturation qui suit la naissance et que marquera l'empreinte de l'environnement. Le paradoxe de non-linéarité évolutive trouve ici une solution plausible.

## La génétique de l'australopithèque

Mayr, dans son ouvrage *Populations, espèces et évolution* (1974), rapporte que l'éminent généticien Haldane aimait à insister sur le fait que « l'augmentation extraordinaire de la taille du cerveau [de l'homme] constituait la transformation évolutive la plus rapide qu'il connaissait ». La transition de l'Australopithèque à l'*Homo habilis,* comme celle de l'*Homo habilis,* comme celle de l'*Homo habilis* à l'*Homo sapiens* se sont vraisemblablement effectuées en des laps de temps chacun de l'ordre du million d'années, soit approximativement 50 000 générations. De nombreux caractères autres que ceux de l'encéphale distinguent ces espèces : stature, forme des membres, dents, etc. Il faut cependant admettre que l'évolution a porté préférentiellement sur le cerveau. Tout aussi remarquable est l'arrêt de cette évolution avec la ségrégation de l'*Homo sapiens sapiens,* il y a quelques dizaines de milliers d'années; depuis, l'amplitude de la dispersion des volumes crâniens s'est accrue, mais la moyenne n'a pas changé! Les mécanismes génétiques de cette soudaine accélération puis de son arrêt subit resteront toujours des conjectures : on ne connaîtra jamais la génétique des populations d'Australopithèques, d'*Homo habilis* ou *erectus.* Le phénomène historique se pose néanmoins en termes clairs. Quels facteurs du milieu dans lequel vivaient les Australopithèques et les *Homo habilis* ou *erectus* ont préférentiellement maintenu, au fil des générations, mutations ou remaniements chromosomiques portant sur le développement de l'encéphale, et en particulier sur celui du néocortex?

Une première remarque s'impose. La « corticalisation » de l'encéphale n'est pas propre aux primates, encore moins à l'homme. Elle se manifeste dès les débuts de l'évolution des mammifères. Toutes proportions gardées, elle « diverge » de manière aussi spectaculaire de l'ornithorynque à la musaraigne que du chimpanzé à l'homme. Les mammifères primitifs, témoins actuels de cette évolution, n'ont pas de vie sociale particulièrement développée. Mais une « expérience génétique », qui entraîne un accroissement différentiel de surface du néocortex, augmente à la fois les capacités d'apprentissage et les facultés de représentation. En conséquence, le champ qu'explore l'organisme dans le monde qui l'entoure s'élargit. Ses chances de survie s'améliorent. L'expérience génétique réussit-elle, les changements géniques ou remaniements chromosomiques qui en sont à l'origine se stabilisent alors dans le patrimoine héréditaire de l'espèce.

Dans ces conditions, il paraît probable (mais évidemment toujours hypothétique) que le développement du lien social, qui prend une grande ampleur chez les primates supérieurs, soit au départ la *conséquence* et non la cause de l'épanouissement du néocortex. Il ne faut pas pour autant exclure la possibilité d'une contribution en retour du milieu social sur l'évolution génétique des ancêtres directs de l'homme, en particulier des Australopithèques et des *Homo habilis* et *erectus*. Les hypothèses les plus diverses ont été suggérées à ce propos : toutes aussi plausibles, mais toutes aussi difficiles à vérifier! Leur nature varie avec l'image que chaque auteur a de sa propre espèce. Haeckel, dans son *Histoire de la création* considère déjà « le *langage humain* comme ce pas décisif qu'a fait l'homme pour se séparer de ses ancêtres animaux ». D'où, comme l'écrit Monod dans *Le Hasard et la Nécessité,* « l'intense pression de sélection qui devait pousser au développement du pouvoir de simulation et du langage qui en explicite les opérations ».

D'autres hypothèses, plus terre à terre, se réfèrent à l'*alimentation* des premiers ancêtres de l'homme. Chimpanzés et gorilles sont principalement végétariens, mais il leur arrive de capturer une gazelle et de la dévorer. Lors du réchauffement qui a suivi la dernière glaciation, nos ancêtres ont-ils développé la chasse au détriment d'une alimentation de cueillette devenue plus difficile? La coopération devenait nécessaire pour s'emparer de gros mammifères des plaines africaines. Il fallait développer des outils pour les tuer, mais aussi apprendre aux jeunes à partager la nourriture comme l'apprennent les jeunes chimpanzés auprès de leur mère[24]. Comme l'écrit Mayr, « la récompense d'une bonne chasse entraînait une forte pression sélective en faveur d'une amélioration du cerveau, d'un accroissement des possibilités de planification, de la conservation de renseignements (mémoire) et, ce qui est plus important, des techniques de communication raffinées ».

Un autre mécanisme, très « machiste », qui a séduit bien des esprits éclairés (au moins dans la pratique sinon en théorie) est la « polygamie des chefs ». Promu « Grand Homme[25] » en raison de ses aptitudes cérébrales, le chef féconde, seul, un grand nombre de femelles du groupe. Il propage de ce fait ses chromosomes au sein du groupe social[26]. Les données de l'anthropologie sont encore trop contradictoires pour venir à

24. G. Isaac, 1978.
25. M. Godelier, 1982.
26. J. Neel et coll., 1964.

l'appui d'une thèse qui reste néanmoins positive sur le plan génétique. Aussi plausible est le point de vue « féministe » suivant lequel la compétence de la mère à élever un nouveau-né malingre, gauche et sans défense, à comprendre qu'il faut l'éduquer, et à l'éduquer avec tendresse et efficacité, a joué un rôle décisif dans l'évolution des ancêtres de l'homme [27].

Avec le développement des capacités de mémoire, les individus du groupe social se reconnaissent entre eux, et se distinguent des membres du groupe voisin. Ils définissent amis et ennemis. Les luttes intra-spécifiques entre singes actuels comme les babouins sont le plus souvent des mascarades inoffensives. L'Australopithèque et les premiers *Homo* ont-ils délibérément « dévoyé » l'agressivité qu'ils doivent à leur système limbique envers leurs congénères en comprenant qu'ils pouvaient les tuer? Les premiers galets taillés des Australopithèques, les bifaces acheuléens étaient-ils des armes de guerre tout autant que des armes de chasse ou des instruments aratoires? Les plus aptes à déjouer les stratégies de leurs frères ennemis avaient évidemment les plus grandes chances de survivre. L'évolution génétique qui a conduit au cerveau de l'homme est-elle la conséquence – qui donne froid dans le dos – du meurtre de son prochain? L'arbre de Jessé s'enracine-t-il dans la lignée des fils de Caïn, plutôt que dans ceux d'Abel? Évidemment, nous n'avons pas de réponse objective à cette question. Pour Coppens (1976), l'accroissement de volume de l'endocrâne « change de vitesse », s'accélère avec l'apparition d'*Homo erectus*. Or, le même auteur [28] signale les bris artificiels et systématiques des crânes d'*Homo erectus* ainsi que l'élargissement intentionnel du trou occipital. S'agit-il de premiers « vestiges métaphysiques » ou tout simplement des restes d'une féroce lutte intra-spécifique accompagnée d'anthropophagie?

Les mécanismes génétiques qui ont donné naissance au cerveau de l'homme moderne paraissent stoppés depuis plusieurs dizaines de milliers d'années. Cet arrêt coïncide-t-il avec la ségrégation d'une espèce qui est la première à inhumer ses morts? L'image que son cerveau lui donne désormais de lui-même et de sa nature conduit-elle à la mise en place d'un système de régulation sociale – d'une morale – qui *interdit* la poursuite de mécanismes qui ont assuré l'évolution de son

27. S. MELLEN, 1981.
28. Voir aussi J. PIVETEAU, 1956.

cerveau? C'est probable. Mais toutes les composantes de ces mécanismes ont-elles disparu chez l'homme moderne? L'évolution s'est-elle arrêtée trop brutalement pour toutes les supprimer? Il est légitime de se poser la question. Le développement continu et toujours réussi de machines de guerre sans cesse plus perfectionnées, quelles que soient la société, sa religion, sa philosophie et sa culture, tend à montrer qu'elles n'ont pas toutes disparu. L'expansion du néo-cortex est-elle insuffisante pour que l'homme moderne cesse cette activité belliqueuse devenue biologiquement absurde? Ou bien son cortex a-t-il atteint des proportions suffisantes pour comprendre que fabriquer des bombes et les employer répond à une « activité fossile » de son encéphale?

## Le « phénomène humain » reconsidéré

Avec le progrès des connaissances en neurobiologie, en génétique moléculaire et en paléontologie, les dimensions du « phénomène humain » perdent leur caractère de prodige. De la souris à l'homme, le cortex cérébral se compose des mêmes catégories cellulaires, des mêmes circuits élémentaires (chapitre II). La surface du cortex progressivement s'accroît et, avec elle, le nombre des cellules nerveuses et de leurs connexions. Bien entendu, entrées et sorties du cortex suivent cette évolution, de même que les échanges entre les diverses parcelles de territoire cortical. Cette continuité de l'évolution anatomique de l'encéphale s'accompagne d'une au moins égale continuité dans l'évolution du génome. Celui-ci varie même beaucoup moins que celui-là. Le paradoxe d'un accroissement de complexité cérébrale à stock de gènes constant trouve enfin un début d'explication.

D'une part, des mutations ou remaniements chromosomiques discrets portant sur des gènes de communication embryonnaire peuvent rendre compte simplement de l'accroissement du nombre de neurones corticaux, de la poussée de branches additionnelles axonales et dendritiques. L'intervention d'une épigenèse active par stabilisation sélective introduit une diversité nouvelle dans une organisation qui, sans cela, deviendrait redondante. Une ouverture sur le monde extérieur compense le relâchement d'un déterminisme purement interne. L'interaction avec l'environnement contribue désormais au déploiement d'une organisation neurale toujours plus complexe en dépit d'une mince évolution du patrimoine génétique. Cette structuration sélective de l'encéphale par l'environnement se renouvelle à chaque génération. Elle s'effectue dans des délais exceptionnellement brefs par rapport aux temps géologiques au cours desquels le génome évolue. L'épigenèse par stabilisation sélective économise du temps. Le darwinisme des synapses prend le relais du darwinisme des gènes.

Les mécanismes génétiques qui sont intervenus dans cette « poussée évolutive » resteront vraisemblablement longtemps hors d'atteinte. Les transitions des pré-Australopithèques aux Australopithèques, de ceux-ci aux premiers *Homo habilis,* se sont-elles produites, dans le temps, de manière abrupte ou « ponctuée »? Au contraire, des passages graduels avec hybridation féconde entre groupes génétiquement hétérogènes ont-ils eu lieu entre *Homo erectus* et *Homo sapiens* ou entre l'homme de Néanderthal et l'homme moderne? On aimerait disposer d'une réponse précise. L'aura-t-on jamais?

Une des plus-values de la divergence évolutive qui mène à l'*Homo sapiens* est, bien entendu, l'élargissement des capacités d'adaptation de l'encéphale à son environnement, accompagné d'un manifeste accroissement des performances à engendrer des objets mentaux et à les recombiner. La pensée se développe, la communication entre individus s'enrichit. Le lien social s'intensifie et, pendant la période qui suit la naissance, marque le cerveau de chaque sujet d'une empreinte originale et largement indélébile. A la « différence » des gènes se superpose une variabilité individuelle – épigénétique – de l'organisation des neurones et de leurs synapses. La « singularité » des neurones recoupe l'hétérogénéité des gènes et marque chaque encéphale humain des traits propres à l'environnement particulier dans lequel il s'est développé.

# IX

# Le cerveau
# représentation du monde

> « Les hommes jugent les choses suivant la dis-
> position de leur cerveau. »
>
> B. Spinoza, *Éthique*, I, p. 44.

> « L'expérience et la raison sont d'accord pour
> établir que les hommes ne se croient libres qu'à
> cause qu'ils ont conscience de leurs actions et
> non pas des causes qui les déterminent. »
>
> B. Spinoza, *Éthique*, III, p. 109.

Jacques Monod se plaisait à évoquer les souvenirs du célèbre physicien Léo Szilard qui, à la fin de sa vie, abandonnait la physique pour s'adonner, avec la ferveur du néophyte, à l'étude du cerveau et des mécanismes de l'apprentissage. Un jour, l'un et l'autre assistaient à un séminaire où le conférencier, après avoir longuement exposé une vague et prétentieuse théorie du cerveau, tentait avec plus ou moins de bonheur de répondre aux questions dont Szilard l'accablait. Le ton montait. Szilard, irrité, n'en pouvant plus, mettait fin au débat : « *This theory is just good for* YOUR *brain!* », s'exclamait-il.

Tout ouvrage de réflexion sur le cerveau se trouve indéniablement limité à la fois par la « disposition » du cerveau de celui qui l'écrit et par l'état des connaissances au moment où il l'écrit. Le lecteur jugera de lui-même si les théories proposées dans ce livre s'appliquent ou non au cerveau de l'auteur! Quant aux limites imposées par l'état d'avancement des recherches sur le système nerveux, rappelons que depuis quelques années ces recherches sont en pleine expansion. La « révolution neurobiologique » ne fait que commencer, elle n'a pas encore atteint ses objectifs majeurs. Bien des questions posées restent encore en suspens. D'où, fréquemment, le passage des faits d'observation aux hypothèses et discussions théoriques. Lorsque les données manquent, faut-il se taire? Délibérément, le risque de s'engager dans un discours théorique a été pris; mais celui-ci a toujours été distingué avec soin de l'exposé des données d'expériences. On ne saurait oublier que ce qui était hier hypothèse peut devenir demain caduc, ou au contraire être promu au rang de fait. Le lecteur tracera avec vigilance les frontières qui s'imposent.

Sur certains points, les observations sont rares; sur d'autres elles abondent; d'où la nécessité de choisir des exemples et, ce faisant, de ne donner qu'une vision « partielle », et, de ce fait « partiale », d'une réalité plus riche et plus diversifiée. Que les esprits rigoureux considèrent l'entreprise avec indulgence et mettent les lacunes, inexactitudes ou imprécisions qu'ils relève-ront à coup sûr, sur le compte du souci « pédagogique » de transmettre à un public non spécialisé les traits marquants d'une recherche en mouvement.

La critique la plus sévère portera sur le projet même de l'ouvrage que concrétise son titre. Jeter une passerelle sur le fossé qui sépare les sciences de l'homme des sciences du système nerveux constituera pour certains un débordement abusif, voire illégitime. Pourquoi ne pas restreindre son propos au cerveau proprement dit, à son anatomie, à sa physiologie ou à sa biochimie et en écarter tout ce qui relève de près ou de loin de ce qu'il est convenu d'appeler le « psychisme »? Ne serait-ce pas plus prudent? A ceux-là, Freud (1920) apporte une réponse claire que cite A. Bourguignon dans un texte extrait de la *Psychanalyse à l'Université* (1981 a) : « La biologie est vraiment un domaine aux possibilités illimitées : nous devons nous atten-dre à recevoir d'elle les lumières les plus surprenantes et nous ne pouvons pas deviner quelles réponses elle donnerait dans quel-ques décennies aux questions que nous lui posons. Il s'agira peut-être de réponses telles qu'elles feront écrouler tout l'édifice artificiel de nos hypothèses. »

Au fil des chapitres, le lecteur se sera rendu à l'évidence que le cerveau de l'homme se compose de milliards de neurones reliés entre eux par un immense réseau de câbles et connections, que dans ces « fils » circulent des impulsions électriques ou chimiques intégralement descriptibles en termes moléculaires ou physicochimiques, et que tout comportement s'explique par la mobilisation interne d'un ensemble topologiquement défini de cellules nerveuses. Cette dernière proposition enfin a été étendue, à titre d'hypothèse, à des processus de caractère « privé » qui ne se manifestent pas nécessairement par une conduite « ouverte » sur le monde extérieur comme les sensations ou perceptions, l'élaboration d'images de mémoire ou de concepts, l'enchaînement des objets mentaux en « pensée ». Bien que l'on soit encore loin de disposer de techniques qui permettent de répertorier les assemblées de neurones mises à contribution par un objet mental particulier, la caméra à positrons offre déjà la possibilité de les « entrevoir » à travers la paroi du crâne. L'identification d'événements mentaux à des événements physiques ne se présente donc en aucun cas comme une prise de position idéologique, mais simplement comme l'hypothèse de travail la plus raisonnable et surtout la plus fructueuse. Comme l'écrivait J. S. Mill : « Si c'est être matérialiste que de chercher les conditions matérielles des opérations mentales, toutes les théories de l'esprit doivent être matérialistes ou insuffisantes. » Et, à ceux que cette hypothèse trop simple ferait hésiter, Valéry répond : « Il n'est de forêt vierge, de buisson d'algue marine, de dédale, de labyrinthe cellulaire qui soit plus riche en connexions que le domaine de l'esprit. » Le moment historique que nous traversons rappelle celui où s'est trouvée la biologie avant la dernière guerre mondiale. Les doctrines vitalistes avaient droit de cité, même parmi les scientifiques. La biologie moléculaire les a réduites au néant. Il faut s'attendre à ce qu'il en soit de même pour les thèses spiritualistes et leurs divers avatars « émergentistes ».

Les possibilités combinatoires liées au nombre et à la diversité des connexions du cerveau de l'homme paraissent effectivement suffisantes pour rendre compte des capacités humaines. Le clivage entre activités mentales et neuronales ne se justifie pas. Désormais, à quoi bon parler d' « Esprit » ? Il n'y a plus que deux « aspects » d'un seul et même événement que l'on pourra décrire avec des termes empruntés soit au langage du psychologue (ou de l'introspection), soit à celui du neurobiologiste. Le philosophe J. M. Zemb (1981) reconnaît la validité de ce point lorsqu'il écrit : « Le neurophysiologiste peut sans doute prendre du recul et dire en philosophe que son réductionnisme n'est pas un pari contre ce qu'il ne voit pas, mais une manière de dire ce qu'il voit. » L'identité entre états mentaux et états physiologiques ou physicochimiques du cerveau s'impose en toute légitimité.

Cette conclusion entraîne cependant encore des réticences. Le débat sur le « *mind-body problem* [1] » (que les auteurs français hésitent à traduire : problème des relations de l' « âme » et du corps!) n'existe que dans la mesure où l'on affirme que l'organisation fonctionnelle du système nerveux ne correspond pas à son organisation neurale. Il est remarquable que cette résurgence des vieilles thèses bergsoniennes se retrouve sous la plume de quelques psychologues contemporains. Pourquoi?

Une première réponse se trouve dans l'insistance avec laquelle l'un d'eux [2] réserve à la psychologie le statut de « science spéciale ». Cette insistance se comprend dès lors qu'il s'agit de défendre le « statut social » d'une discipline, de mettre en valeur ses méthodes de travail, de définir le contenu d'un enseignement et, pourquoi pas, de justifier ses crédits de recherche! Le développement des connaissances n'a rien à gagner à un tel cloisonnement. Au contraire, à de multiples reprises au cours de l'histoire des sciences, la fécondation d'une discipline par une autre a engendré des progrès spectaculaires. Ce furent, par exemple, l'application des méthodes et concepts de la physique à la physiologie au XIXᵉ siècle, avec Helmholtz ou Du bois Reymond, ou encore, le mariage de la génétique et de la biochimie aux origines récentes de la biologie moléculaire. L'enfermement de la psychologie sous la rubrique des « sciences spéciales » ne peut être fructueux ni pour la psychologie ni pour les neurosciences.

Une autre raison plus profonde, mise en avant par les défenseurs de l'irréductibilité du psychologique au neurologique, est que « les organismes supérieurs atteignent une fin psychologique donnée par une grande variété de moyens neurologiques »[3]. En d'autres termes, les états mentaux paraissent largement « indépendants » des états physiologiques du système nerveux. Dans ces conditions, à quoi bon relier l'un à l'autre?

Cette attitude n'est pas nouvelle. Au XIXᵉ siècle, Flourens, dont les prises de position « spiritualistes » s'exprimaient publiquement, s'en était fait, nous l'avons vu (chapitre I), le fidèle avocat. Plus près de nous, Lashley (1929), réactualisant les expériences de Flourens, enlève chez le rat des parties impor-

---

1. M. PIATTELLI-PALMARINI, 1979; M. BUNGE, 1980; S. ROSE, 1980; J. FODOR, 1981.

2. J. FODOR, 1975.

3. J. FODOR, 1975.

tantes du cortex cérébral sans interférer de façon majeure avec les performances de l'animal dans un labyrinthe. Ces expériences ont un impact considérable mais font l'objet de critiques très sévères. Sans mettre en doute ces résultats, que signifient-ils? Le test du labyrinthe qu'il emploie est-il suffisamment discriminatif pour mettre en évidence la totalité des déficits entraînés par la lésion? Et puis, on sait fort bien que la différenciation du cortex cérébral est beaucoup plus avancée chez l'homme que chez le rat! Des décennies de recherches sur des patients souffrant de lésions corticales, les observations récentes effectuées par scannographie avec la caméra à positrons démontrent au contraire, en accord avec le modèle de Gall, l'extrême parcellisation du cortex cérébral chez l'homme et la spécialisation fonctionnelle de chacune de ses aires (chapitres IV et V). Un rapide regard en arrière révèle enfin (chapitre I) que la méthode qui a consisté à rechercher et identifier le substrat anatomique d'une fonction cérébrale a, de manière répétée, été facteur de progrès.

Il faut cependant souligner que la genèse d'un objet mental du type de ceux postulés au chapitre V mettra éventuellement en branle des populations numériquement élevées et topologiquement dispersées de neurones dont les étiquettes fonctionnelles ou « singularités » se distribueront (si l'hypothèse de la stabilisation sélective est exacte) de manière *variable*. Les cerveaux de deux vrais jumeaux, nous l'avons dit (chapitre VIII), ont fort peu de chances d'être strictement identiques. Les objets mentaux s'assemblent donc, d'un individu à l'autre, et vraisemblablement aussi d'un instant à l'autre chez un même individu, à partir de populations semblables mais qui différeront dans le détail. Les performances comportementales qui s'ensuivront seront néanmoins quasi identiques. Il va de soi (cela a déjà été longuement discuté au chapitre VII) que cette variabilité ne s'oppose pas à un déterminisme neuronal. Bien au contraire. Elle en rend seulement l'analyse plus difficile.

L'aptitude fondamentale de l'encéphale des vertébrés supérieurs et en particulier de l'homme est, nous le savons, de construire des « représentations » soit à la suite d'une interaction avec l'environnement, soit, spontanément, par focalisation « interne » de l'attention. Si l'on adopte la théorie proposée, ces représentations s'échafauderaient par mobilisation de neurones dont la répartition au niveau des multiples aires corticales déterminerait le caractère figuratif ou « abstrait ». L'objet mental, par définition, est un événement transitoire. Dynamique et fugace, sa « durée de vie » se situe dans des domaines de temps de l'ordre de la fraction de seconde. La « singularité » des neurones qui le composent, par contre, est beaucoup plus stable et s'élabore, au cours du développement, sur la base à la fois de mécanismes d'expressions génétiques « internes » et de régulations consécutives à une cascade d'interactions réciproques avec l'environnement. La composante « épigénétique » de singularités neuronales constitue donc elle-même une « représentation », inscrite dans le câblage entre cellules nerveuses. Cette empreinte du monde physique et socioculturel est stable pendant des années, voire pour la vie de l'individu. Elle se renouvelle d'une génération à l'autre et ce réapprentissage introduit une contrainte temporelle importante dans l'évolution des conduites individuelles et, bien entendu, du milieu social. Enfin, l'homme naît avec un cerveau dont le nombre maximal de cellules est fixé avant la naissance. Par lui il accède à des catégories d'opérations cérébrales que ni le singe, ni *a fortiori* l'aplysie ne peuvent effectuer. Les traits majeurs de l'organisation du cerveau, qui assurent l'unité de l'homme et sont soumis au pouvoir des gènes, constituent donc eux aussi une « représentation » du monde. Celle-ci s'est construite, au fil des générations, par l'évolution du génome de ses ancêtres fossiles.

En conséquence, le cerveau de l'homme contient ou produit au moins trois grandes catégories de représentations du monde dont la cinétique de formation et la stabilité couvrent des échelles de temps qui se répartissent du dizième de seconde à la centaine de millions d'années. Chacun de ces modes de représentation élargit le « champ » du monde représenté. La « rigidité » d'un encéphale entièrement déterminé génétiquement limiterait d'emblée le nombre d'opérations effectuées. La capacité de construire des représentations labiles « ouvre » l'organisation de l'encéphale à l'environnement social et culturel. Ces « Nouveaux Mondes » pourront désormais évoluer pour leur propre compte suivant des règles qui resteront néanmoins contraintes par les performances de l'organisation cérébrale.

Si les hypothèses proposées aux chapitres V et VII s'avèrent exactes, la mise en place de chacune de ces représentations, bien que s'effectuant à partir d'éléments distincts et à des niveaux d'organisation différents, suivrait une règle commune inspirée du schéma original de Darwin. A une diversification initiale par variation succède un processus de stabilisation sélective. Les

mécanismes propres à l'évolution du génome ont déjà fait l'objet
de multiples discussions [4]. Remaniements chromosomiques,
duplications de gènes, recombinaisons et mutations créent une
diversité génétique et seules quelques-unes des multiples combinaisons qui apparaissent à chaque génération se maintiennent
dans les populations naturelles. Au cours de l'épigenèse post-
natale, la « redondance transitoire » des cellules et des connections ainsi que le mode de croissance de celles-ci produisent une
diversité, non plus à une dimension comme dans le cas de
génome, mais dans les trois dimensions de l'espace. Là encore,
quelques-unes seulement des figures géométriques qui apparaissent au cours du développement se stabilisent chez l'adulte.
Enfin, beaucoup plus spéculative est l'hypothèse de la genèse
des objets mentaux, et en particulier des concepts. La proposition d'une diversification spontanée par recombinaison des
assemblées de neurones suivie d'une sélection par résonance
séduit... mais correspond-elle à une fidèle description de la
réalité? Ce modèle s'applique-t-il aux aspects les plus « créatifs »
du déroulement de la pensée? Vaut-il également pour l'acquisition même de la connaissance?

Dans son exploration du monde, le scientifique procède lui
aussi en deux étapes. Il focalise son attention sur un objet,
élabore, avec plus ou moins de succès, un « modèle » de cet objet
et s'accorde à considérer celui-ci comme une « représentation »
simplifiée et formalisée de l'objet réel qui lui est extérieur.
Mais, comme chacun de nous en a l'amère expérience, tous les
modèles envisagés à un moment donné ne sont pas nécessairement retenus par la suite. La confrontation avec les résultats de
l'expérience, parfois valide le modèle, pafois l'anéantit!

Par exemple, le modèle proposé s'applique-t-il à une invention
qui a changé la face du monde, celle de l'écriture? On ne
dispose que de peu de documents sur les essais relatifs aux
premiers signes écrits. Il semble toutefois qu'au départ ceux-ci
étaient des « images », des signes-choses ou pictogrammes, et
que progressivement ils se stylisèrent, se simplifièrent, perdirent
toute ressemblance avec l'objet dessiné primitivement, devenant
des signes-mots ou idéogrammes. On possède beaucoup plus de
témoignages sur l'évolution de ce système d'idéogrammes vers
l'alphabet dont les lettres notent non plus des idées, mais des

---

4. E. Mayr, 1974; T. Dobzhansky, 1977; R. Lewontin, 1974;
M. White, 1978; M. Blanc, 1982; S. Gould, 1982.

FIGURE 78

*Fig. 78. – Mélange de signes alphabétiques (en gris) et d'idéogrammes (en noir) sur une inscription égyptienne de la VIᵉ dynastie (vers 2300 avant notre ère). Dans les systèmes d'écriture occidentaux, seul l'alphabet a persisté (d'après Ziegler dans André-Leicknam et Ziegler, 1982).*

sons – ou phonèmes – dans lesquels se décompose une langue. Cette transition s'est produite entre 1800 et 1500 avant notre ère au Proche-Orient, à Ugarit, dans la région syro-palestinienne, à partir de l'écriture cunéiforme, mais elle a aussi eu lieu aux confins du Sinaï à partir des hiéroglyphes égyptiens. Dans l'un et l'autre cas, l'écriture alphabétique a succédé à une étape où l'écriture idéographique « s'alourdit et se complique... aux mains de scribes de plus en plus savants agençant des traditions de plus en plus complexes [5] ». Une floraison de signes s'épanouit. Mais, événement essentiel, à ces idéogrammes se mêlent les premiers signes alphabétiques auxquels s'associent désormais des sons. Lorsque le scribe les emploie, il attache le sens non plus à un seul signe mais à une combinaison de ceux-ci. Le système d'écriture employé devient mixte (figure 78). Il ressemble à celui employé de nos jours au Japon, où coexistent le kanji et le kana (chapitre VII). Après cette phase de « diversification » qui s'est produite en Mésopotamie comme en Égypte, succède une étape de « stabilisation sélective ». Les idéogrammes disparaissent, les signes alphabétiques persistent. En même temps, les caractères de l'alphabet se simplifient. Leur nombre progressivement diminue. Il n'y a plus « attrition » de syllabes (chapitre VII), mais attrition de caractères alphabétiques! Il est remarquable que cette ségrégation de l'alphabet à partir d'un système d'écriture mixte ne s'est pas produite là où les signes alphabétiques sont apparus pour la première fois. Le pouvoir conservateur des scribes l'interdisait. Elle a eu lieu aux confins des foyers qui les avaient inventés. Y a-t-il eu « isolement géographique » de l'alphabet par des marchands toujours en déplacement et prompts à employer un système d'écriture pratique proche de l'arithmétique de leurs comptes? L'analogie avec l'évolution des espèces et la stabilisation sélective des synapses est frappante, mais, bien entendu, il ne s'agit que d'une analogie.

Il est néanmoins remarquable que, dans l'histoire des idées, les hypothèses « instructives » ont systématiquement précédé les hypothèses sélectives. Lorsque Lamarck essaie de fonder sa théorie de la « descendance » sur un mécanisme biologique plausible, il propose une « hérédité des caractères acquis » que les progrès de la génétique ruineront par la suite. Il faudra attendre près d'un demi-siècle pour que le schéma sélectif soit

---

5. B. André-Leicknam et C. Ziegler, 1982.

proposé par Darwin et Wallace et validé dans son principe, sinon dans tous les détails de sa mise en application [6]. De même, les premières théories relatives à la production des anticorps ont d'abord suivi des schémas instructifs avant que des mécanismes sélectifs ne les remplacent. Pourquoi n'en serait-il pas de même pour les théories de l'apprentissage [7]? Les raisons de cette succession dans le temps sont évidemment à rechercher au niveau du fonctionnement de l'encéphale des scientifiques... Le schéma instructif ne fait intervenir qu'une seule étape. C'est le plus simple. D'autre part, qu'on le veuille ou non, il contient une composante « égocentrique ». La « Nature instruit les formes » comme le sculpteur modèle sa statue de glaise. L'image du comportement humain, qui se présente la première dans le cerveau des scientifiques, est transposée à des mécanismes élémentaires qui n'ont rien à voir avec celui-ci et se situent à un tout autre niveau d'organisation. Le schéma sélectif, par contre, fait appel à une réflexion supplémentaire. Il procède en deux temps. De plus, il répond à la recherche d'un mécanisme matériel totalement débarrassé de tout aspect « intentionnel ». Il est naturel que, plus compliqué et plus difficile à mettre en œuvre, celui-ci arrive systématiquement en second dans le cours de l'histoire de la pensée scientifique.

Avec le développement de l'écriture, une mémoire extra-cérébrale fixe images et concepts dans des matériaux plus stables que neurones et synapses. Elle consolide et complète un ensemble déjà grand d'événements et « objets culturels », de symboles, coutumes et traditions réappris à chaque génération et perpétués sans être inscrits dans les gènes. Images mentales ou concepts acquièrent de ce fait une durée de vie bien supérieure à celle du cerveau qui, un beau jour, en quelques fractions de seconde, les a produits. Comment s'effectue cette mise en mémoire culturelle? La réponse dépasse largement les objectifs de ce livre : elle touche au domaine fascinant mais encore trop peu exploré des liens qui unissent les neurosciences à l'anthropologie sociale et à l'ethnologie.

Le problème général de la stabilité dans le temps des événements ou objets culturels ou biologiques nous ramène à un thème plus proprement cérébral, celui de la relation qui peut exister entre ce que l'on appelle habituellement « structure » et

---

6. J. FODOR, 1975.
7. N. JERNE, 1967; J.-P. CHANGEUX, 1972; J. YOUNG, 1973; G. EDELMAN, 1978.

« fonction ». A l'occasion de la discussion sur les objets mentaux, il a été montré comment l'entrée en activité corrélée d'ensembles de neurones pouvait entraîner leur couplage sur la base d'un changement d'efficacité synaptique, lui-même interprété comme une régulation des propriétés moléculaires de la synapse. De même, lors de l'épigenèse qui suit la naissance, l'état d'activité du réseau en développement règle la stabilisation de certaines synapses et l'élimination des autres. L'état fonctionnel, l'activité d'un instant, laisse donc une trace dans la structure, devient lui-même structure. Comme l'écrit Ritchie (1936) : « La notion de structure se présente lorsque nous considérons l'organisme en un instant, abstrait, du temps. L'abstraction est valide parce que, à l'intérieur de l'histoire de l'organisme, il y a des événements relativement stables qui ne changent pas beaucoup et ceux-ci sont appelés structure. A l'opposé, il y a des événements instables et ceux-ci sont appelés fonction. Finalement, la distinction est quantitative et repose sur l'échelle de temps que nous utilisons. »

Cette conclusion remet-elle en question la distinction que l'on fait, en général, entre troubles « organiques » et perturbations « fonctionnelles » du système nerveux ? La question mérite certes d'être soulevée. La diversité des troubles neurologiques ou « mentaux », toutefois, ne permet pas d'apporter une réponse unique. Nous nous restreindrons à quelques considérations très générales sur un thème qui, là encore, sort des limites de cet ouvrage. De tous les organes du corps, le système nerveux est un des rares dont le contingent de cellules soit fixé dès la naissance. Tout neurone détruit n'est jamais remplacé. Toutefois, axones et dendrites conservent jusque chez l'adulte de remarquables capacités de régénération. Après lésion, de nouveaux cônes de croissance se forment, réenvahissent des territoires auparavant occupés par des nerfs sectionnés. Ces possibilités de restauration fonctionnelle [8], exceptionnellement élevées chez le jeune, s'atténuent progressivement avec l'âge. Dans quelques cas bien étudiés (jonction nerf-muscle), la régénération fait intervenir, comme dans le cas du développement normal, une étape de redondance transitoire suivie d'une stabilisation sélective [9]. L'état d'activité du système, là encore, règle cette évolution et contribue à la récupération (même partielle) de la fonction.

8. M. JEANNEROD et H. HECAEN, 1979.
9. Voir P. BENOIT et J.-P. CHANGEUX, 1978.

Cette activité ne peut être quelconque. Certaines fréquences d'impulsion auront un effet facilitateur, d'autres inhibiteur. La même situation se produit au cours du développement. Un environnement « pathologique » peut s'inscrire dans des neurones et des synapses d'un individu normal. Des possibilités de récupération persistent, mais progressivement se perdent. Enfin, des modifications d'efficacité synaptique seront évidemment beaucoup plus facilement reversées qu'un déficit en synapses, à condition, bien entendu, que l'activité circulant dans le réseau, encore une fois, le permette.

Cela nous conduit à examiner de nouveau la relation d'interaction réciproque qui s'établit chez l'homme entre le social et le cérébral. L'encéphale propre à l'*Homo sapiens sapiens* s'est différencié, vraisemblablement, dans les plaines africaines au sein de populations de quelques centaines de milliers d'individus. Aujourd'hui, des milliards d'entre eux ont envahi la quasi-totalité de la planète et tentent même de se propager au-delà. L'organisation et la flexibilité de l'encéphale humain restent-elles compatibles avec l'évolution d'un environnement qu'il ne maîtrise plus que très partiellement? Une dysharmonie profonde n'est-elle pas en train de se creuser entre le cerveau de l'homme et le monde qui l'entoure? On peut se le demander. Les architectures dans lesquelles il se parque, les conditions de travail auxquelles il est soumis, les menaces de destruction totale qu'il fait peser sur ses congénères, sans parler de la sous-alimentation à laquelle il soumet la majorité de ses représentants, sont-elles favorables à un développement et à un fonctionnement équilibré de son encéphale? On peut en douter. Après avoir dévasté la nature qui l'entoure, l'homme n'est-il pas en train de dévaster son propre cerveau? Un seul chiffre montre l'urgence du problème, celui de la consommation d'un des médicaments les plus vendus dans le monde : les benzodiazepines. Ces tranquillisants mineurs agissent au niveau du récepteur cérébral d'un neurotransmetteur inhibiteur, l'acide γ-aminobutyrique. Exaltant son effet, ils calment l'angoisse et aident le sommeil. Sept millions de boîtes sont vendues par mois en France et des chiffres semblables se retrouvent dans la plupart des pays industrialisés. Un adulte sur quatre se « tranquillise » chimiquement. L'homme moderne doit-il s'endormir pour supporter les effets d'un environnement qu'il a produit? Il est temps de considérer le problème avec sérieux. Encore faut-il construire dans notre encéphale une image de « l'homme, une idée qui soit comme un *modèle* que nous puissions contempler [10] » et qui convienne à son avenir !

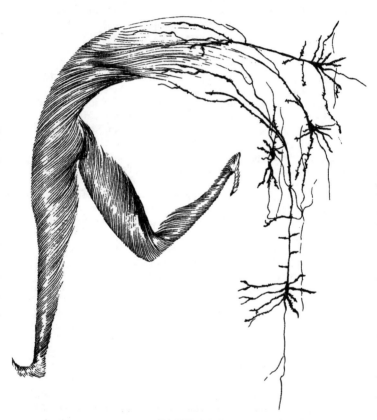

FIGURE 79

*Fig. 79. – «Apocalypse neuronale » : le cerveau de l'homme déchiré par l'environnement qu'il a produit (dessin original de S. Carcassonne).*

10. B. Spinoza, *Éthique*, IV, p. 171.

# Bibliographie

Acher, R. (1981). Evolution of neuropeptides. Trends Neurosci., september 1981, 225-229.

Adrian, E. (1946). The physical background of perception. Oxford : Clarendon Press.

Afzélius, B. (1976). A human syndrome caused by immotile cilia. Science 193, 317-319.

Altman, J. (1967). Postnatal growth and differentiation of the mammalian brain with implication for a neurological theory of memory. In The Neurosciences (Quarton, G. et al., eds.); New York : Rockefeller University Press; pp. 723-743.

Alving, B. O. (1968). Spontaneous activity in isolated somata of Aplysia pacemaker neurons. J. Gen. Physiol. 51, 29-45.

André-Leicknam, B. & Ziegler, C. (1982). Catalogue de l'Exposition « Naissance de l'Écriture – Cunéiformes et hiéroglyphes ». Paris, Éditions Réunion Musées Nationaux.

Angevine, J. & Sidman, R. (1961). Autoradiography study of cell migrations during histogenesis of cerebral cortex in the mouse. Nature 192, 766-768.

Annett, M. (1972). The distribution of manual asymmetry. Brit. J. Psychol. 63, 343-358.

Arai, Y. (1981). Synaptic correlates of sexual differentiation. Trends Neurosci., December 1981, 291-293.

Aron, C. (1974). Facteurs neurohormonaux du comportement sexuel chez la ratte. In « Problèmes actuels d'endocrinologie et de nutrition » série 18, « Le cerveau et les hormones », 191-232.

Atlan, H. (1979). Entre le cristal et la fumée. Paris : Le Seuil.

Avery, O., McLeod, C. & McCarthy, M. (1944). Studies on the chemical nature of the substance inducing transformation of pneumococcal types. Induction of transformation by a deoxyribonucleic acid fraction isolated from Pneumococcus type III. J. Exp. Med. 79, 137-158.

Von Baer, K. (1828-1837). Entwicklungsgeschichte der Tiere : Beobachtung und Reflexion. Königsberg : Bornträger.

Baillarger, J., (1840). Recherches sur la structure de la couche corticale des circonvolutions du cerveau. Mém. Acad. Roy. Méd. Paris 8, 149-183.

Bain, A. (1855). The senses and the intellect. Londres :

Bauchot, R. & Stéphan, H. (1969). Encéphalisation et niveau évolutif chez les Simiens. Mammalia *33*, 228-275.

Beadle, G. & Tatum, E. (1941). Genetic control of biochemical reactions in *Neurospora*. Proc. Nat. Acad. Sci. USA, *27*, 499-506.

Beerman W. & Clever, U. (1964). The Chromosomic puffs. Sc. Amer. *240* (4), 50-65.

Bennett, D. (1975). The locus T of the mouse. Cell *6*, 441-454.

Bennett, M. & Pettigrew, A. (1947a). The formation of synapses in striated muscle during development. J. Physiol. (London) *241*, 515-545.

Bennett, M. & Pettigrew, A. (1974b). The formation of synapses in reinnervated and cross-innervated striated muscle during development. J. Physiol. (London) *241*, 547-573.

Benoît, P. & Changeux, J.-P. (1975). Consequences of tenotomy on the evolution of multi-innervation in developing rat soleus muscle. Brain Res. *99*, 354-358.

Benoît, P. & Changeux, J.-P. (1978). Consequences of blocking nerve activity on the evolution of multi-innervation at the regenerating neuromuscular junction of the rat. Brain Res; *149*, 89-96.

Bentley, D. (1971). Genetic control of an insect neuronal network. Science *174*, 1139-1141.

Bentley, D. & Hoy, R. (1974). The neurobiology of the cricket song. Sc. Amer. *231* (2), 34-44.

Benzer, S. (1967). Behavioral mutants of *Drosophila* isolated by countercurrent distribution. Proc. Nat. Acad. Sci. USA *58*, 1112-1119.

Benzer, S. (1973). Genetic dissection of behavior. Sc. Amer. *229* (6), 24-37.

Berger, H. (1969). Hans Berger on the electroencephalogram of man. The fourteen original reports on the human electroencephalogram. Electroenceph. Clin. Neurophysiol., suppl. 28.

Bergstrøm, R. (1969). Electrical parameters of the brain during ontogeny. *In* « Brain and early behavior » (Robinson, R. J., ed.). New York : Academic Press; pp. 15-42.

Bernard, C. (1857). Leçons sur les effets des substances toxiques et médicamenteuses. Paris : Baillière.

Bernstein, H. (1902). Untersuchungen zur Thermodynamik der bioelektrischen Ströme. Pflügers Arch. *92*, 521-562.

Berridge, M. & Rapp, P. (1979). A comparative survey of the function, mechanism and control of cellular oscillations. J. Exp. Biol. *81*, 217-280.

Von Bertalanffy, L. (1973). Théorie générale des systèmes. Paris : Dunod.

Besson, J.-M., Guilbaud, G., Abdelnoumène, M. & Chaouch, A. (1982). Physiologie de la nociception. J. Physiol. (Paris) *78*, 7-107.

Bindmann, L. & Lippold, O. (1981). The neurophysiology of the cerebral cortex. London : Arnold.

Binet, A. (1886). La Psychologie du raisonnement. Paris : Alcan.

Blanc, M. (1982). Les théories de l'évolution aujourd'hui. La Recherche *129*, 26-41.

Bleuler, E. (1911). *Dementia praecox* oder Gruppe der Schizophrenien. Leipzig :

Bloom, F. (1981). Neuropeptides. Sc. Amer. *245* (4), 114-123.

Bodian, D. (1952). Introductory survey of neurons. Cold Spring Harbor Symp. Quant. Biol. *17*, 1-13.

Bodik, N. & Levinthal, C. (1980). Growing optic nerve fibers follow neighbors during embryogenesis. Proc. Nat. Acad. Sci; USA *77*, 4374-4378.

Bodmer, W. & Cavalli-Sforza, L. (1976). Genetics, evolution and man. San Francisco : Freeman.

Bolk, L. (1926). On the problem of anthropogenesis. Proc. Section Sciences Kon. Akad. Wetens. Amsterdam *29*, 465-475.

Bon, F., Lebrun, E., Gomal, J., van Rapenbusch, R., Cartaud, J., Popot, J.-L. & Changeux, J.-P. (1982). Orientation relative de deux oligomères constituant la forme lourde du récepteur de l'acétylcholine chez la Torpille marbrée. C. R. Acad. Sci. Paris *295*, 199-205.

Von Bonin, G. (1937). Brain weight and body weight in mammals. J. Gen. Psychol. *16*, 379-389.

Boothe. R., Greenough, W., Lund, J. & Wrege, K. (1979). A quantitative investigation of spine and dendrite development of neurons in visual cortex (area 17) of *Macaca nemestrina* monkeys. J. Comp. Neurol. *186*, 473-490.

Bourgeois, J.-P., Betz, H. & Changeux, J.-P. (1978). Effets de la paralysie chronique de l'embryon de poulet par le flaxédil sur le développement de la jonction neuromusculaire. C.R. Acad. Sci. Paris *286* D, 773-776.

Bourguignon, A. (1981 a). Quelques problèmes épistémologiques posés dans le champ de la psychanalyse freudienne. Psychanalyse à l'Université *6*, 381-414.

Bourguignon, A. (1981 b). Fondements neurobiologiques pour une théorie de la psychopathologie. Un nouveau modèle – Psychiatrie de l'enfant, *24*, 445-540.

Bouveresse, J. (1979). « Le tableau me dit soi-même.. ». La théorie de l'image dans la philosophie de Wittgenstein. Macula *5/6*, 150-164.

Bouyer, J., Montaron, M., Rougeul-Buser, A. & Buser, P. (1980). A thalamo-cortical rythmic system accompanying high vigilance levels in the cat. *In* « Rythmic EEG activities and cortical functioning » (Pfurtscheller, G. *et al.*, eds.). Amsterdam : Elsevier.

Boyer, P. (1981). Les troubles du langage en psychiatrie. Paris : Presses Universitaires de France.

Brazier, M. (1977). La neurobiologie, du vitalisme au matérialisme. La Recherche *83*, 965-972.

Brazier, M. (1978). Architectonics of the cerebral cortex : Research in the 19th century. *In* « Architectonics of the cerebral cortex » (Brazier, M. & Petsche, H., eds.). New York : Raven Press.

Breasted, J. H. (1930). The Edwin Smith surgical papyrus. Chicago : Chicago University Press (2 vol.).

Breathnach, R. & Chambon, P. (1981). Organization and expression of eukaryotic split genes coding for proteins. Ann. Rev. Biochem. *50*, 349-383.

Brecha, N., Karten, H. & Laverack, C. (1979). Enkephalin-containing amacrine cells in the avian retina : immunohistochemical localization. Proc. Nat. Acad. Sci. USA *76*, 3010-3014.

Brecha, N., Karten, H. & Schenker, C. (1981). Neurotensin-like and somatostatin-like immunoreactivity within amacrine cells of the retina. Neuroscience *6*, 1329-1340.

Bremer, F. (1935). Cerveau isolé et physiologie du sommeil. C.R. Séances Soc. Biol. *118*, 1235-1241.

Brodmann, K. (1909). Vergleichende Lokalisationslehre des Groshirnrinde. Leipzig : Borth.

Broussais, F. (1836). Cours de phrénologie. Paris : Baillière.

Brown, M. C., Jansen, J.K.S. & Van Essen, D. (1976). Polyneural innervation of skeletal muscle in newborn rats and its elimination during maturation. J. Physiol. (London) *261*, 387-422.

Buisseret, P. & Imbert, M. (1976). Visual cortical cells : their developmental properties in normal and dark-reared kittens. J. Physiol. (London) *225*, 511-525.

Bunge, M. (1980). The mind-body problem. Oxford : Pergamon Press.

Burden, S. (1977a). Development of neuromuscular junction in the chick embryo : the number, distribution and stability of acetylcholine receptors. Dev. Biol. *57*, 317-329.

Burden, S. (1977b). Acetylcholine receptors at the neuromuscular junction : developmental change in receptor turnover. Dev. Biol. *61*, 79-85.

Burt, D., Creese, I. & Snyder, S. (1976). Binding interactions of lysergic acid diethylamide and related agents with dopamine receptors in the brain. Mol. Pharmacol. *12*, 631-638.

Buser, P. (1980). Attention : a brief survey of some of its electrophysiological correlates. *In* « Functional states of the brain : their determinants ». (Koukkou, M. *et al.*, eds.). Amsterdam : Elsevier.

Byers, D., Davis, R. & Kiger, J. (1981). Defect in cyclic AMP phosphodiesterase due to the *dunce* mutation of learning in *Drosophila melanogaster*. Nature *289*, 79-81.

Cabanis, P. (1824). Rapports du physique et du moral de l'homme. Paris : Béchet.

Cameron, R., Currier, R. & Haeper, A. (1971). Aphasia and literacy. Br. J. Dis. Comm. *6*, 161-163.

Campenot, R. (1977). Local control of neurite development by nerve growth factor. Proc. Nat. Acad. Sci. USA *74*, 4516-4519.

Catel, J. (1953). Ein Beitrag zur Frage von Hirnentwicklung und Menschwerdung. Klin. Wschr. *31*, 473-475.

Caton, R. (1875). The electric currents of the brain. Brit. Med. J. ii, 278.

Caviness, V. & Rakic, P. (1978). Mechanisms of cortical development : a view from mutation in mice. Ann. Rev. Neurosci. *1*, 297-326.

Changeux, J.-P. (1972). Le cerveau et l'événement. Communications *18*, 37-47.

Changeux, J.-P. (1980). Résumé du cours : « Effets de l'interaction avec l'environnement sur le développement de l'organisation fonctionnelle du système nerveux ». Annuaire Collège de France, 80ᵉ année, pp. 309-326.

Changeux, J.-P. (1981). The acetylcholine receptor : an allosteric membrane protein. Harvey Lectures 1981, 85-254.

Changeux, J.-P. (1981). Les progrès des sciences du système nerveux concernent-ils les philosophes? Bull. Soc. Fr. Philosophie. *75*, 73-105.

Changeux, J.-P. (1983). Concluding remarks : about the « singularity » of nerve cells and its ontogenesis. Prog. Brain Res. *58*, 465-478.

Changeux, J.-P. (1983). Remarques sur la complexité du système nerveux et sur son ontogénèse.

Changeux, J.-P., Benedetti, L., Bourgeois, J.-P. Brisson, A., Cartaud, J., Devaux, P., Grünhagen, H., Moreau, M., Popot, J.-L., Sobel, A., Weber, M. (1976). Some structural properties of the cholinergic receptor protein in its membrane environment relevant toits function as a pharmacological receptor Cold Spring Harbor Symp. Quant. Biol., *40*, 211-230.

Changeux, J.-P., Courrège, P. & Danchin, A. (1973). A theory of the epigenesis of neural networks by selective stabilization of synapses. Proc. Nat. Acad. Sci. USA *70*, 2974-2978.

Changeux, J.-P., Courrège, P., Danchin, A. & Lasry, J.-M. (1981). Un mécanisme biochimique pour l'épigenèse de la jonction neuromusculaire, C.R. Acad. Sci. Paris *292*, 449-453.

Changeux, J.-P. & Danchin, A. (1974). Apprendre par stabilisation sélective de synapses en cours de développement. *In* « L'unité de l'Homme » (Morin, E. & Piattelli, M, eds.). Paris : Le Seuil; pp. 320-357.

Changeux, J.-P. & Danchin, A. (1976). Selective stabilization of developing synapses as a mechanism for the specification of neuronal networks. Nature *264*, 705-712.

Changeux, J.-P., Kasai, M. & Lee, C.Y. (1970). The use of a snake venom toxin to characterize the cholinergic receptor protein – Proc. Nat. Acad. Sc. *67*, 1241-1247.

Changeux, J.-P. & Mikoshiba, M. (1978). Genetic and « epigenetic » factors regulating synapse formation in vertebrate cerebellum and neuromuscular junction. Prog. Brain Res. *48*, 43-64.

Chi, J., Dooling, E., Giles, F. (1972). Left-right asymmetries of the temporal speech areas of the human fetus. Arch. Neurol. *34*, 346-348.

Chomsky, N. (1979). *In* « Théories du langage – théories de l'apprentissage » (Piattelli-Palmarini, M., ed.). Paris : Le Seuil; pp. 65-87.

Chu-Wang, I. & Oppenheim, R. (1978). Cell death of motoneurons in the chick embryo spinal cord. J. Comp. Neurol. *177*, 33-112.

Clarke, E. & Dewhurst, K. (1975). Histoire illustrée de la fonction cérébrale. Paris : Da Costa.

Clarke, E. & O'Malley, C. (1968). The human brain and spinal cord. A historical study illustrated by writings from Antiquity to the twentieth century. Berkeley : University of California Press.

Cohen, G. (1977). The psychology of cognition. London : Academic Press.

Collin, R. (1906). Recherches cytologiques sur le développement de la cellule nerveuse. Névraxe *8*, 181-308.

Colonnier, M. (1981). The electron microscopic analysis of the neuronal organization of the cerebral cortex. *In* « The organization of the cerebral cortex » (Schmitt, F. *et al.*, eds.). Cambridge, Mass. : MIT Press, pp. 125-152.

Conel, J.-L. (1939-1963). Post-natal development of the human cerebral cortex. Cambridge, Mass. : Harvard University Press (Vol. I à VI).

Coppens, Y. (1976). Origines de l'homme : catalogue de l'exposition. Paris : Musée de l'Homme.

Coppens, Y. (1981). Exposé sur le cerveau : le cerveau des hommes fossiles. C.R. Acad. Sci. *292*, Vie académique, suppl. avril, 3-24.

Corballis, M. & Morgan, M. (1978). On the biological basis of human laterality : 1. Evidence for a maturational left-right gradient. Behavior. Brain Sciences *1*, 261-269.

Couteaux, R. (1981). Structure of the subsynaptic sarcoplasm in the interfolds of the frog neuromuscular junction. J. Neurocytol. *10*, 947-962.

Cowan, W. (1979). Selection and control in neurogenesis. *In* « The Neurosciences : Fourth study program » (Schmitt, F. & Worden, F., eds.). Cambridge, Mass. : MIT Press; pp. 59-81.

Cragg, B. (1975). The development of synapses in the visual cortex of the cat. J. Comp. Neurol. *160*, 147-166.

Craik, K. (1943). The nature of explanation. Cambridge : Cambridge University Press.

Crepel, F., Mariani, F. & Delhaye-Bouchaud, N. (1976). Evidence for a multiple innervation of Purkinje cells by climbing fibres in the immature rat cerebellum. J. Neurobiol. *7*, 567-578.

Creuzfeldt, O. (1978). The neocortical link : thoughts on the generality of structure and function of the neocortex. *In* « Architectonics of the cerebral cortex » (Brazier, M. & Petsche, H., eds.). New York : Raven Press; pp. 357-383.

Crum-Brown, A. & Frazer, T. R. (1868). On the connection between chemical constitution and physiological action. 1. On the physiological action of the salts of the ammonium bases, derived from strychnia, brucia, thebaia, codeia, morphia and nicotina. Trans. R. Soc. Edimburgh *25*, 151-203.

Crum-Brown, A. & Frazer, T. R. (1869). On the connection between chemical constitution and physiological action. 2. On the physiological action of ammonium bases derived from atropia an conia. Trans. R. Soc. Edimburgh. *25*, 693-739.

Dahlström, A. & Fuxe, K. (1964). Evidence for the existence of mono-amine-containing neurons in the central nervous system. Acta Physiol. Scan. *62*, suppl. n° 232, 1-55.

Dahlström, A., Fuxe, K., Olson, L. & Ungerstedt, U. (1964). Ascending systems of catecholamine neurons from the lower brain system. Acta Physiol. Scand. *62*, 485-486.

Dale, H. (1953). Adventures in Physiology. Oxford : Pergamon Press.

Damasio, A., Castro-Caldas, A., Grosso, J. & Ferro, J. (1976). Brain specialisation for language does not depend on literacy. Arch. Neurol. *33*, 300-301.

Darwin, C. (1871). The descent of man and selection in relation to sex. London.

Davidson, J. M. (1980). The psychobiology of sexual experience. *In* « The psychobiology of consciousness » (Davidson, J. & Davidson, R., eds.). New York : Plenum Press : pp. 271-332.

Deiters, O. (1865). Untersuchungen über Gehirn and Rückenmark des Menschen und der Säugetiere. Braunschweig : Vieweg und Sohn.

Dement, W. (1965). An essay on dreams : the role of physiology in understanding their nature. *In* « New directions in psychology » *2*. New York : Holt ; pp. 135-257.

Denis, M. (1979). Les images mentales. Paris : Presses Universitaires de France.

Dennis, M. (1981). Development of the neuromuscular junction : inductive interaction between cells. Ann. Rev. Neurosci. *4*, 43-68.

Dennis, M. & Whitaker, H. (1976). Language acquisition following hemidecortication : linguistic superiority of the left over the right hemisphere. Brain and Language *3*, 404-433.

Desmedt, J. (1977). Attention, voluntary contraction of event-related cerebral potentials. Bâle : S. Karger.

Dickinson, A. (1980). Contemporary animal learning theory. Cambridge : Cambridge University Press.

Diderot, D. (1769). Le rêve de D'Alembert. Paris : Garnier (1965).

Dobzhansky, T. (1977). Génétique du processus évolutif. Paris : Flammarion.

Dreyfus-Brisac, C. (1979). Ontogenesis of brain bioelectrical activity and sleep organization in neonates and infants. *In* « Human growth » *3* (Faulkner, F. & Tanner, J., eds.); pp. 157-182.

Du Bois-Reymond, E. (1848-1884). Untersuchungen über tierische elektrizität. Berlin : Reimer (2 vol.).

Dudai, Y. (1981). L'intelligence de la mouche. La Recherche *12*, 58-71.

Dutrillaux, B. (1979). Chromosomal evolution in primates : tentative phylogeny from *Microcebus murinus* (prosimian) to man. Hum. Genet. *48*, 251-314.

Dutrillaux, B. (1980). Chromosomal evolution of the great apes and man. *In* « The great apes of Africa » (Short, R. V. & Weir, B., eds.). Colchester & Londres : Journals of Reproduction and Fertility Ltd.

Dutrochet, H. (1824). Recherches anatomiques et physiologiques sur la structure intime des animaux et des végétaux, et sur leur mobilité. Paris : Baillière.

Eaton, R. C., Farley, R. D., Kimmel, C. B. & Schabtach, E. (1977). Functional development in the Mautner cell system of embryos and larvae of the zebra fish. J. Neurobiol. *8*, 151-172.

Eccles, J. (1964). The physiology of synapses. Berlin : Springer Verlag.

Eccles, J., Ito, M. & Szentagothai, J. (1967). The cerebellum as a neuronal machine. Berlin : Springer Verlag.

Von Economo, C. (1929). The cytoarchitectonics of the human cerebral cortex. London : Oxford University Press.

Edelman, G. (1981). Group selection as the basis for higher brain function. *In* « The organization of the cerebral cortex » (Schmitt, F., ed.). Cambridge, Mass. : MIT Press; pp. 535-563.

Edelman, G. & Mountcastle, V. (1978). The mindful brain. Cortical organization and the group-selective theory of higher brain function. Cambridge, Mass. : MIT Press.

Eimas, P. (1975). Auditory and phonetic coding of the cues for speech : discrimination of the [r-l] distinction by young infants. Perception & Psychophysics *18*, 341-347.

Elman, J., Takahashi, K. & Tohsaku, Y.-H. (1981). Asymmetries for the categorization of kanji nouns, adjectives and verbs presented to the left and right visual fields. Brain and Language *13*, 290-300.

Elliott, T. (1904). On the action of adrenalin. J. Physiol. (London) *31*, 20 P.

Elsberg, C. A. (1945). The anatomy and surgery of the Edwin Smith surgical papyrus. J. Mt Sinai Hosp. *12*, 141-151.

Von Euler, U. & Gaddum, J. (1931). An unidentified depressor substance in certain tissue extracts. J. Physiol. (London), *72*, 74-87.

Evarts, E. (1975). Activity of cerebral neurons in relation to movement. *In* « The nervous system » (Tower, D. B., ed.) vol. I : the basic neurosciences. New York : Raven Press; pp. 221-234.

Evarts, E. (1981). Functional studies of the motor cortex. *In* « The organization of the cerebral cortex » (Schmitt, F. *et al.*, eds.). Cambridge, Mass. : MIT Press; pp. 263-284.

Evrard, P., Gadisseux, J.-F. & Lyon, G. (1982). Les malformations du système nerveux central. *In* « Naissance du cerveau ». Monaco : Nestlé-Guigoz; pp. 49-74.

Ey, H., Lairy, G., de Barros-Ferreira, M. & Goldsteinas, L. (1975). Psychophysiologie du sommeil et psychiatrie. Paris : Masson.

Faber, D. & Korn, H. (1978). Electrophysiology of the Mauthner cell : basic properties, synaptic mechanisms and associated networks. *In* « Neurobiology of the Mauthner cell » (Faber, D. & Korn, H., eds.). New York : Raven Press; pp. 47-131.

Faber, D. & Korn, H. (1982). Binary mode of transmitter release at central synapses. Trends Neurosci. *5*, May 1982, 157-159.

Falck, B., Hillarp, N., Thieme, G. & Trop, A. (1962). Fluorescence of catecholamines and related compounds condensed with formaldehyde. J. Histochem. Cytochem. *10*, 348-354.

Fambrough, D. M. (1979). Control of acetylcholine receptor in skeletal muscle. Physiol. Rev. *59*, 165-227.

Feldberg, W. & Vogt, M. (1948). Acetylcholine synthesis in different regions of the central nervous system. J. Physiol. (London) *107*, 372-381.

Ferrier, D. (1880). De la localisation des maladies cérébrales. Paris : Baillière.

Finot, A. (1890). Faune de la France. Insectes, orthoptères. Paris : Deyrolle.

Fischbach, G. D., Berg, D. K., Cohen, S. A. & Frank, E. (1976). Enrichment of nerve-muscle synapses in spinal cord – muscle cultures and identification or relative peaks of ACh sensitivity at sites of transmitter release. *In* « The synapse », Cold Spring Harbor Symp Quant. Biol. *40*, 347-357.

Fischer, E. (1894). Einfluss der Konfiguration auf die Wirkung der Enzyme. Berichte der deutschen chemischen Gesellschaft *27*, 2985-2986.

Fischer, E. (1898). Bedeutung der Stereochemie für die Physiologie. Hoppe-Seylers Zeitschrift für physiologische Chemie *26*, 62-63.

Fodor, J. (1975). The language of thought. Hassocks : Harvester.

Fodor, J. (1981). Representations. Cambridge, Mass. : MIT Press.

Fodor, J. (1981). The mind-body problem. Sc. Amer. *244* (1), 114-123.

Forel, A. (1887). Einige Hirnanatomische Betrachtungen und Ergebnisse. Arch. Psychiat. Nerv. Krankh. *18*, 162-198.

Fox, J. (1977). Estradiol and testosterone binding in normal and mutant mouse cerebellum : biochemical and cellular specificities. Brain Res. *128*, 263-273.

Fox, C. & Fox, B. (1971). A comparative study of coital physiology with special reference to the sexual climax. J. Reprod. Fert. *24*, 319-336.

Fox, C. & Knaggs, G. (1969). Milk ejection activity (oxytocin) in peripheral veinous blood in man during lactation and in association with coitus, J. Endocr. *45*, 145-146.

Freud, S. (1920). Au-delà du principe du plaisir. *In* « Essais de

Psychanalyse ». Paris : Payot (nouvelle édition 1965); pp. 7-81.

Fritsch, G. & Hitzig, E. (1870). Ueber die elektrische Erregbarkeit des Grosshirns. Arch. Anat., Physiol. und Wissensch. Med. *37*, 300-332.

Fuster, J. (1980). The prefrontal cortex. New York : Raven Press.

Galambos, R. & Hillyard, S. (1981). Electrophysiological approaches to human cognitive processing. Neurosci. Res. Orig. Bull. *20*, 1241-265.

Gall, F. J. (1822-1825). Sur les fonctions du cerveau et sur celles de chacune de ses parties. Paris : Baillière (6 vol.).

Galvani, L. (1791). De viribus electricitatis in motu musculari commentarius. Bologna : Ex Typographia Instituti Scientarium.

Gazzaniga, M. (1970). The bisected brain. New York : Appleton Press.

Von Gerlach, J. (1872). Ueber die Struktur der grauen Substanz des menschlichen Grosshirns. Vorläufige Mitteilungen. Zbl. Med. Wiss. *10*, 273-275.

Geschwind, N. & Levitsky, W. (1968). Human brain : left-right asymmetries in temporal speech region. Science *161*, 186-187.

Giacobini, G., Filogamo, G., Weber, M., Boquet, P. & Changeux, J.-P. (1973). Effects of a snake alpha-neurotoxin on the development on innervated motor muscles in chick embryo. Proc. Nat. Acad. Sci. USA *70*, 1708-1712.

Gilbert, C. & Wiesel, T. (1981). Laminar specialization and intracortical connections in cat primary visual cortex. *In* « The organization of the cerebral cortex » (Schmitt, F. *et al.*, eds.). Cambridge, Mass. : MIT Press; pp. 163-191.

Glisson, F. (1654). Anatomia hepatis. London : Pullein.

Glisson, F. (1672). Tractatus de natura substantiae energetica. London : Brome & Hooke.

Glisson, F. (1677). Tractatus de ventriculo et intestinis. London : Brome.

Godelier, M. (1982). La production des Grands Hommes (Fayard).

Goldowitz, D. & Mullen, R. (1982). Granule cell as a site of gene action in the weaver mouse cerebellum. Evidence from heterozygous mutant chimerae. J. Neurosci, *2*, 1474-1485.

Goldschmidt, R. 1940. *The material basis of Evolution.* New Haven : Yale University Press.

Golgi, C. (1883-1884). Recherches sur l'histologie des centres nerveux. Arch. Ital. Biol. *3*, 285-317; *4*, 92-123.

Golgi, C. (1908). La doctrine du neurone. Les prix Nobel en 1906. Stockholm : Norstedt & Söner.

Gordon, H. (1920). Left-handedness and mirror writing especially among defective children. Brain *43*, 313-368.

Gorski, R. (1979). Hormonal modulation of neuronal structure. The Neurosciences : Fourth study program (Schmitt, F. & Worden, F., eds.). Cambridge, Mass. : MIT Press; pp. 969-982.

Gould, S. (1977). Ontogeny and phylogeny. Cambridge, Mass. : Harvard University Press.

Gould, S. (1981). The mismeasure of man. New York: Norton Press.

Gould, S. (1982). Darwinism and the expansion of evolutionary theory. Science *216*, 380-387.

Gouzé, J.-L., Lasry, J.-M. & Changeux, J.-P. (1983). Selective stabilization of muscle innervation during development: a mathematical model. Biol. Cybern., *46*, 207-215.

Gray, E. (1959). Axosomatic and axodendritic synapses of the cerebral cortex: an electron microscopy study. J. Anat. *93*, 420-433.

Graybill, A. & Berson, D. (1981). On the relation between transthalamic and transcortical pathways in the visual system. *In* « The organization of the cerebral cortex » (Schmitt, F. *et al.*, eds.). Cambridge, Mass.: MIT Press; pp. 285-322.

Gros, F., Gilbert, W., Hiatt, H., Kurland, C., Risebrough, R. & Watson, J. (1961). Unstable ribonucleic acid revealed by pulselabelling of *Escherichia coli.* Nature *90*, 581-585.

De Grouchy, J. (1982). Les facteurs génétiques de l'évolution. Colloques internationaux du CNRS *599*, les processus d'hominisation, 283-293. Paris: Ed. CNRS.

Guillery, R. (1974). Visual pathways in albinos. Sc. Amer. *230* (5), 44-54.

Guillery, R. W., Okoro, A. N. & Witkop, C. J. (1975). Abnormal visual pathways in the brain of a human albino. Brain Res. *96*, 373-377.

Gullotta, F., Rehder, H. & Gropp, A. (1982). Descriptive neuropathology of chromosomal disorders in man. Hum. Genet. *57*, 337-344.

Gurdon, J. (1974). The control of gene expression in animal development. Oxford: Clarendon Press.

Hadorn, E. (1967). Dynamics of determination. Symp. Soc. Dev. Biol. *25*, 85-104.

Hadorn, E. (1968). Transdetermination in cells. Sc. Amer. *219* (5), 110-123.

Haeckel, E. (1874). Histoire de la création des êtres organisés d'après les lois naturelles. Paris: Reinwald.

Hahn, W., van Ness, J. & Maxwell, I. (1978). Complex population of mRNA sequences in large polyadenylated nuclear RNA molecules. Proc. Nat. Acad. Sci. USA *75*, 5544-5547.

Hall, J. (1978). Behavioral analysis in *Drosophila* mosaics. *In* « Genetic mosaics and cell differentiation » (Gehring, W., ed.). Berlin: Springer Verlag; pp. 259-306.

Hamburger, V. (1970). Embryonic motility in vertebrates. *In* « The Neurosciences: Second study program » (Quarton, G. *et al.*, ed.). New York: Rockfeller University Press; pp. 141-151.

Hamburger, V. (1975). Cell death in the development of the lateral motor column of the chick embryo. J. Comp. Neurol. *160*, 535-546.

Hamer, D. & Leder, P. (1979). Splicing and the formation of stable RNA. Cell *18*, 1299-1302.

Harris, W. (1981). Neural activity and development. Ann. Rev. Physiol. *43*, 689-710.

Harrison, R. (1907). Observations on the living developing nerve fiber. Anat. Rec. *1*, 116-118.

Harrison, R. (1908). Embryonic transplantation and development of the nervous system. Anat. Rec., *2*, 385-410.

Heath, R. (1972). Pleasure and brain activity in man. J. Nervous Mental Disease *154*, 3-18.

Hebb, D. (1949). The organization of behavior. New York : Wiley.

Hebb, D. (1968). Concerning imagery. Psychol. Rev. *75*, 466-477.

Hebb, D. (1980). Essay on mind. Hillsdale : Lawrence Erlbaum.

Hecaen, H. (1976). Acquired aphasia in children and the ontogenesis of hemispheric functional specialization. Brain Lang. *3*, 114-134.

Hecaen, H. (1978). La dominance cérébrale. Paris : Mouton.

Hecaen, H. & Albert, M. (1978). Human neuropsychology. New York : Wiley.

Hecaen, H. & Dubois, J. (1969). La naissance de la neuropsychologie du langage (1825-1865). Paris : Flammarion.

Hecaen, H. & Lanteri-Laura, G. (1977). Évolution des connaissances et des doctrines sur les localisations cérébrales. Paris : Desclée de Brouwer.

Heidmann, T. et Changeux, J.-P. (1980). Interaction of a fluorescent agonist with the membrane-bound acetylcholine receptor from *Torpedo marmorata* in the millisecond time range. Biochem. Biophys. Res. Comm. *97*, 889-896.

Heidmann, T. et Changeux, J.-P. (1982). Un modèle moléculaire de régulation d'efficacité au niveau post-synaptique d'une synapse chimique. C.R. Acad. Sc. *295*, 665-670.

Henderson, C. (1983). Role for retrograde factors in synapse formation at the nerve-muscle junction. Prog. Brain Res. *58*, 369-373.

Henderson, C., Huchet, M. & Changeux, J.-P. (1981). Neurite outgrowth from embryonic chicken spinal neurones is promoted by media conditioned by muscle cells. Proc. Nat. Acad. Sci. USA *78*, 2625-2629.

Henry, J. (1980). Substance P and pain : an updating. Trends Neurosci. april 1980, 95-99.

Henry, J. & Ely, D. (1976). Biological correlates of psychosomatic illness. *In* « Biological foundations of psychiatry » (Grenell, R. & Galay, S., eds.). New York : Raven Press; pp. 945-981.

Hickey, T. & Guillery, R. (1979). Variability of laminar patterns in the human lateral geniculate body. J. Comp. Neurol. *183*, 221-246.

Hilgard, E. & Marquis, D. (1940). Conditioning and learning. New York : Appleton-Century.

Hillyard, S. (1981). *In* « Electrophysiological approaches to human cognitive processing ». Neurosci. Res. Prog. Bull. *20*, 240-246.

Hillyard, S., Picton, T. & Regan, D. (1978). Sensation, perception and attention : analysis using ERPs. *In* « Event-related brain potentials in man » (Callaway, E. *et al.*, eds.). New York : Academic Press; pp. 223-231.

His, W. (1887). Zur Geschichte des menschlichen Rückenmarkes und der Nervenwurzeln. Abh. K. Säch. Ges. Wiss., Math. -Phys. Klasse *13*, 477-514.

Hodgkin, A. L. (1964). The conduction of the nervous impulse. Liverpool : Liverpool University Press.

Hodgkin, A. & Huxley, A. (1952). A quantitative description of membrane current and its application to conduction and excitation in nerve. J. Physiol. (London), *117*, 500-544.

Hökfelt, T., Johansson, O., Ljungdahl, A., Lundberg, J. & Schultzberg, M. (1980). Peptidergic neurones. Nature *284*, 515-521.

Holloway, R. (1975). Early hominid endocasts : volumes, morphology and significance for hominid evolution. *In* « Primates functional morphology and evolution » (Tuttle, R., ed.). Paris : Mouton; pp. 393-410.

Holloway, R. (1980). Am. J. Phys. Anthropol. *53*, 109.

Hood, L., Wilson, J. & Hood, W. (1975). Molecular biology of eukaryotic cells. Menlo Park (California) : Benjamin.

Howard, R. & Brown, A. (1970). Twinning : a marker for biological insults. Child Dev. *41*, 519-530.

Hubel, P. & Wiesel, T. (1977). Functional architecture of macaque monkey visual cortex. Ferrier Lecture. Proc. Roy. Soc. Lond. B *198*, 1-59.

Hubel, D., Wiesel, T. & Stryker, M. (1978). Anatomical demonstration of orientation columns in macaque monkey. J. Comp. Neurol. *177*, 361-379.

Hudspeth, A. & Corey, D. (1977). Sensitivity, polarity and conductance change in the response of vertebrate brain cells to controlled mechanical stimuli. Proc. Nat. Acad. Sci. USA *74*, 2407-2411.

Hugues, J., Smith, T., Kosterlitz, H., Fothergill, L., Morgan, B. & Morris, H. (1975). Identification of methionine-enkephalin structure. Nature *258*, 577-579.

Hummel, K. & Chapman, D. (1959). Visceral inversion and associated anomalies in the mouse. J. Heredity *50*, 9-13.

Huxley, T. (1863). Evidence as to man's place in nature. London.

Imbert, M. (1979). Le développement du système visuel : rôle de l'expérience précoce. J. Physiol. (Paris) *75*, 207-217.

Imbert, M. & Buisseret, P. (1975). Receptive field characteristics and plastic properties of visual cortical cells in kittens reared with or without visual experience. Exp. Brain. Res. *22*, 25-36.

Ingvar, D. (1977). L'idéogramme cérébral. Encéphale *3*, 5-33.

Ingvar, D. (1982). Mental illness and regional brain metabolism. Trends Neurosci., June 1982, 199-203.

Inhelder, B. & Piaget, J. (1964). The early growth of logic. New York : Norton Press.

Innocenti, G. (1981a). The development of interhemispheric connection. Trends Neurosci., June 1981, 142-145.

Innocenti, G. (1981b). Growth and reshaping of axons in the establishment of visual callosal connections. Science *212*, 824-827.

Innocenti, G. & Frost, D. (1979). Abnormal visual experience stabilizes juvenile patterns of interhemispheric connections. Nature *280*, 231-234.

Isaac, G. (1978). Food sharing and human evolution : archeological evidence from the plio-pleistocene of East Africa. J. Anthropol. Res. *34*, 311-325.

Isaac, G. (1978). The food-sharing behavior of protohuman hominids. Sc. Amer. *238*, 90-109.

Ivy, G. & Killackey, H. (1982). Ontogenetic changes in the projection of neocortical neurons. J. Neurosci. *2*, 735-743.

Jacob, F. (1970). La logique du vivant. Paris : Gallimard.

Jacob, F. (1979). Cell surface and early stages of mouse embryogenesis. Cur. Top. Dev. Biol. *13*, 117-135.

Jacob, F. & Monod, J. (1961). Genetic regulatory mechanisms in the synthesis of proteins. J. Mol. Biol. *3*, 318-356.

Jacobsen, C. (1931). A study of cerebral function in learning : The frontal lobes. J. Comp. Neurol. *52*, 271-340.

Jacobsen, C. & Nissen, H. (1937). Studies of cerebral function in primates. IV. The effects of frontal lobe lesions on the delayed alternation habit in monkeys. J. Comp. Physiol. Psychol. *23*, 101-112.

Jakobson, R. (1968). Child language, aphasia and phonological universals. La Haye : Mouton.

Jan, Y. N. & Jan, L. Y. (1978). Two mutations of synaptic transmission in Drosophila. Proc. Roy. Soc. Lond. B *198*, 87-168.

Jeannerod, M. & Hecaen, H. (1979). Adaptation et restauration des fonctions nerveuses. Villeurbanne : Simep.

Jerne, N. (1967). Antibodies ans learning : selection versus instruction. *In* « The neurosciences » (Quarton, G. *et al.*, eds.). New York : Rockefeller University Press.

Jessel, T. & Iversen, L. (1977). Opiate analgesis inhibits substance P release from rat trigeminal nucleus. Nature *268*, 549-551.

Jones, E. (1975). Varieties and distribution of non-pyramidal cells in the somatic sensory cortex of the squirrel monkey. J. Comp. Neurol. *160*, 205-268.

Jones, E. (1981). Anatomy of cerebral cortex : columnar input : output organization. *In* « The organization of the cerebral cortex » Schmitt, F. *et al.*, eds. Cambridge, Mass. : MIT Press; pp. 199-235.

Jones, E. & Powell, T. (1970). Anatomical study of converging sensory pathways within the cerebral cortex of the monkey. Brain *93*, 793-820.

Jouvet, M. (1979). Le comportement onirique. Pour la Science *25*, 136-153.

Jouvet-Mounier, D. (1968). Ontogenèse des états de vigilance chez quelques mammifères. Lyon : Imprimerie des Beaux-Arts.

Kaas, J., Nelson, R., Sur, M. & Merzenich, M. (1979). Multiple representation of the body within the primary somatosensory cortex of primates. Science *204*, 521-523.

Kaas, J., Nelson, R, Sur, M. & Merzenich, M. (1981). Organization of somatosensory cortex in primates. *In* « Organization of the cerebral cortex » (Schmitt, F. *et al.*, eds.). Cambridge, Mass. : MIT Press; pp. 237-261.

Kandel, E. (1976). Cellular basis of behavior. An introduction to behavioral neurobiology. San Francisco : Freeman.

Kandel, E. (1979). Cellular insights into behaviour and learning. Harvey Lectures *73*, 19-92.

Kandel, E. & Schwartz, J. (1981). Principles of neural science. Amsterdam : Elsevier-North-Holland.

Katz, B. (1966). Nerve, muscle and synapse, New York : McGraw-Hill.

Katz, B. & Miledi, R. (1972). The statistical nature of the acetylcholine potential and its molecular components. J. Physiol. (London) *224*, 665-699.

Katz, B. & Thesleff, S. (1957). A study of the « desensitization » produced by acetylcholine at the motor end plate. J. Physiol. (London) *138*, 63-80.

Kéty, S. & Schmidt, C. (1945). The determination of cerebral blood flow in man by the use of nitrous oxide in low concentrations. Ann. J. Physiol. *143*, 53-66.

King, M.-C. & Wilson, A. C. (1975). Evolution at two levels in humans and chimpanzees. Science *188*, 107-116.

Klüver, H. & Bucy, P. (1939). Preliminary analysis of functions of the temporal lobes in monkeys. Arch. Neurol. Psych. 42, 979-1000.

Koestler, A. (1968). Le cheval dans la locomotive. Paris : Calmann-Lévy.

Kolb, B. & Wishaw, I. (1980). Fundamentals of human neuropsychology. San Francisco : Freeman.

Korn, H., Triller, A., Mallet, A. & Faber, D. (1981). Fluctuating responses at a central synapse : n of binomial fit predicts number of stained presynaptic boutons. Science *213*, 898-1201.

Kosslyn, S. (1980). Image and mind. Cambridge, Mass. : Harvard University Press.

Kourilsky, P. & Chambon, P. (1978). The ovalbumin gene : an amazing gene in eight pieces. Trends Biochem. Sci. *3*, 244-247.

Kraepelin, E. (1896-1915). Psychiatrie, Leipzig : Abel.

Kuffler, J. & Nicholls, J. (1976). From neuron to brain : a cellular approach to the function of the nervous system. Sunderland, Mass. : Sinauer Ass.

Kuffler, S. & Yoshikami, D. (1975a). The distribution of acetylcholine sensitivity at the post-synaptic membrane of vertebrate skeletal twitch muscle : iontophoretic mapping in the micron range. J. Physiol. (London) *244*, 703-730.

Kuffler, S. & Yoshikami, D. (1975b). The number of transmitter molecules in a quantum : an estimate from iontophoretic application of acetylcholine at the vertebrate neuromuscular synapse. J. Physiol. (London) *251*, 465-482.

De Lacoste-Utamsing, C. & Holloway, R. (1982). Sexual dimorphism in the human *corpus callosum*. Science *216*, 1431-1432.

Laing, N. et Prestige, M., 1978. Prevention of spontaneous motoneurone death in chick embryo. J. Physiol. (London) 282, 33 P.

De Lamarck, J.-B. (1809). Philosophie zoologique. Paris (2 vol.).

Langley, J. N. (1905). On the reaction of cells and of nerve-endings to certain poisons, chiefly as regards the reaction of striated muscle to nicotine and to curare. J. Physiol. (London) *33*, 374-413.

Langley, J. N. (1906). On nerve-endings and on special excitable substances in cells. Proc. Roy. Soc. London B *78*, 170-194.

Langley, J. N. (1907). On the contraction of muscle, chiefly in relation to the presence of « receptive » substances. Part I. J. Physiol. (London) *36*, 347-384.

Lashley, K. S. (1929). Brain mechanisms and intelligence: a quantitative study of injuries to the brain. Chicago : University of Chicago Press.

Lassen, N. (1959). Cerebral blood flow and oxygen consumption in man. Physiol. Rev. *39*, 183-238.

Layton, W. M. (1976). Random determination of a developmental process. J. Heredity *67*, 336-338.

Lee, C. Y. & Chang, C. C. (1966). Modes of action of purified toxins from venoms on neuromuscular transmission. Mem. Inst. Butantan Simp. Internac. *33*, 555-572.

Van Leeuwenhoek, A. (1719). *In* « Epistolae physiologicae super compluribus naturae arcanis ». Delft : Beman.

Lejeune, J. (1977). On the mechanism of mental deficiency in chromosomal diseases. Hereditas *86*, 9-14.

Lejeune, J., Gautier, M. & Turpin, R. (1959). Étude des chromosomes somatiques de neuf enfants mongoliens. C. R. Acad. Sci. Paris *248*, 1721-1722.

Le May, M. (1982). Morphological aspects of human brain asymmetry. An evolutionary perspective. Trends Neurosci., August 1982, 273-275.

Lenneberg, E. (1967). Biological foundations of language. New York : Wiley.

Leroy, Y. (1964). Transmission du paramètre fréquence dans le signal acoustique des hybrides $F_1$ et $PxF_1$ de deux grillons : *Teleogryllus commodus* Walker et *T. oceanicus* Le Guillou (Orthoptères, Ensifères). C. R. Acad. Sci. Paris *259*, 892-895.

Leuret, F. (1839) et Gratiolet, L. (1857). Anatomie complète du système nerveux considérée dans ses rapports avec l'intelligence. Tomes I et II. Paris : Baillière.

Leutenegger, W. (1972). Newborn size and pelvic dimensions of *Australo-pithecus*. Nature *240*, 568-569.

Levay, S., Wiesel, T. & Hubel, D. (1980). The development of ocular dominance columns in normal and visually deprived monkeys. J. Comp. Neurol. *191*, 1-51.

Levi-Montalcini, R. (1975). NGF : an uncharted route. The Neurosciences : Paths of discovery. Cambridge, Mass. : MIT Press; pp. 245-265.

Levine, S. (1966). Sex differences in the brain. Sc. Amer. *214* (4), 84-90.

Levinthal, F., Macagno, E. & Levinthal, C., (1976). Anatomy and development of identified cells in isogenic organisms. Cold Spring Harbor Symp. Quant. Biol. *40*, 321-331.

Levitan, I., Harmar, A. & Adams, W. (1979). Synaptical hormonal modulation of a neuronal oscillator : a search for molecular mechanisms. J. Exp. Biol. *81*, 131-151.

Lewis, W. B. & Clarke, H. (1878). The cortical lamination of the motor area of the brain. Proc. Roy. Soc. London B. *27*, 38-49.

Lewontin, R. C. (1974). The genetic basis of evolutionary change. New York : Columbia University Press.

Lindvall, O. & Björklund, A. (1974). The organization of the ascending catecholamine neuron systems in the rat brain as revealed by the glyoxylic acid fluorescence method. Acta Physiol. Scand. suppl. *412*, 1-48.

Linné, C. (1770). Philosophie botanique. Vienne.

Livingstone, M. & Hubel, D. (1981). Effects of sleep and arousal on the processing of visual information in the cat. Nature *291*, 554-561.

Van der Loos, H. (1967). The history of the neuron. In « The neuron » (Hyden, H., ed.). Amsterdam : Elsevier; pp. 1-47.

Van der Loos; H. & Woosey (T. 1973). Somatosensory cortex : structural alterations following early injury to sense organs. Science *179*, 395-398.

Lorente de No, R. (1938). Analysis of the activity of the chains of internuncial neurons. J. Neurophysiol. *1*, 207-244.

Lorente de No, R. (1943). Cerebral cortex : architecture, intracortical connections, motor projections. *In* « Physiology of the nervous system » (Fulton, J., ed.). London : Oxford University Press; pp. 274-301.

Lund, J. S., Boothe, R. G. & Lund, R. G. (1977). Development of neurons in the visual cortex (area 17) of the monkey *(Macaca nemestrina)* : a Golgi study from fetal day 127 to postnatal maturity. J. Comp. Neurol. *176*, 149-188.

Luria, A. (1978). Les fonctions corticales supérieures de l'homme. Paris : Presses Universitaires de France.

Macagno, E., Lopresti, U. & Levinthal, C. (1973). Structural development of neuronal connections in isogenic organisms : variations and similarities in the optic system of *Daphnia magna*. Proc. Nat. Acad. Sci. USA *70*, 57-61.

McEwen, B. (1976). Interactions between hormones and nerves tissue. Sc. Amer. *235* (1), 48-58.

McGaugh, J. (1973). Learning and memory, and introduction. San Francisco : Albion Press.

McIntosh, F. (1941). The distribution of acetylcholine in the peripheral and the central nervous system. J. Physiol. (London) *99*, 436-442.

McLean, P. (1952). Some psychiatric implications of physiological studies on frontotemporal portion of limbic system (visceral brain). Electroenceph. Clin. Neurophysiol. *4*, 407-418.

McLean, P. (1970). The triune brain, emotions and scientific bias. *In* « The Neurosciences : Second study program » (Schmitt, F., ed.), New York : Rockefeller University Press; pp. 336-349.

Magoun, H. W. (1954). The ascending reticular system and wakefulness. *In* « Brain mechanisms and consciousness » (Delafresnaye, J.-F., ed.). Springfield : Thomas; pp. 1-20.

von del Malsburg, C. (1981). The correlation theory of brain function. Internal report 81-2, July 1981, Department of Neurobiology, Max Planck Institute for Biophysical Chemistry, Göttingen.

von der Malsburg, C. & Willshaw, D. (1981). Co-operativity and brain organization. Trends Neurosci., April 1981, 80-83.

Mariani, J. (1983). Elimination of synapses during the development of the central nervous system. Prog. Brain Res. *58*, 383-392.

Mariani, J. & Changeux, J.-P. (1981). Ontogenesis of olivocerebellar relationships. J. Neurosci. *1*, 696-709.

Marler, P. (1970). Bird song and speech development : could there be parallels? Am. Sci. *58*, 669-673.

Marler, P. & Peters, S. (1982). Developmental overproduction and selective attrition : new process in the epigenesis of brid song. Dev. Psychobiol. *15*, 369-378.

Martin, K. & Perry, H. (1983). The role of fiber ordering and axon collateralization in the formation of topographic projections. Prog. Brain Res. *58*, 321-337.

Marty, R. & Scherrer, J. (1964). Critères de maturation des systèmes afférents corticaux. Prog. Brain Res. *4*, 222-236.

Matteucci, C. (1838). Sur le courant électrique ou presque de la grenouille. Bibl. Univ. Genève *7*, 156-168.

Matteucci, C. (1840). Essai sur les phénomènes électriques des animaux. Paris : Carilliau, Gœury et Dalmont.

Mayr, E. (1974). Populations, espèces et évolutions. Paris : Hermann.

Mazziotta, J., Phelps, M., Carson, R. & Kuhl, D. (1982). Tomographic mapping of human cerebral metabolism : auditory stimulation. Neurology *32*, 921-937.

Meech, R. (1979). Membrane potential oscillations in molluscan « burster » neurons. H. Exp. Biol. *81*, 93-112.

Mehler, J. (1974). Connaître par désapprentissage. *In* « L'unité de l'homme » (Morin, E. & Piattelli-Palmarini, M., eds.). Paris : Le Seuil; pp. 187-319.

Mellen, S. (1981). The evolution of love. San Francisco : Freeman.

Mendlewics, J., Linkowski, P. & Wilmotte, J. (1980a). Linkage between glucose-6-phosphate dehydrogenase deficiency and manic-depressive psychosis. Brit. J. Psychiat. *137*,. 337-342.

Mendlewicz, J. (1980b). Les facteurs génétiques dans les syndromes dépressifs. Riv; di Psichiatria *15*, 62-73.

Mendlewicz, J., Linkowski, P., Guroff, J. & van Praag, H. (1979). Color blindness linkage to bipolar manic-depressive illness. Arch. Gen. Psychiat. *36*, 1442-1447.

Meynert, T. (1867-1868). Der Bau der Grosshirnrinde und seine örtlichen-Verschiedenheiten, nebst einem pathologisch-anatomischen Korollarium. Vjschr. Psychiatr. Vienna *1*, 77-93, 198-217; *2*, 88-113.

Meynert, T. (1884). Psychiatrie. Vienna : Braumüller.

Mialet, J.-P. (1981). Les troubles de l'attention dans la schizophrénie. *In* « Actualités de la schizophrénie » (Pichot, P., éd.), 195-226.

Michler, A. & Sakmann, B. (1980). Receptor stability and channel conversion in the subsynaptic membrane of the developing mammalian neuromuscular junction. Dev. Biol. *80*, 1-17.

Mintz, B. (1974). Gene control ov mammalian differentiation. Ann. Rev. Genetics *8*, 411-470.

Miyawaki, K., Strange, W., Verbrugge, R., Liberman, A. Jenkins, J. & Fujimura, O. (1975). An effect of linguistic experience : the discrimination of (r) and (1) by native speakers of Japanese and English. Perception & Psychophysics *18*, 331-340.

Monnier, M. & Hösli, L. (1964). Dialysis of sleep and waking factors in blood of the rabbit. Science *146*, 796-798.

Monod, J. (1970). Le hasard et la nécessité. Paris : Le Seuil.

Monod, J., Changeux, J.-P. & Jacob, F. (1963). Allosteric proteins and cellular control systems. J. Mol. Biol. *6*, 306-328.

Monod, J., Wyman, J. & Changeux, J.-P. (1965). On the nature of allosteric transitions : a plausible model. J. Mol. Biol. *12*, 88-118.

Morata, G. & Lawrence, B. (1977). Homeotic genes, compartments and cell determination in *Drosophila*. Nature *263*, 211-216.

Moreau de Tours, M. (1855). De l'identité de l'état de rêve et de la folie. Ann. Méd. Psych. 361-468.

Morel, F. (1947). Introduction à la psychiatrie neurologique. Paris : Masson.

Morel, N., Israël, M., Manaranche, R. & Mastour-Frachon, P. (1977). Isolation of pure cholinergic nerve-endings from *Torpedo* electric organ J. Cell Biol. *75*, 43-55.

Morgan, M. & Corballis, M. (1978). On the biological basis of human laterality : 2. The mechanism of inheritance. Behavior. Brain Sci. *1*, 270-336.

Morgan, T., Sturtevant, A., Muller, H. & Bridges, C. (1923). Le mécanisme de l'hérédité mendélienne. Bruxelles : Lamertin.

Morin, E. & Piattelli-Palmarini, M. (1974). L'unité de l'homme. Paris : Le Seuil.

Moruzzi, G. et Magoun, H. (1949). Brain stem reticular formation and activation of the EEG. Electroencephalogr. Clin. Neurophysiol. *1*, 455-473.

Mountcastle, U. (1957). Modality and topographic properties of single neurons of cat's somatic sensory cortex. J. Neurophysiol. *20*, 408-434.

Mountcastle, V. (1975). The world around us : neural command function for selective attention. Neurosci. Res. Prog. Bull. *14*, suppl. April 1976.

Mountcastle, V. (1978). An organizing principle for cerebral function : the unit module and the distributed system. *In* « The mindful brain » (Edelman, G. & Mountcastle, V., eds.). Cambridge, Mass. : MIT Press; pp. 7-50.

Mullen, R. (1977). Genetic dissection of the central nervous system : mutant *vs* normal mouse and rat chimeras. *In* « Society for Neuro-Science Symposium, vol. 2 : Approaches to the cell biology of beurons » (Cowan, W. & Ferrendelli, J., eds.). Bethesda : Soc. for Neurosci.

Murphy, M. (1981). Evidence for the involvement of endogenous opiates in male sexual behavior. Proc. 5th World Congress on Sexology, Jerusalem.

Murphy, M., Bowie, D. & Pert, C. (1979). Society Neuroscience Abstracts, p. 470.

Nachmansohn, D. (1959). Chemical and molecular basis of nerve activity. New York : Academic Press.

Neel, J., Salzano, F., Junqueira, P., Keiter, F. & Maybury-Lewis, D. (1964). Studies on the Xavante Indians of the brazilian Mato Grosso. Hum. Genet. *16*, 52-140.

Nelson, P. & Brenneman, D. (1982). Electrical activity of neurons and development of the brain. Trends Neurosci., July 1982, 229-232.

van Ness, J., Maxwell, I. & Hahn, W. (1979). Complex population of non-polyadenylated messenger RNA in mouse brain. Cell *18*, 1341-1349.

Neubig, R. et Cohen, J. (1980). Permeability control by Cholinergic receptors in *Torpedo* postsynaptic membranes : agonist dose-response curve relations measured at second and millisecond times. Biochemistry, *19*, 2770-2779.

O'Brien, S. & Nash, W. (1982). Genetic mapping in mammals : chromosome map of domestic cat. Science *216*, 257-265.

O'Brien, R., Östberg, A. & Vrbova, G. (1978). Observation on the elimination of polyneuronal innervation in developing mammalian skeletal muscle. J. Physiol. (London) *282*, 571-587.

O'Brien, R., Purves, R. & Vrbova, G. (1977). Effect of activity on the elimination of multiple innervation in soleus muscle of rats. J. Physiol. (London) *271*, 54-55P.

Olds, J. & Milner, P. (1954). Positive reinforcement produced by electrical stimulation of septal area and other regions of rat brain. J. Comp. Physiol. Psychol. *47*, 419-427.

O'Leary, D., Stanfield, B. & Cowan, W. (1981). Évidence that the early post-natal restriction of the cells of origin of the callosal projection is due to the elimination of axonal collaterals rather than to the death of neurons. Dev. Brain Res. *1*, 607-617.

Oppenheim, R. & Nunez, R. (1982). Electrical stimulation of hindlimb increases neuronal cell death in chick embryo. Nature *295*, 57-59.

O'Rahilly, R. (1973). Developmental stages in human embryos. Part A : Embryos of the first three weeks (stages 1 to 9). Washington : Carnegie Institution, Publication 631.

Oster-Granite, M. & Gearhart, J. (1981). Cell lineage analysis of cerebellar Purkinje cells in mouse chemiras. Dev. Biol. *85*, 199-208.

Overton, E. (1902). Beiträge zur allgemeinen Muskel- und Nervenphysiologie. Pflüger's Arch. *92*, 115-280, 346-386.

Packer, S. & Gibson, K. (1979). A developmental model of the evolution of language and intelligence in early hominids. Behavior. Brain Sciences *2*, 367-408.

Palade, G. & Palay, S. (1954). Electron microscopy observations of interneuronal and neuromuscular synapses. Anat. Rec. *118*, 335.

Palay, S. (1978). The Meynert cell, an unusual cortical pyramidal cell. *In* « Architectonics of the cerebral cortex » (Brazier, M. & Petsche, H., eds.). New York : Raven Press; pp. 31-42.

Papez, J. (1937). A proposed mechanism of emotion. Arch. Neurol. & Psychiat. *38*, 725-744.

Pavlov, I. (1949). Œuvres complètes. Moscou.

Pellionisz, A. & Llinas, R. (1982). Tensor theory of brain function : the cerebellum as a space-time metric. *In* « Competition and cooperation in neural nets » (Amari, S. & Arbib, M., eds.). Berlin : Springer Verlag; pp. 294-417.

Penfield, W. & Rasmussen, T. (1957). The cerebral cortex of man. New York : McMillan.

Perky, C. (1910). An experimental study of imagination. Amer. J. Psychol. *21;* 422-452.

Peroutka, S. & Snyder, S. (1919). Multiple serotonin receptors : differential binding of ³H-spiroperidol. Mol. Pharmacol. *16*, 687-699.

Pert, C. & Snyder, S. (1973). Properties of opiate receptor binding in rat brain. Proc. Nat. Acad. Sci. USA *70*, 2243-2247.

Pfaff, D. (1980). Estrogens and brain function. New York : Springer Verlag.

Phelps, M.E., Kuhl, D. & Mazziotta, J. (1981), Metabolic mapping of the brain's response to visual stimulation : studies in humans. Science *211*, 1445-1447.

Phelps, M. E., Mazziotta, J. & Huang, S. C. (1982). Study of cerebral function with positron-computed tomography. J. Cereb. Blood Flow & Metabol. *2*, 113-162.

Piaget, J. (1977). The development of thought : equilibration of cognitive structures New York : Viking Press.

Piattelli-Palmarini, M. (1979). Structure distale et sensation proximale : critère de co-traduisibilité; communications *31*, 171-188.

Piéron, H. (1913). Problèmes physiologiques du sommeil. Paris : Masson.

Pittman, R. & Oppenheim, R. (1979). Cell death of motoneurons in the chick embryo spinal cord. J. Comp. Neurol. *187*, 425-446.

Piveteau, J. (1956). Traité de paléontologie humaine. Paris : Masson.

Popot, J.-L., Cartaud, J. & Changeux, J.-P. (1981). Reconstitution of a functional acetylcholine receptor. Incorporation into artificial lipid vesicles and pharmacology of the agonist controlled permeability changes. Eur. J. Biochem. *118*, 203-214.

Postlethwait, J. & Schneiderman, H. (1973). Developmental genetics of *Drosophila* imaginal discs. Ann. Rev. Genetics *7*, 381-433.

Powell, T. P. & Mountcastle, V. (1959). Some aspects of the functional organization of the cortex of the post-central gyrus of the monkey : a correlation of findings obtained in a single unit analysis with cytoarchitecture. Bull. Johns Hopkins Hosp. *105*, 133-162.

Preyer, W. (1885). Spezielle Physiologie des Embryos. Leipzig : L. Fernau, Grieben.

Prigogine, I. (1961). Introduction to the thermodynamics of irreversible processes. New York : Interscience.

Prigogine, I. & Balescu, R. (1956). Phénomènes cycliques dans la thermodynamique des processus irréversibles. Bull. Acad. R. Belg. Clin. Sci. *42*, 256-632.

Pull, C. & Pull, M.-C. (1981). Des critères cliniques pour le diagnostic de schizophrénie. *In* « Actualité de la schizophrénie » (Pichot, P., éd.). Paris : Presses Universitaires de France; pp. 23-55.

Quinn, W., Harris, W. & Benzer, S. (1974). Conditioned behavior in *Drosophila melanogaster*. Proc. Nat. Acad. Sci. USA *71*, 708-712.

Raichle, M. (1980). Cerebral blood flow and metabolism in man : past, present and future. Trends Neurosci., August 1980, 6-10.

Rakič, P. (1974). Neurons in rhesus monkey visual cortex : systematic relation between time of origin and eventual disposition. Science *183*, 425-427.

Rakič, P. (1976). Prenatal genesis of connections subserving ocular dominance in the rhesus monkey. Nature *261*, 467-471.

4 saisons à Capbreton...

40112
LANDES
**Capbreton**

LES ÉDITIONS *Thouand* S.A. - BP 173 - 64204 BIARRITZ CEDEX - FRANCE
Reproduction interdite - Fabriqué dans la CEE

3 510220 001109

Mélanie Laplante
8117 ave. Casgrain
MLL (QC)

T

H 2 P 2 K6

Canada

Rakič, P. (1977). Prenatal development of the visual system in the rhesus monkey. Phil. Trans. R. Soc. London B *278*, 245-260.

Rakič, P. (1979). Genetical and epigenetic determinants of local neuronal circuits in the mammalian central nervous system. *In* « The Neurosciences : Fourth study program » (Schmitt, F. & Worden, F., eds.). Cambridge, Mass. : MIT Press; pp. 109-127.

Rakič, P. & Goldman-Rakič, p. (1982). Development and modifiability of the cerebral cortex. Neurosci. Res. Prog. Bull. *20* (4) 429-611.

Ramon Y Cajal, S. (1909-1911). Histologie du système nerveux de l'homme et des vertébrés. Paris : Maloine (2 vol.).

Ramon y Cajal, S. (1933). Neuronismo o reticularismo? La pruebas objectivas de la unidad anatomica de las celulas nerviosas. Archos. Neurobiol. *13*, 217-291.

Ranvier, L. (1875). Traité technique d'histologie. Paris : F. Savy.

Redfern, P.A. (1970). Neuromuscular transmission in newborn rats. J. Physiol. (London) *209*, 701-709.

Reiness, G. & Weinberg, G. (1981). Metabolic stabilization of acetylcholine receptors at newly formed neuromuscular junctions in rat. Dev. Biol. *84*, 247-254.

Rife, D. (1940). Handedness with special reference to twins. Genetics *25*, 178-186.

Rife, D. (1950). Applications of gene frequency analysis to the interpretation of data from twins. Hum. Biol. *22*, 136-145.

Ripley, K. & Provine, R. (1972). Neural correlates of embryonic motility in the chick. Brain Res. *45*, 127-134.

Ritchie, A.D. (1936). Histoire naturelle de l'esprit.

Rizley, R. & Rescorla, R. (1972). Associations in second-order conditioning and sensory preconditioning. J. Comp. Physiol. Psychol. *81*, 1-11.

Robertson, J. (1956). The ultrastructure of a reptilian myoneural junction. J. Biophys. Biochem. Cytol. *2*, 381-394.

Roch-Lecours, A. (1983). Keeping your brain in mind. *In* « Neonate cognition : beyond the buzzing, blooming confusion » (Mehler, J. & Fox, R., eds.). Hillsdale : Lawrence Erlbaum.

Rockell, A., Hiorns, R. & Powell, T. (1980). The basic uniformity in structure of the neocortex. Brain *103*, 221-224.

Roland, P. (1981). Somatotopical turning of post-central gyrus during focal attention in man. A regional cerebral blood flow study. J. Neurophysiol. *46*, 744-754.

Rolls, B. J. & Rolls, E. T. (1981). The control of drinking. Brit. Med. Bull. *37*, 127-130.

Romer, A. (1955). The vertebrate body. Philadelphie : Saunders.

Roques, B., Garbay-Jaureguiberry, C., Oberlin, R., Anteunis, M. & Lala, A. (1976). Conformation of Met-5-enkephalin determined by high field PMR spectroscopy. Nature *262*, 778-779.

Rosch, E. (1975). Cognitive reference points. Cognit. Psychol. *7*, 532-547.

Rose, G. (1980). Can the neurosciences explain the mind. Trends Neurosci., May 1980, 1-4.

Roux, W. (1895). Entwicklungsmechanik der Organismen. Leipzig.

Ruffié, J. (1976). De la biologie à la culture. Paris : Flammarion.

Ruffié, J. (1982). Traité du vivant. Paris : Fayard.

de Rusconibus, G. (1520). Congestorium artificiosae memoriae. Venise.

Russell, B. (1918). The philosophy of logical atomism.

Rutishauser, U., Hoffman, S. & Edelman, G. (1982). Binding properties of cell adhesion molecule from neural tissue. Proc. Nat. Acad. Sci. USA 79, 685-689.

Saban, R. (1977). Les impressions vasculaires pariétales endocrâniennes dans la lignée des Hominidés. C. R. Acad. Sci. Paris 284 D, 803-806.

Saban, R. (1980a). Le système des veines méningées moyennes chez Homo erectus d'après le moulage endocrânien. C. R. 105e Congrès national des Sociétés Savantes, Caen III, 61-73.

Saban, R. (1980b). Le tracé des veines méningées moyennes sur le moulage endocrânien d'Homo habilis (KNM-ER 1470). C. R. Acad. Sci. Paris 290 D, 405-408.

Saban, R. (1980c). Le système des veines méningées chez deux néanderthaliens : l'homme de la Chapelle-aux-Saints et l'homme de la Quina, d'après le moulage endocrânien. C. R. Acad. Sci. Paris 290 D, 1297-1300.

Sainte-Anne Dargassies, S. (1961). Le premier sourire du nourrisson. Dev. Med. and Child Neurol. 4, 531-533.

Sallanon, M., Buda, C., Janin, M. & Jouvet, M. (1981). L'insomnie provoquée par la p-chlorophénylamine chez le chat. Sa réversibilité par l'injection intraventriculaire de liquide céphalorachidien prélevé chez des chats privés de sommeil paradoxal. C. R. Acad. Sci. Paris 291, 1063-1066.

Salzarulo, P. (1975). Relationship between phasic events recorded in striate cortex and by surface techniques during sleep in humans. In « The experimental study of human sleep : methodological problems » (Salzarulo, P., ed.), Amsterdam : Elsevier; pp. 37-49.

Sasanuma, S. (1975). Kana and Kanji processing in Japanese aphasics. Brain and Language 2, 369-383.

de Saussure, F. (1915). Cours de linguistique générale. Paris : Payot.

Savi, P. (1844). Études anatomiques sur le système nerveux et sur l'organe électrique de la Torpille. Paris : Fortin, Masson.

Scheller, R., Jackson, J., McAllister, L., Schwartz, J., Kandel, E. & Axel, R. (1982). A family of genes that codes for ELH, a neuropeptide eliciting a stereotyped pattern of behavior in Aplysia. Cell 28, 707-719.

Scholes, J. (1979). Nerve fibre topography in the retinal projection to the tectum. Nature 278, 620-625.

Schwartz, S. (1982), Is there a schizophrenic language? Behav. Brain Sc. 5, 579-626.

Segal, S. & Fusella, V. (1970). Influence of imaged pictures and sounds on detection of visual and auditory signals. J. Esp. Psychol. *83*, 458-464.

Sharpless, S. & Jasper, H. (1956). Habituation of the arousal reaction. Brain *79*, 655-680.

Shatz, C. & Rakic, P. (1981). The genesis of efferent connections from the visual cortex of the fetal rhesus monkey. J. Comp. Neurol. *196*, 287-307.

Shepard, R. (1978). The mental image. Amer. Psychologist, Feb. 1978, 125-137.

Shepard, R. & Judo, S. (1976). Perceptual illusion of rotation of three-dimensional objects. Science *191*, 952-954.

Shepard, R. & Metzler, J. (1971). Mental rotation of three-dimensional objects. Science *171*, 701-703.

Sherrington, C. S. (1897). *In* « Forster's textbook of physiology », 7ᵉ édition. New York : McMillan.

Shin, H., Stavnezer, J., Artz, K. & Bennett, D. (1982). Genetic structure and origin of t haplotypes of mice, analyzed with H-2 cDNA probes. Cell *29*, 969-976.

Sidman, R. (1970). Cell proliferation, migration and interaction in the developing mammalian central nervous system. *In* « The Neuroscience : Second study program » (Schmitt, F., ed.). New York : Rockefeller University Press; pp. 100-107.

Simon, H. (1981). Neurones dopaminergiques A10 et système frontal. J. Physiol. (Paris) *77*, 81-95.

Simon, E. Hiller, J. & Edelman, I. (1973). Stereospecific binding of the potent narcotic analgesic ³H-etorphine to rat brain homogenates. Proc. Nat. Acad. Sci. USA *70*, 1947-1949.

Singer, W. (1979). Central core control of visual cortex function. *In* « The Neurosciences, Fourth study Program » (Schmitt, F. & Worden, F. eds.). Cambridge, Mass. : MIT Press; pp. 1093-1110.

Slater, E. & Cowie, V. (1971). The genetics of mental disorders. London : Oxford University Press.

Sloper, J., Hiorns, R. & Powell, T. (1979). A qualitative and quantitative electron microscopic study of the neurons in the primate motor and somatic sensory cortices. Phil. Trans. Roy. Soc. London B *285*, 141-171.

Snell, G. D. (1929). Dwarf, a new mendelian recessive character of the house mouse. Proc. Nat. Acad. Sci. USA *15*, 733-734.

Sokoloff, L., Reivich, M., Kennedy, C., Des Rosiers, M., Patlak, C., Pettigrew, K., Sakurada, U. & Shinohara, M. (1977). The ¹⁴C-deoxyglucose method for the measurement of local cerebral glucose utilization : theory, procedure, and normal values in the conscious and anesthetized albino rat. J. Neurochem. *28*, 897-916.

Sokolov, E. (1963). Perception and the conditioned reflex. New York : McMillan.

Sotelo, C. & Privat, A. (1978). Synaptic remodeling of the cerebellar cicuitry in mutant mice and experimental cerebellar malformations. Acta Neuropath. 43, 19-34.

Soury, J. (1899). Le système nerveux central. Paris : Carré et Naud.

Spann, W. & Dustmann, H. O. (1965). Das menschliche Hirngewicht und seine Abhängigkeit von Lebensalter, Körperlänge, Todesursache und Beruf. Deutsche Zeitsch. für Gerichtliche Med. 56, 299-317.

Sperry, R. (1968). Hemisphere deconnection and unity of consciousness. Amer. Psychologist 23, 723-733.

Spinoza, B. (1843). Ethique. Paris : Charpentier.

Springer, S. & Deutsch, G. (1981). Left brain, right brain. San Francisco : Freeman.

Starck, D. & Kummer, B. (1962). Zur Ontogenese des Schimpanzenschädels. Anthrop. Anz. 25, 204-215.

Steinbach, J. (1981). Developmental changes in acetylcholine receptor aggregates at rat neuromuscular junction. Dev. Biol. 84, 267-276.

Stent, G. (1981). Strength and weakness of the genetic approach to the development of the nervous system. Ann. Rev. Neurosci. 4, 163-194.

Stent, G., Kristian, W., Friesen, W., Ort, C., Poon, M. & Calabrese, R. (1978). Neuronal generation of the leech swimming movement. Science 200, 1348-1357.

Stephan, H. (1972). Evolution of primate-brains : a comparative anatomical investigation. In « The functional and evolutionary biology of primates » (Tuttle, R., ed.). Chicago : Adline pp. 155-174.

Streeter, G. L. (1951). Developmental horizons in human embryos. Age groups XI to XXIII. Washington : Carnegie Institution Publications.

Stricker, E., Bradshaw, W. & McDonald, R. H. (1976). The renin-angiotensin system and thirst : a reevaluation. Science 194, 1169-1171.

Strickland, S. & Mahdavi, V. (1978). The induction of differentiation in teratocarcinoma stem cells by retinoic acid. Cell 18, 393-403.

Strumwasser, F. (1965). The demonstration and manipulation of a circadian rythm in a single neuron. In « Circadian clocks » (Aschott, J., ed.). Amsterdam : North-Holland ; pp. 442-462.

Sullerot, E. (1978). Le fait féminin (ouvrage collectif). Paris : Fayard.

Sulloway, F. J. (1981). Freud, biologiste de l'esprit. Paris : Fayard.

Terenius, L. (1973). Characteristics of the receptor for narcotic analgesics in synaptic plasma membrane fraction from rat brain. Acta Pharmacol. Toxicol. 32, 377-384.

Terenius, L. (1981). Médiateurs biochimiques de la douleur. Triangle 21, 103-110.

Teszner, D., Tzavaras, A., Gruner, J. & Hecaen, H. (1972). L'asymétrie droite-gauche du planum temporale : à propos de l'étude anatomique de cent cerveaux. Rev. Neurol. 126, 444-448.

Teuber, H. (1975). Recovery of function after brain injury in man. *In* « Outcomes of severe damage to the nervous system ». Ciba Found. Symp. *34.* Amsterdam : Elsevier.

Thierry, A.-M., Blanc, G., Sobel, A., Stinus, L. & Glowinski, J. (1973). Dopamine terminals in the rat cortex. Science *182*, 499-501.

Thom, R. (1980). Modèles mathématiques de la morphogénèse. Paris : Bourgeois.

Thompson, W., Kuffler, D. P. & Jansen, J.K.S. (1979). The effect of prolonged reversible block of nerve impulses on the elimination of polyneuronal innervation of newborn rat skeletal muscle fibres. Neuroscience *4*, 271-281.

Tobias, P. (1975). Brain evolution in the hominoidea. *In* « Primate functional morphology and evolution » (Tuttle, R., ed.). Paris : Mouton; pp. 353-392.

Tobias, P. (1980). L'évolution du cerveau humain. La Recherche *109* 282-292.

Trevarthen, C. (1973). Behavioral embryology. *In* « Handbook of perception », vol. III : Biology of perceptual systems. New York : Academic Press; pp. 89-117.

Trevarthen, C. (1980). Neurological development and the growth of psychological functions. *In* « Developmental Psychology and Society » (Sauts, J., ed.). London : McMillan Press; pp. 48-95.

Trevarthen, C. (1982). Social cognition : studies of the development of understanding (Butterworth, G. & Light, P., eds.). Brighton : Harvester Press; pp. 77-109.

Trimble, M. (1981). Visual and auditory hallucinations. Trends Neurosci. *4*, December 1981, 1-3.

Tzavaras, A., Kaprinis, G. & Gatzoyas, A. (1981). Literacy and specialization for language : digit dichotic listening in illiterates. Neuropsychologia *19*, 565-570.

Ungerstedt, U. (1971). Stereotaxic mapping of the monoamine pathways in the rat brain. Acta Physiol. Scand. Suppl. *367*, 1-48.

Vesale, A. (1543). De humani corporis fabrica libri septem. Bâle : Oporinus.

Vignolo, L. (1979). Utilita e limiti della tomographia computerizzata in neurologia. *Ital.* J. Neurol. Sci. Suppl. 1, 64-72.

de Vinci, L. (1961). Dessins anatomiques. Choix et présentation de P. Huard. Paris : Da Costa.

Vogt, M. (1954). The concentration of sympathin in different parts of the central nervous system under normal conditions and after the administration of drugs. J. Physiol. (London) *123*, 451-481.

de Vries, H. (1901). Die Mutation Theorie. Leipzig.

Wada, T., Clark, R. & Hamm, A. (1975). Cerebral hemispheric asymmetry in humans : cortical speech zones in hundred adult and hundred infant brains. Arch. Neurol. *32*, 239-246.

Wada, T., Clark, R. & Rasmussen, T. (1960). Intracarotid injection of sodium amytal for the lateralization of cerebral speech dominance : experimental and clinical observations. J. Neurosurg. *17,* 266-282.

von Waldeyer-Harz, H. (1891). Uber einige neuere Forschungen im Gebiete der Anatomie des Zentralnervensystems. Dt. Med. Wschr. *17,* 1213-1356.

Wässle, H., Peichl, L. & Boycott, B. (1981). Dendritic territories of cat retinal ganglion cells. Nature *292,* 344-345.

Watson, J. (1913). Psychology as the behaviorist views it. Psychol. Rev. *20,* 158-177.

Watson, J. (1976). Molecular biology of the gene. 3ᵉ édition. Menlo Park (California) : Benjamin.

Whitaker, P. et Seeman, P. 1978. Proc. Nat. Acad. Sc. USA, 75, 5783-5787.

White, E. (1981). Thalamocortical synaptic relations. *In* « The organization of the cerebral cortex » (Schmitt, F. *et al.,* eds.). Cambridge, Mass. : MIT Press; pp. 153-162.

White, M.J.D. (1978). Modes of speciation. San Francisco : Freeman.

Whittaker, U., Michaelson, I. & Kirkland, R. (1964). The separation of synaptic vesicles from nerve-ending particles (« synaptosomes »). Biochem. J. *90,* 293-303.

Willis, T. (1672). De anima brutorum. Londres : Davis.

Wimer, R. Wimer, C., Vaughn, J., Barber, R., Balvanz, B. & Chernow, C. (1976). The genetic organization of neuron number in Ammon's horns of house mice. Brain Res. *118,* 219-243.

Wintzerith, M., Sarlièvre, L. & Mandel, P. (1974). Brain nucleic acids and protein in hereditary pituitary dwarf mice. Brain Res. *80,* 538-542.

Wise, R. (1980). The dopamine synapse and the notion of « pleasure center » in the brain. Trends Neurosci., April 1980, 91-95.

Wittgenstein, L. (1921). Tractatus logico-philosophicus. Paris : Gallimard.

Wolpert, L. & Lewis, J. (1975). Towards a theory of development. Fed. Proc. *34,* 14-20.

Woods, B. & Teuber, H. (1973). Early onset of complementary specialization of cerebral hemispheres in man. Trnas. Amer. Neurol. Ass. *98,* 113-117.

Woolsey, C. (1958). Organization of somatic sensory and motor areas of the cerebral cortex. *In* « Biological and biochemical bases of behavior ». H. Harlow et C. Woolsey ed. Madison : University of Wisconsin Press; pp. 63-82.

Wright, T. R. (1970). The genetics of embryogenesis in *Drosophila.* Adv. Genet. 15, 261-395.

Yasargil, G. & Diamond, J. (1968). Startle-response in teleost fish : an elementary circuit for neural determination. Nature *220,* 241-243.

Young, J. Z. (1960). A model or the brain. Oxford; Clarendon Press.

Young, J. Z. (1973). Memory as a selective process. Austral. Acad. of Sci. Report : Symp. on Biol. Memory, 25-45.

Young, R. (1970). Mind, brain and adaptation in the 19th century. Oxford : Clarendon Press.

Yunis, J. & Prakash, O. (1982). The origin of man : a chromosomal pictorial legacy. Science *215*, 1525-1530.

Zemb, J.-M. (1981). Discussion séance du 28 février 1981. Bull. Soc. Franç. Philosophie *75*, 105.

Zipser, B. (1982). Complete distribution patterns of neurons with characteristic antigens in the leech central nervous system. J. Neurosci. *2*, 1453-1464.

Zipser, B. & McKay, R. (1981), Monoclonal antibodies distinguish identifiable neurons in the leech. Nature *289*, 549-554.

# Glossaire

*Acétylcholine :* Un des plus anciens neurotransmetteurs connus, dont l'effet au niveau de la jonction nerf-muscle est bloqué par le curare, pp. 4, 109.

*Acide aminé :* Molécule organique aux fonctions amine et acide qui entre dans la composition des protéines, mais assure aussi d'autres fonctions comme celle de neurotransmetteur. Exemple : acide glutamique, acide aspartique, acide gamma-aminobutyrique ou GABA, p. 113.

*ADN ou acide déoxyribonucléique :* Support matériel de l'hérédité, l'ADN se compose de l'enchaînement linéaire de nucléotides, eux-mêmes constitués d'une base organique, d'un sucre (désoxyribose) et de phosphate. Le plus souvent, deux chaînes complémentaires d'ADN s'enroulent en double hélice, p. 224.

*Agnosie :* Déficit dans la reconnaissance d'un stimulus sensoriel qui n'est pas dû à une altération de la sensation élémentaire ou à une baisse de niveau de vigilance, p. 172.

*Aire corticale :* Surface délimitée de cortex, caractérisée à la fois par son architecture cellulaire et par sa fonction (voir la carte des aires corticales de Brodmann, fig. 6). On distingue classiquement les *aires primaires* sensorielles et les aires motrices engagées respectivement dans la projection des organes des sens et la commande motrice, et les *aires d'association* qui leur sont extérieures (fig. 6, 38, 39), pp. 32, 84, 150.

*AMP cyclique :* Petite molécule cyclique dérivée de l'ATP servant à la signalisation interne de la cellule, pp. 132, 180, 222.

*Aphasie :* Déficit de la production et/ou de la compréhension du langage parlé et/ou écrit dû à une lésion du cerveau (fig. 40), pp. 31, 152.

*Aplysie :* Ou limace de mer, mollusque du groupe des Gastéropodes opisthobranches dont le système nerveux très simple a fait l'objet. d'importantes études au niveau cellulaire (fig. 20), pp. 68, 100, 179.

*ATP ou adénosine triphosphate :* Petite molécule produite, en particulier, par la respiration cellulaire et servant à la mise en réserve et aux transferts d'énergie, p. 98.

*ARN ou acide ribonucléique :* Macromolécule linéaire ressemblant à l'ADN, intervenant dans le décodage des gènes d'ADN en protéine, p. 225.

*Axone :* Prolongement unique de la cellule nerveuse où circulent les impulsions nerveuses du soma vers l'extrémité de l'axone; c'est le câble de sortie de la cellule nerveuse; il se termine par une arborisation de terminaisons nerveuses qui contribuent à la formation de synapses (fig. 7 et 8), p. 36.

*Canal ionique :* Lieu de traversée des ions à travers la membrane cellulaire. Il existe plusieurs catégories de canaux qui se définissent, en particulier, par leur sélectivité vis-à-vis des ions et leur sensibilité au potentiel électrique. La propagation de l'influx nerveux fait intervenir des canaux sélectifs pour le sodium (fig. 30), p. 99, 105.

*Catécholamine :* Famille de substances chimiques possédant un noyau catéchol et une fonction amine, dont plusieurs membres agissent comme neurotransmetteurs. Exemple : la noradrénaline, la dopamine (fig. 11 et 44), pp. 48, 185, 196.

*Catégorie :* Ensemble le plus restreint de cellules de même type morphologique *et* biochimique (fig. 15), p. 66.

*Cellule étoilée :* Sous ce terme on regroupe plusieurs catégories de neurones du cortex cérébral dont les axones ne sortent *pas* de celui-ci (fig. 15), p. 64.

*Cellule de Mauthner :* Neurone géant, présent en deux exemplaires seulement dans le bulbe des poissons, intervenant dans le réflexe de fuite (fig. 34), p. 129.

*Cellule de Purkinje :* Catégorie cellulaire principale du cortex du cervelet, caractérisée par une riche arborisation dendritique « en espalier » (fig. 21, 51, 62), pp. 83, 216, 269.

*Cellule pyramidale :* Catégorie majeure de neurones du cortex cérébral dont les axones sortent de celui-ci (fig. 15), pp. 62, 177.

*Cervelet :* Structure très ancienne du cerveau postérieur spécialisée dans la coordination motrice (fig. 3, 13, 21). Le cervelet ne contient qu'un petit nombre de catégories de neurones, parmi elles les cellules de Purkinje et les cellules de grains, p. 59.

*Chromosome :* Corps en forme de bâtonnet allongé contenant l'ADN et localisé dans le noyau cellulaire. Il se distingue au microscope au moment de la division cellulaire (fig. 72), pp. 218, 306-307.

*Clone :* Tous les individus (ou toutes les cellules) dérivés d'un même individu (ou d'une même cellule) par multiplication asexuée (fig. 58), p. 257.

*Corps calleux :* Important faisceau de fibres nerveuses réunissant les deux hémisphères (fig. 3 et 5), pp. 23, 203, 287.

*Corps genouillé latéral :* Noyau du thalamus servant de relais aux voies visuelles (fig. 50), p. 214.

*Cortex cérébral :* Ou néocortex : couche de substance grise qui constitue la paroi des hémisphères cérébraux et se développe de manière très importante chez les mammifères (fig. 3, 13, 14, 15 et 16), p. 25.

*Cristal cellulaire :* Ensemble de cellules nerveuses d'une même catégorie organisées dans le plan de manière régulière. Exemple : les cellules de Purkinje dans le cervelet (fig. 21, 22), pp. 84, 245, 323.

*Dendrites :* Prolongements multiples et ramifiés de la cellule nerveuse qui reçoivent de nombreux contacts synaptiques avec des terminaisons axonales, collectent les signaux qu'elles produisent et les transmettent au corps du neurone ou soma (fig. 8), p. 36.

*Dopamine :* Neurotransmetteur du groupe des catécholamines mis en cause par une théorie biologique de la schizophrénie (fig. 44), pp. 139, 185, 196.

*Enképhaline :* Neurotransmetteur peptidique jouant le rôle de « morphine endogène ». Existe sous deux formes :
$NH_2$ tyrosyl-glycyl-glycyl-phénylalanyl-métionine et
$NH_2$ tyrosyl-glycyl-glycyl-phénylalanyl-leucine (fig. 36), p. 136.

*Formation réticulée :* Ensemble de fibres nerveuses mélangées à des corps cellulaires, situé dans la partie ventrale du tronc cérébral, de la moelle épinière (fig. 44). Celle-ci se compose en fait de groupes discrets de neurones dont les plus connus contiennent des catécholamines comme la noradrénaline (fig. 11) ou la dopamine (fig. 44), p. 187.

*GABA :* Acide y-aminobutyrique : acide aminé jouant le rôle de neurotransmetteur inhibiteur, pp. 113, 133, 343.

*Ganglions de la base :* Groupe de noyaux de grande taille situés sur le plancher du cerveau antérieur (fig. 13), pp. 58, 200.

*Gène :* Segment d'ADN ayant une fonction définie. Les gènes de structure codent pour les protéines. Les gènes de régulation règlent l'entrée en activité (ou le verrouillage) des gènes de structure, p. 216 et chapitre VI.

*Génome :* Ensemble du matériel génétique (de l'ADN) de la cellule, p. 214.

*Génotype :* Constitution génétique d'un individu, p. 214.

*Glie :* Ensemble des cellules dites « gliales », distinctes des cellules nerveuses, jouant un rôle de soutien et d'alimentation, p. 37.

*Graphe :* Outil mathématique permettant de décrire de manière rigoureuse la géométrie d'un réseau, pp. 127, 174.

*Homéotique :* Qualifie des gènes dont la mutation résulte, chez les Invertébrés, de la transformation d'un organe en un autre. Exemple : la mutation *ophtalmoptera* provoque l'apparition d'une aile à la place de l'œil, p. 235.

*Hippocampe :* Circonvolution située dans la région antéro-médiane du lobe temporal, qui résulte de l'internalisation, chez les mammifères, d'un cortex archaïque développé chez les reptiles et les mammifères primitifs. Il ne se compose pas de six couches comme le néo-cortex (fig. 14, 37), pp. 60, 140.

*Hypothalamus :* Ensemble de 22 petits noyaux situé dans le cerveau antérieur en dessous des noyaux du thalamus, jouant malgré ses petites dimensions un rôle capital dans les comportements « vitaux » : alimentation, boisson, comportement sexuel, sommeil, régulation de la température, comportement émotionnel, régulation hormonale, mouvement, etc. (fig. 13), pp. 60, 133, 140.

*Ion :* Atome ou molécule portant une charge électrique. Exemple : l'ion sodium $^+Na$ ou chlore $^-Cl$, pp. 104, 132.

*Isogénique :* Se dit d'individus possédant le même génotype comme les vrais jumeaux (fig. 58), p. 255.

*Locus coeruleus :* Noyau de la partie moyenne du tronc cérébral, composé de neurones contenant de la noradrénaline (fig. 11), pp. 188, 191, 195.

*Membrane cellulaire :* Film continu de lipides et de protéines qui délimite et enveloppe toute cellule y compris la cellule nerveuse. Parmi les protéines qu'elle contient, on compte les molécules-canaux, les enzymes-pompes et les récepteurs de neurotransmetteurs, p. 97.

*Mutation :* Modification, spontanée ou induite, et héritable, de la structure du matériel génétique ou ADN, p. 215.

*Myéline :* Substance lipidique formant une gaine autour de certaines fibres nerveuses, p. 36.

*Neurone :* La cellule nerveuse; celle-ci comprend un corps cellulaire ou soma qui contient le noyau et des prolongements ou neurites de deux types : les dendrites, qui convergent vers le soma, et l'axone unique qui en part (voir fig. 8), p. 41.

*Neurotransmetteur :* Substance chimique intervenant dans la transmission du signal nerveux au niveau de la synapse chimique. Il existe plusieurs dizaines de neurotransmetteurs dans le cerveau (fig. 11), pp. 48, 50, 109.

*Noradrénaline ou norépinéphrine :* Neurotransmetteur du groupe des catécholamines jouant des rôles multiples au niveau du système nerveux central (fig. 11) et périphérique, pp. 50, 224.

*Peptide :* Comme une protéine, un peptide se compose d'acides aminés en chaîne linéaire mais en petit nombre (2 à 20 environ). Exemple : enképhaline, substance P, LHRH, pp. 133, 136, 188.

*Phénotype :* Ensemble de caractères apparents et observables d'un individu, résultant de l'interaction entre le génotype et l'environnement dans lequel le développement a lieu, p. 214.

*Planum temporale :* Aire corticale située en arrière des aires auditives (fig. 69), p. 292.

*Pléiotrope :* Se dit de la capacité d'un gène à influencer plusieurs traits distincts du phénotype. Exemple : le gène albinos affecte à la fois la pigmentation du corps et l'organisation anatomique des voies visuelles dans l'encéphale, p. 216.

*Pompe :* Enzyme utilisant l'ATP pour transporter activement les ions et créer une différence de concentration ionique de part et d'autre de la membrane cellulaire, pp. 98, 220.

*Post-synaptique :* Se trouve du côté de la partie « postérieure » de la synapse, c'est-à-dire au niveau de la partie dendritique (musculaire ou glandulaire) de celle-ci (fig. 9, 17, 30), pp. 40, 119, 121.

*Potentiel de membrane :* Différence de potentiel électrique qui s'établit de part et d'autre de la membrane cellulaire du fait de la présence d'une différence de concentration en ions entre l'intérieur et l'extérieur de la cellule, pp. 97, 104.

*Pré-synaptique :* Se trouve du côté de la partie « antérieure » de la synapse, c'est-à-dire au niveau de la terminaison nerveuse axonale (fig. 9, 17), pp. 40, 111.

*Protéine :* Composés fondamentaux de la cellule, les protéines sont des molécules de grande taille, ou macromolécules, qui résultent de l'enchaînement linéaire d'un nombre élevé (de 20 à quelquefois plus de 1 000) d'acides aminés. La séquence de ces acides aminés (pris parmi 20) caractérise chaque espèce de protéine. Exemple : les enzymes, les récepteurs, les molécules-canaux, les anticorps sont des protéines (fig. 31), pp. 97, 98, 117, 225.

*Récepteur :* Le terme désigne deux entités différentes : d'une part, les *cellules* sensibles des organes des sens (exemple : les cônes et bâtonnets de la rétine) p. 106, d'autre part, les *molécules* qui reconnaissent neurotransmetteur ou hormone (exemple : le récepteur de l'acétylcholine) (fig. 31), p. 117.

*Répresseur :* Protéine allostérique réglant l'expression de gènes de structure en protéine, p. 225.

*Septum :* Un des noyaux du système limbique (fig. 37), p. 143.

*Sérotonine :* Neurotransmetteur dérivé d'un acide aminé aromatique, le tryptophane, p. 185.

*Singularité :* Distingue chaque cellule appartenant à une même catégorie par le répertoire exact des connexions qu'elle établit et qu'elle reçoit, pp. 85, 280.

*Soma :* Corps cellulaire du neurone, contenant noyau et cytoplasme ainsi que mitochondries et multiples appareils de biosynthèse (fig. 8), p. 36.

*Substance P :* Neurotransmetteur du groupe des peptides, intervenant dans la transmission des messages douloureux au niveau de la moelle épinière, p. 134.

*Synapse :* Jonction entre neurones, mais aussi entre neurones et d'autres catégories cellulaires (cellules musculaires, glandulaires). A son niveau, les membranes cellulaires de la terminaison axonale et de la surface innervée se juxtaposent, mais ne fusionnent pas. On distingue les synapses électriques au niveau desquelles les signaux électriques se propagent directement, et les synapses chimiques qui emploient un neurotransmetteur pour la traversée de l'espace intercellulaire (fig. 9, 17), pp. 42, 110.

*Système limbique :* Ensemble de structures primitives importantes dans le contrôle des comportements affectifs et qui comprend l'hippocampe, le septum, l'amygdale, les bulbes olfactifs, etc. (fig. 37), p. 140.

*Thalamus :* Ensemble de structures du cerveau antérieur sur lesquelles repose le cortex ; les voies qui entrent et sortent du cortex établissent en général un relais au niveau du thalamus (fig. 3, 13, 18), pp. 58, 215, 248.

*Tronc cérébral :* Partie importante de l'encéphale qui va du bulbe rachidien au thalamus (fig. 5, 13, 44), p. 187.